Dyn yr Eiliad

Dyn yr Eiliad

Owen Martell

GOMER

Argraffiad cyntaf – 2003
Ail argraffiad – 2004

ISBN 1 84323 305 3

Mae Owen Martell wedi datgan ei hawl dan Ddeddf
Hawlfreintiau, Dyluniadau a Phatentau 1988 i gael ei
gydnabod fel awdur y llyfr hwn.

Dymuna'r cyhoeddwyr gydnabod cymorth
Cyngor Llyfrau Cymru.

Argraffwyd yng Nghymru gan
Wasg Gomer, Llandysul, Ceredigion

I

Fy Nheulu

ac i Ffrindiau

'I don't concern myself with other people's business because I have enough problems of my own.'
'*Like what, for instance?*'
'I have to answer to my other selves.'

Duke Ellington

[un : *devotio moderna*]

[1.1]

Mae e'n cofio'r arogl yn iawn, fel tasai e heb adael y lle erioed. Mae e'n teimlo'r nwyon yn ei ymennydd a phatrwm digyfnewid y tristwch, wedi'i ddisgrifio'n berffaith ar ei enynnau, ac ar enynnau pawb o'i gwmpas. Mae'n parcio'i gar, yn aros am ychydig ac yn edrych o'i amgylch. Yn ei atgoffa'i hun: bechgyn, wedi gadael yr ysgol yn un ar bymtheg, nawr yn gweithio dan yr Ms aur, plant yn croesi'r hewl i'r cae ar ôl te o datws a baked beans, dynion hen-cyn-eu-hamser ar y ffordd i'r dafarn. Ceisio dyfalu hanes a ffawd pawb sy'n ymddangos o'i flaen, am mai dyna fyddai'r ddau ohonyn nhw wedi'i wneud gyda'i gilydd. Agor y ffenest wedyn a dyna holl rym yr arogl, y tristwch, yn ei daro, yn hen a newydd, ffres ac anghyfarwydd ar yr un gwynt. Ro'n nhw'n arfer sôn am bryfed, clêr mor fawr â'ch dwrn ar y dechre. Clêr oedd yn cario marwolaeth gyda nhw o berfeddion y ddaear ac yn ei daenu ymhobman; ar y dillad ar y lein, ar y ffenestri, yng ngwallt a chwys a chroen ifanc y plant – falle'u bod nhw'n sôn o hyd. Dyw e ddim y math o beth r'ych chi'n ei anghofio. Mae e'n teimlo bod marwolaeth yn hollbresennol yma, yn rhan o wead cemegol yr awyr: vinyl chloride, benzene, ethylene dibromide, ac yn y blaen ac yn y blaen.

Ond y clêr yw'r atgof cliria sydd ganddo, a'r tymor hwnnw rhwng gwanwyn a haf pan fydden nhw'n cyrraedd. Pobman arall yn denu ymwelwyr, fan hyn yn denu'r clêr. Ac yn y bore fe fydden nhw yna. Byddai'n gwybod cyn deffro'n iawn hyd yn oed. Y diwrnod yn llaith a thwym yn barod, a'r ffenest yn ysgwyd. Clêr – pedair, pump, dwsin, yn hedfan yn ei erbyn, wedi cyrraedd ei stafell yng nghanol y nos ac yn ceisio torri trwy'r gwydr nawr i ddianc. Yna'n troi 'nôl am ganol yr ystafell, fel hofrenyddion rhyfel, a'r awyr yn crynu o'u hamgylch. Mor fawr â'i ddwrn.

A'r peth arall am y lle 'ma yw ei fod e'n lle ma' pawb arall jyst yn ei basio, yn teithio heibio, trwodd, heb feddwl am stopio, heb sylwi hyd yn oed, weithiau. Neu ma' nhw yn sylwi ac yn cael golwg sydyn, ofnadwy ar graidd y lle; yn synhwyro'r straeon am y clêr a'r gwynt cas, a'r brain sy'n casglu gyda phob llwyth newydd o gefn y lorris di-ben-draw; fel y golygfeydd hynny mewn ffilmiau pan fo cymeriad yn edrych i fyw llygaid y boi roedd e'n meddwl ei fod e'n nabod, ond yn cael golwg ar gyfanrwydd ei orffennol – o'i hoffter o saethu Indiaid pan oedd e'n blentyn, i'r eiliad y lladdodd e gariad ei wraig â chyllell hir. Rwy'n cofio disgrifio'r lle i fachgen yn y coleg. Doedd e ddim yn cofio'r enw ond roedd e'n cofio'r olygfa o'r top, a'r teimlad: yr iselder. Roedd e a'i deulu'n mynd yn rheolaidd ar hyd heol Blaenau'r Cymoedd; ro'n nhw'n arfer mynd i Warwick yn eitha aml, medde fe, ac ar y ffordd 'nôl, ein pentre ni oedd yr arwydd bod y gwyliau ar ben, y bydde fe'n gorfod mynd 'nôl i'r ysgol yn y bore (lle roedd e'n cael ei fwlio), ond yn fwy na hynny, bod bywyd yn rhywbeth roedd pobl yn ei ddioddef. Roedd e'n dweud bod e fel marcio'r gwahaniaeth rhwng plentyndod a'i ymwybyddiaeth o fod yn oedolyn; un funud roedd e'n hapus . . . O wel, braf gwbod bo' chi'n cael dylanwad ar fywydau pobl.

Dyma fy mhentre, felly. A dyma fi, Daniel, wedi dychwelyd i fy mhentre genedigol. Rwy'n cadw llyfr nodiadau wrth fy ochr. I gofnodi argraffiadau, atgofion, tystiolaeth hefyd, erbyn hyn. (Rwy'n cymryd hyn o ddifri. Rwy wedi prynu pad newydd gyda chloriau lledr, a digon o bensiliau. Rwy'n mynd i'w naddu nhw fy hun, pan fydd angen, gyda fy nghyllell boced.) Felly dyma fi'n ysgrifennu. Fel plentyn. Yn excited i lanw'r tudalennau gwyn, gwyn. Yn ysgrifennu fy enw, fy nghyfeiriad, fy oedran, yn y gobaith y bydd hynny'n dechrau'r llif ac na fydda i wedyn yn stopio tan y bydd popeth wedi'i ddweud. (Straeon plant: dechrau, canol, diwedd.) Ond dyma fi – hyd yn oed ar y dechre un – yn cael fy nhemtio i ddweud gormod cyn ei bryd. Fel plentyn, ar yr eiliad cyn iddo gyfadde'i gyfrinach fawr wrth oedolyn: yn methu aros am y release, fel tasai'r straen o guddio ac o dewi wedi bod yn un corfforol, wedi ystumio corff nad yw'n gallu cario unrhyw beth ond y gwir. Ac ma' hyd yn oed plant yn gwbod bod yn rhaid i chi gael cyflwyniad. 'Un tro, un diwrnod hirfelyn o haf tesog.' Felly dyma fy nghyflwyniad i. Rwy'n dechrau gyda'r clêr. 'Mae e'n cofio'r clêr yn iawn.' Da iawn. Mae'r clêr yn fawr ac yn gwneud bywyd i bawb sy'n byw ym mhentref Dowlais yn ddiflas. Ac maen nhw wedi'u cysylltu'n drosiadol ac yn llythrennol, ac yn gemegol efallai, yn weadol yn sicr, ac o ran natur a chyfansoddiad, â marwolaeth. Clêr. Mor fawr â'ch dwrn.

Dyw e ddim wedi torri gair â'i hun mewn oriau. Ar hyd y daith i lawr roedd e'n hapus i yrru mewn tawelwch, heb y radio, heb gerddoriaeth, a jyst gadael i bethau wneud eu hargraffiadau sydyn ar ei feddwl cyn iddyn nhw adael eto. Mae e'n gallu cofio gyrru heibio i Leigh Delamere a Swindon, ond ddim Bryste a'r hewlydd sy'n arwain i Gaerfaddon neu i Wlad yr Haf. Mae e'n cofio'r bont yn amlwg, Pont Hafren, y bont newydd, am nad yw e wedi gyrru drosti ormod o weithiau. Ac mae'n cofio meddwl nad oedd hi'n teimlo fel pont o gwbl, ac y dylai pontydd fod fel y Golden Gate yn San Francisco, neu Bont Verrazano sy'n cysylltu Brooklyn a Staten Island yn Efrog Newydd; y dylech chi deimlo braw wrth eu croesi nhw. Y dylech chi fod yn gallu anghofio bod tir a bywyd yn bodoli ar bob ochr am eiliad.

Mae hi'n ddiwrnod poeth, trymaidd, ambell gwmwl yn bygwth. Gyrrodd heibio i Gaerdydd ond wnaeth e ddim meddwl stopio yno. Gallai fod wedi troi lan ar bwys Casnewydd, ond roedd e'n fwriadol am basio Caerdydd. Roedd e eisiau mesur twf y ddinas, mesur ei absenoldeb. Wrth oleuadau traffic gwelodd fam a'i merch, yn ei harddegau, yn cario bagiau siopa, ar eu ffordd adre. Mae e'n teimlo taw dim ond hyn sydd: byw a bod. Bod unrhyw beth arall yn ddim byd ond lefel o ddealltwriaeth amherffaith, dychymyg dyn wedi'i orliwio. Mae e'n teimlo arwahanrwydd digonol heddi i allu bod yn wrthrychol. A pheidio bod yn fyrbwyll. Bydd e'n gyrru 'nôl i Gaerdydd wedyn, pan fydd e wedi cael gafael ar y sefyllfa. A phan fydd e yno, bydd e'n gallu siarad â hi'n bwyllog a sicr. Yn gallu'i chysuro hi gyda'i hyder tawel.

Rwy'n sgrifennu yn fy llyfr nodiadau. Daearyddiaeth. Mater o ddaearyddiaeth yw meddwl ac ymwybod, a'r hunan. Mater o ddaearyddiaeth gymharol. I'r bachgen hwnnw yn y coleg, daearyddiaeth oedd y gwahaniaeth rhwng bod yn blentyn a bod yn oedolyn, ymwybod daearyddol yn cyflenwi'i syniad o'i hunan, a'r ffordd arall rownd, wrth gwrs. Ac ma' Dowlais, Merthyr i un ochr, Rhymni i'r ochr arall, a'r holl bentrefi bychain eraill, i gyd yn daearyddu'u pobl yn yr un ffordd. Cymdeithaseg. Pyllau glo. Damweiniau. Gwleidyddiaeth sosialaidd. Mater o ddaearyddiaeth, neu ddaeareg yn fwy penodol, efallai. Strata. Haenau.

Rwy'n sgrifennu yn fy llyfr nodiadau. Jyst yn sgrifennu am y tro, yn canolbwyntio ar y weithred gorfforol o dynnu pensil dros bapur heb boeni gormod am eiriau ac ystyron a llif. Rwy'n sgrifennu yn fy llyfr nodiadau, yn ceisio teimlo'r ffordd ymlaen.

Diwrnod poeth, trymaidd, a Daniel yn chwysu er bod ei goler ar agor. Ble i ddechrau? Beth i'w ddweud? Mae'n bosib bod ormod ar wahân i bopeth. Abercynon i'r chwith. Nelson, Treharris, Aberfan i'r dde. 'Distant Drums' gan Jim Reeves oedd yn rhif un pan gwympodd y mynydd ar yr ysgol.

Ac yn y fan hon rwy'n meddwl, yn sylweddoli, bod Davies gyda fi ar hyd yr amser, taw fe sydd wrth wraidd popeth. Ma' hwnna, wrth gwrs, yn hollol amlwg. Beth rwy'n ei feddwl yw ei fod e yna wastad a bod hynny *wastad wedi bod yn wir*, hyd yn oed pan nad oeddwn i'n meddwl yn benodol amdano. Rhywle yng nghefn y meddwl, presenoldeb, ond hefyd ar lefel ddyfnach na hynny. Roedd e yna wastad oherwydd roedd ei ddylanwad arna i'n golygu fod hynny'n anochel. Roedd e yna am fy mod i, i raddau mwy neu lai, wedi'i gymathu e ynof fy hun, wedi'i wneud yn rhan o fy natblygiad. Roedd e yna oherwydd fy mod i, o oedran cynnar iawn, wedi'i ddewis, ac wedi'i gynnwys ynof fy hun yn fwriadol. Roedden ni'n blant gyda'n gilydd (beth am ddechrau yn y dechrau?), ac wrth gwrs dyw plant ddim yn cydnabod, neu'n gallu *ad*nabod, bwriad. Ond rwy'n edrych yn ôl nawr ac yn gwybod: mae'n rhaid fy mod i wedi dewis. Yn ddiarwybod i fi fy hun, falle, ond mae'n rhaid fy mod i wedi penderfynu; neu, yn hytrach, ac yn fwy tebygol, mae'n rhaid bod y bwriad wedi'i bennu drosta i, gan feddwl plentyn sydd eisiau dod ymlaen, plentyn sy'n ymladd plentyndod. Ac ma' hynny'n gyfystyr â phenderfynu.

Roedden ni yn yr ysgol gyda'n gilydd, a hyd yn oed bryd hynny fe alla i gofio'r teimlad. A heddi nawr. Wrth gyrraedd cylchdro Abercynon. Bydde Davies yn fy nabod i'n iawn. Ceisio ymddangos yn ddidaro a gobeithio bod hwnna yr un peth ag actually *bod* yn ddidaro. Rwy'n gwasgu fy nhroed reit lawr ar y pedal a'r car yn hercian cyn dechre cyflymu. Cofleidio'r gornel a'r car ei hun fel tasai'n trio magu'r un arwahanrwydd. Fel tasai'r car yn gallu darllen yr heol, darllen yr olion yn y tar – ac eisiau cofleidio'r gornel, gwneud 80 er taw 50 yw'r limit, jyst i brofi. Poeni dim. Hanes, cynseiliau, damweiniau. Poeni dim.

Fe ddysgodd fi i regi. Un prynhawn Sadwrn, wyth, naw mlwydd oed falle, yn gwylio'r tîm rygbi lleol. Sefyll wrth ochr y cae, wedi mabwysiadu osgo a golwg dyn hanner cant oed â'i gi'n gorwedd wrth ei draed. 'You – you're bloody rubbish.' Rhyfeddu'i fod e'n gallu goddef yr oedolion yn edrych arno fe. Ar iard yr ysgol wedyn, rwy'n cofio pennill roedden ni'n ei adrodd, grwpiau cyfain ohonon ni, un o'r caneuon yna ma' milwyr yn canu wrth redeg gyda'i gilydd. Cân am gerdded i lawr Canal Street – yn Efrog Newydd, fe ffeindion ni allan wedyn, tua de Manhattan, lle roeddech chi'n gallu gwynto'r domen sbwriel ar Staten Island os oedd y gwynt yn chwythu o'r

De – cerdded lawr Canal Street yn edrych am ryw a'r llinell olaf, y pay-off, yn cynnwys y gair 'fuck'. Gwybod yn reddfol ei fod e'n air drwg, methu â'i ddweud, ond eto yn rhyfeddu ar Davies yn ei weiddi mewn pwyslais. Deng mlwydd oed, falle, yn canu caneuon am brynu rhyw ar strydoedd Efrog Newydd. Ro'n ni rhwng dau gwm yn Ne Cymru. Duw a ŵyr o lle daeth hynny.

Ond wrth feddwl nawr am ddylanwad, dwy' ddim yn hollol siŵr nad rhyw fath o barchedig ofn oedd e, mewn gwirionedd. Do'n i ddim yn gallu dweud y geiriau, ond yn barod roedd e'n marcio'i gwrs. Ma' rhai pobl yn arwain, rhai'n dilyn. Rhai'n dda iawn am wneud argraff.

Bod ar wahân i bopeth. Gwylio pethau o bellter diogel. Roedd e wastad mor hyderus, hunanfeddiannol. 'Fuck it,' erbyn tair, pedair ar ddeg. Roedd e'n arfer rhoi ofn i fi weithiau, bod unrhyw un person yn gallu bod mor cool. Ond nid cool yn yr ystyr y mae plant America'n gwybod amdano, chwaith.

Heddi, felly, rwy'n cael yr argraff y byddai Davies yn nabod fy sefyllfa i'n reddfol. Roedden ni'n ffrindiau reit o'r dechrau – dwy' ddim yn gallu cofio adeg pan nad oedd e o gwmpas – ac mae'n rhaid, felly, yn yr wythnosau cyntaf hynny, ein bod ni wedi gweithio allan rhyngon ni rhyw fodel ar gyfer bod yn ffrindiau fyddai'n aros gyda ni, wel, am byth: y byddai e'n arwain, yn cymryd popeth ymlaen, ac y byddwn i'n fodlon iddo wneud. Ac y byddwn i'n edrych arno gyda edmygedd gan amlaf, ond gyda rhywbeth arall hefyd: nid eiddigedd nac amheuaeth yn union, ond sylweddoliad, efallai, fel sy'n dod i rai plant mae'n debyg, ei fod e yn rhywun, ac yn rhywbeth, na allwn i fyth fod.

17

Ma' Daniel hefyd yn un o'r bobl hanner ofergoelus hynny. 'Functionally superstitious' allech chi'i alw fe. Hynny yw, mae e'n hoffi profi'i hun: os bydd e'n gallu cyrraedd gwaelod y grisiau cyn i ddrws ei fflat dynnu'i hun ar gau, yna bydd ei ddiwrnod yn mynd yn iawn. Ac mae e'n hoffi gweld pethau, eu profi nhw yn uniongyrchol ac yn benodol. Os oes rhywun yn dod i ymweld ag e yn ei fflat, mae e'n hoffi rhedeg i'r ffenest y tu allan i'r drws, i'r landing, i weld y person yna'n camu o'r car ar y stryd islaw. Ac os ydy e'n gorfod aros am ei ymwelydd, mae e'n hoffi cyfri am yn ôl o ddeg, gan ddweud wrtho'i hun y bydd rhywbeth da yn digwydd os daw'r person yn ystod y cyfri deg hwnnw. Weithiau bydd e'n gwneud y wobr yn fwy penodol, os oes rhywbeth yn ei boeni e ac mae e'n teimlo y gallai wneud ag ychydig o help llaw. Ac ar ôl cyrraedd dim, os nad ydy'r person wedi cyrraedd, mae'n dechrau eto – ond y tro hwn ma'r wobr am amseru'n gywir yn cael ei lleihau. Mae'n rhywbeth da o hyd, ac yn dal yn werth ei gael, ond mae e ychydig bach yn llai. Mae'n debyg ei fod e'n credu ym mhŵer ei olwg a'i sylw ei hun. Mae e'n credu bod ei sylw e ar berson neu ddigwyddiad yn eu gwneud nhw'n arbennig, ac yn ei wneud e'n arbennig hefyd, ar yr un pryd.

Mae e'n meddwl bod ei wyneb yn rhannu'n ddau. Yn y rhan chwith, ei chwith ef, mae e'n gweld ei dad a'i fam; gên lac ei dad, bochau uchel ei fam. Ond mae'r rhan dde yn perthyn iddo fe, mae e'n teimlo. Nodweddion yr wyneb rywsut yn fwy cyflawn, yn sefyll ar eu traed eu hunain fel petai, heb fod angen cyd-destun. Pan mae e'n cael lluniau passport wedi'u tynnu, dyma'r ochr mae e'n ei hanner troi tuag at y lens.

Mae e'n byw ar gyrion Reading, mewn fflat yn un o'r rhesi yna o dai r'ych chi'n eu gweld mewn lluniau o gyfnod yr Ail Ryfel Byd. Rhesi o dai pâr, gardd fach yn y ffrynt a llwybr yn rhedeg wrth ei ochr i ochr y tŷ, lle ma'r drws ffrynt, y drws ma' pawb yn ei ddefnyddio. Mae'i fflat e yn wynebu'r heol. Mae e'n gweithio mewn ysgol uwchradd yn y ddinas, yn dysgu Saesneg. Y peth gorau am ei swydd yw'r gwyliau. Mae hi'n ddiwedd Awst ar hyn o bryd, sy'n golygu'i fod e'n gallu dod adre nawr heb orfod trefnu unrhyw beth, jyst neidio yn y car. Mae'n byw ar ei ben ei hun, ond yn nabod rhai o'r bobl yn y tŷ yn ddigon da erbyn hyn i fynd mewn atyn nhw am baned weithiau.

Ond r'ych chi'n cael y teimlad nad yw hyn i gyd yn arbennig o bwysig. Hyd yn oed nawr, pan d'ych chi ddim yn gwbod llawer am yr un ohonon ni – fi, Davies neu Anna. A dyw e ddim, really. Ddim eto, beth bynnag. Symtomau o malaise ehangach yw'r ffeithiau hyn i gyd. Malaise sydd yn y dyddiau diwethaf wedi datblygu'n salwch full-blown; y salwch sydd yn golygu ei fod ar ei ffordd o Reading i Ddowlais, pentre'i blentyndod, ac wedyn i Gaerdydd.

Ac mae e 'nôl ar yr hewl, felly, ac ar y racing line rownd y gornel. Dwy res o draffig a stribed gwair yn y canol. Mae e'n chwarae gêmau â'r goleuadau bob ochr i'r hewl, yn trio pennu'r hanner eiliad pan fydd eu cysgod yn hollti'r car yn ddwy.

Ac yna'n sydyn, eiliad arall o adnabod. Daniel yn adnabod Davies y tro hwn. Ma'r cyflymder, ongl y car ar yr hewl, a'i berthynas gorfforol e â'r car yn cyflenwi'r teimlad yn hollol: pa mor dynn mae e'n gafael yn yr

olwyn, er enghraifft, neu'r tensiwn yn ei gefn wrth iddo
bwyso ymlaen, jyst y mymryn lleiaf, i ganolbwyntio, a'i
waled yn gwasgu'n galed yn erbyn ei goes trwy ei boced.
A dyw e ddim yn gorfod dychmygu achos ma'r teimlad
yn real nawr. Dyw e ddim yn gorfod trio'i roi ei hun yn
sefyllfa Davies, mewn amser a gofod – achos mae e'n
brofiad diriaethol, yr eiliad hon. Mae e'n meddwl yn
sydyn ei fod e'n gwybod popeth . . .

Gafael yn dynnach yn yr olwyn, felly, ac aros i'r
teimlad basio.

[1.2]

Mae bron yn wyth o'r gloch ac ar y nosweithiau clir yma r'ych chi'n gallu gweld am byth o'r top. Dim ond i un cyfeiriad, wrth gwrs – lawr y cwm. I bob cyfeiriad arall ma'r bryniau'n mynd yn y ffordd. Yn y cysgodion hir, a'r golau meddal, ma'r gwair ar y tip yn edrych mor real â'r cread ei hun.

A'r lle yn gyffredinol, mae e'n edrych yn dda yn y machlud. Ro'n i wedi anghofio. Am ychydig o funudau, jyst cyn i'r haul suddo, fe allech chi fod yn un o bentrefi'r frontier. Ma'r lliwiau'n eich gwahodd chi i rywle arall, yn bell bell dros y gorwel. 'Sgwn i sawl person arall yma sy wedi meddwl hynny? Ond ma'r adeiladau hefyd yn cael eu gweddnewid. Ma' llwyd y llechi ar y toeon yn troi'n borffor cyfoethog, y ffenestri yn hidlo'r golau ac yn taflu'r cochion, yr oren, a'r melynau cynhesaf yn ôl dros y strydoedd. Fe allai fod yn lle hudol, hudolus. Ond y peth gorau am y golau yw ei ansawdd. Mae'n ddigon cryf i liwio'r lle, a'i gymeriadu, ond d'ych chi ddim yn gallu gweld y manylion. Dim pren dros ffenestri, dim ysgrifen anghelfydd ar waliau a dim McDonalds, achos ma'r arwyddion ar y lle yn toddi mewn i'r melyn ehangach, y melyn sy'n gallu perswadio dyn.

Fe allai'r caffi hefyd fod yn gaffi mewn frontier town. Mae'n anodd dychmygu pwy ar wyneb daear fyddai'n stopio yna. Yn enwedig nawr – mae'n rhaid i chi fod yn ddall i fethu gweld arwyddion McDonalds. Ond tu fewn, yn y tywyllwch, a'r lle ar fin cau, ma' Daniel yn eistedd. Mae e'n synnu bod y lle yn dal i agor bob dydd, yn dychmygu'r perchnogion yn gorfod penderfynu a ddylen nhw agor yn gynt – ac aros ar agor yn hwyrach a

21

gobeithio – neu jyst gau'n gynt ac yn gynt bob dydd. Lle i deithwyr, gyrwyr lorïau, teuluoedd â phlant sy'n methu aros nes cyrraedd adre i fynd i'r toiled.

Mae e'n hoffi caffis. Ma' coffi'n rhywbeth mae e'n ei wneud ar ddydd Sadwrn, er enghraifft, neu yn ystod y gwyliau, pan nad oes dim byd arall ganddo wedi'i drefnu. Mae e'n hoffi mynd i dai bwyta a gwestai, a jyst archebu coffi. Gwestai yn arbennig – mae e'n mynd mewn i'r lolfa, yn cymryd un o'r papurau am ddim, ac yn ei wneud ei hun yn gyffyrddus cyn i rywun ddod ato i gymryd ei archeb. Mae'n hoffi paratoi coffi ei hun, hefyd. Mae'n hoffi'r syniad o'r cyfuniad cemegol o wres uchel, dŵr twym a ffa coffi mor gryf y gallen nhw wneud i chi hedfan. Y dŵr yn troi'n stêm, y stêm yn ymdrybaeddu yng nghyfoeth tywyll, peryglus y ffa cyn troi'n hylif eto. Gwelodd thriller yn y sinema un tro lle roedd y tensiwn yn cael ei ddisgrifio gan ddiferyn o ddŵr yn rhedeg i lawr ochr un o'r jygiau gwydr yna, y jygiau yna sydd ym mhob caffi Americanaidd achos eu bod nhw'n cynnig ail-lanw eich cwpan am ddim.

Ond mae e'n gallu gwynto'r lle o hyd. Dyna fel oedd hi yn y tŷ, wrth gwrs, yr holl flynyddoedd hynny yn ôl. Ro'ch chi'n gallu cau'r drysau a'r ffenestri ond byth yn gallu cael gwared ar y gwynt. Byddai'n rhuthro i fyny drwy'r sinc o'r draeniau wrth i chi droi'r tap arno. Ma'r ferch tu ôl i'r cownter yn ffrïo cig moch ar un o'r platiau metel yna sy'n gallu dal ugain o sleisys, ac ma' hynny'n helpu. Ma'r sŵn, cymaint â gwynt y cig, yn codi chwant bwyd arno. Dau ddarn o gig moch mewn bara gwyn, ac ma' Daniel yn meddwl am yr holl fwyd y bydd hi'n gorfod ei daflu ar ddiwedd ei shifft cyn iddi allu mynd adre. Neu ei rewi am y trydydd tro. Cyflwr, ansawdd y golau. Ffenestri bach, Daniel yn edrych trwy un ohonyn nhw tuag at Ferthyr.

Daearyddiaeth eto, a daearyddiaeth marwolaeth. Mae'r lle yma'n drist nid am ei fod yn waeth nag unrhyw le arall, yn fwy brwnt, yn fwy drewllyd neu hyd yn oed yn fwy tlawd. Ma'r lle yma'n drist am ei fod yn ddigon bach, yn ddigon ansylweddol i fod yn drist. Yn ddigon di-nod. Dyw marwolaeth ddim yn tarfu ar lefydd eraill fel y mae fan hyn. Ma' dinasoedd, er enghraifft, yn llyncu marwolaeth, yn ei chwmpasu a'i hamsugno fel unrhyw ddylanwad arall. Ac yn yr ystyr hynny, marwolaeth yw'r arian cyfredol yno, eu masnach nhw. Ma' dinasoedd wedi'u seilio ar y ffaith eu bod nhw'n goresgyn marwolaeth ac yn gallu'i throsgynnu. (Ond ei throsgynnu mewn ffordd galed. Hynny yw, mae'n *rhaid* goresgyn marwolaeth.) Y llefydd bach, ansylweddol sy'n gorfod derbyn a diodde maint ac ystyr y farwolaeth. Y ddinas sy'n lladd ond y pentre sy'n trefnu'r angladd. Ac nid jyst y pentre. Ond yr overspill i gyd. Hen dai, tafarnau lleol, traethau, parciau carafán glan-môr. Yr hen drefi sy wedi'u llyncu gan dwf a threfoli a chynnydd. Ma'r ddinas yn lladd, yn gyrru pobl i'w marwolaeth, ond yn y pentrefi, yn y llefydd hyn – yr hen dafarnau, y caffis, y bryniau – ma' marwolaeth yn cronni. Mae'n glynu i'r waliau fel saim cig moch.

Y peth cyntaf i'w ddweud, mae'n debyg, yn enwedig nawr, dan yr amgylchiadau, yw nad oeddwn i wedi nabod Davies ers rhai blynyddoedd. Felly ma' hyn i gyd yn newydd i fi. Rwy'n gorfod ei nabod e o'r newydd, fel petai, ac ma' marwolaeth yn tueddu i wneud i chi ailystyried pethau'n eitha sylfaenol beth bynnag; pwy oedd y bachgen hwn? Ond ar lefel arall, dyw e ddim yn newydd o gwbl, achos ro'n i'n ei nabod e cystal ag unrhyw un. Fe gawson ni'n magu gyda'n gilydd, wedi'r cyfan. Fe dreulion ni'r rhan fwyaf o'r pum mlynedd ar hugain nesa gyda'n gilydd, ac mae'n rhaid bod hynny'n cyfri rhyw gymaint. Ond am y pedair blynedd dwetha, doeddwn i ddim yn ei nabod e, yn yr ystyr o fod yn byw ac yn bod gyda fe, neu hyd yn oed yn ei gwmni e rhyw lawer. Yn y cyfnod hwnnw bydden ni'n cwrdd, y tri ohonon ni, nawr ac yn y man, cyn y Nadolig er enghraifft, neu ar ddiwrnod yn yr haf, ond doeddwn i ddim yn dod 'nôl i Gaerdydd nac i'r pentre mor aml â hynny, felly roedd e wastad yn brofiad rhyfedd. Hynny yw, erbyn diwedd y diwrnod, ro'n ni'n dechre, y tri ohonon ni gyda'n gilydd rwy'n credu, yn dechre teimlo'r hen – beth oedd e? – yr hen *egni*, yr hen dynamic eto. Ond erbyn hynny roedd hi ychydig bach yn hwyr. Ro'n i ar fy ffordd 'nôl adre, i'r fflat, ac roedden nhw'n paratoi i fynd 'nôl at eu bywyd nhw, bywyd dau, lle roedd y byd tu allan yn rhywbeth i'w wahodd draw bob hyn a hyn. Rwy'n credu bod y tri ohonon ni, erbyn yr amser hynny, ar ôl amser te, yn dechrau ymlacio eto, yn rhannol falle achos ein bod ni'n gwybod bod y diwrnod bron ar ben, ac na fyddai'n rhaid i ni ganolbwyntio ar ein hymddygiad, ar ein sgwrs, am lawer yn hirach. Roedd bai arna i, mae'n debyg. Fe allwn i fod wedi trefnu i aros, neu ofyn iddyn nhw allwn i aros gyda nhw, ond doeddwn i byth yn gwneud, fel arfer. Yn ystod y dydd, roedd hi fel ymweliad â ffrindiau'ch rhieni pan 'ych chi'n blentyn: ma' gan y ddau deulu'u plant, sy'n byw yn bell oddi wrth ei gilydd, a dim ond trwy'r ffaith bod y rhieni'n ffrindiau, ma'r plant yn gorfod bod yn ffrindiau hefyd.

Ro'n nhw'n ddyddiau rhyfedd ac mae'n rhyfedd hefyd sut ma'ch syniad chi o amser a'i werth yn newid wrth i chi fynd dim ond ychydig flynyddoedd yn hŷn. Y troeon cyntaf i fi fynd 'nôl atyn nhw am ddiwrnod – jyst ar ôl i fi symud, mae'n rhaid, yr oedd hyn – byddwn i'n aros tan naw, deg o'r gloch, neu'n hwyrach, ac yn gadael jyst cyn cael fy nhemtio i gael peint yn ormod, neu wisgi fach, a gorfod aros y nos. Ymddiheuro wedyn, Na, well i fi beidio, ma' rhaid i fi fod 'nôl ar gyfer pa ddigwyddiad dibwys bynnag oedd gen i y diwrnod wedyn. Ond o leia bryd hynny roedd 'na gydnabyddiaeth o'r amser cynt, trace elements oedd yn aros, heb eu dweud ond oedd yno i'r tri ohonon ni gael eu gweld. Erbyn y diwedd (ac wrth gwrs mae e *yn* ddiwedd nawr, nid jyst yn ffordd o siarad. (So much for pathos, eh?)), ro'n i'n cyrraedd yno tua diwedd y bore, bydden ni'n mynd i gael cinio cynnar, ac yna erbyn tri, pedwar o'r gloch ro'n i'n dechre awgrymu y byddwn i'n gorfod mynd cyn bo hir, ac yn teimlo'u hawydd nhw yn gyfnewid. Fel bod yn hen a ddim eisiau bod ar yr hewl yn y tywyllwch. A'r peth rhyfeddaf, falle, o fod yn rhywun oedd wastad yn meddwl ei fod e'n well mewn cwmni, ro'n i'n edrych ymlaen at fod ar fy mhen fy hun eto. Fel tasai'r diwrnodau rhyfedd hyn, y one-offs, yn deyrnged lletchwith i gyfnod arall, i orffennol cyfun oedd yn werthfawr yn ei le a'i amser ei hun ond oedd erbyn hynny mor anghydnaws â dal llaw eich tad i groesi'r hewl.

Ond nid sôn amdana i ydw i. Stori Davies yw hon, a'r ffordd y gwnaethon ni, oedd yn ei nabod e orau, wau i fewn ac allan o'i fywyd . . . Ond roedd e'n berson digon anodd ar y gorau, ac mae'n anodd gwybod cweit beth mae'r gwau hwnnw'n ei olygu nawr. Hynny yw, pan fydda i'n meddwl nawr, o'r presennol, am Davies, a'r ffordd yr oeddwn i'n ei nabod e, mae'n ymddangos i fi taw nabod copïau oeddwn i, casts o'r gwreiddiol, ond heb ddod yn agos at yr hanfod ei hun. Ro'n i'n arfer meddwl ei fod e'n rhywbeth greddfol. Bod tyfu lan gyda rhywun yn golygu eich bod chi'n gallu, os nad darllen meddwl y person arall, yna o leia weld ei ffurfiau bras. Ond efallai taw dim ond ei nabod e trwy gynseiliau a phrofiad oeddwn i; wedi'i weld e mewn digon o sefyllfaoedd i allu damcanu beth fyddai ei ymateb mewn rhyw sefyllfa debyg arall. Efallai ei bod hi'n wir taw y mwya i gyd r'ych chi'n nabod rhywun, mwya sy 'na i chi fethu â'i nabod.

Ac am yr amser hwnnw, y cyfnod lletchwith hwnnw, y pedair blynedd dwetha, mae'n rhyfedd sut y gall ugain mlynedd bylu. Neu ddim yn rhyfedd o gwbl, am mai dyna natur profiad, amser ac ymwybod. Tasech chi wedi gofyn i fi cyn hynny a fydden i'n byw heb Davies ac Anna a'r holl beth, tasen i eisiau byw hebddyn nhw o gwmpas, neu a fydden i'n gallu byw heb hyd yn oed feddwl am y cyfnod yna, neu ail-fyw digwyddiadau ac yn y blaen . . . Ond roedd e fel tasen nhw heb fodoli erioed, a dyna'r peth sy'n fy synnu i fwya: mor hawdd y mae hyn yn digwydd. Trawsblannu bywyd a bodolaeth o un pwynt i bwynt arall heb fod yna unrhyw berthynas rhwng y ddau – ac mae e fel graff tri-dimensiwn: ma' 'na ddyfnder i'r pwynt hwnnw, gwerth Z yn ogystal ag X ac Y. Mor derfynol â marwolaeth. Sydd yn ffordd dda o edrych ar

26

bethau, oherwydd pan mae yna bobl oedd yn arfer bod yn bopeth i chi, ond sydd ddim bellach, pan mae holl gyfnod eich byw gyda'ch gilydd yn mynd yn angof, yna beth yw e ond marwolaeth? Ac efallai bod Davies ac Anna ddim ond cwpwl o oriau i ffwrdd mewn car ond doedd dim ots am hynny. A phan glywais i fod Davies *wedi* marw, fy nheimlad cynta, rwy'n credu, oedd meddwl bod popeth yn eitha cyfarwydd, bod y sefyllfa'n chwarae allan yn union fel yr oeddwn i wedi'i disgwyl – pan ddylai pethau fod wedi bod yn anhrefn llwyr.

Lawr tuag at Merthyr, ac allwch chi ddim help meddwl bod popeth wedi'i gyd-gysylltu'n berffaith, ac nad yw rheolau achos-ac-effaith wedi'u henghreifftio'n well yn unman. Cyfarthfa, y gweithiau haearn, y pyllau glo, ffatri Hoover. Roedd fy nhad yn arfer rhestru'r anghyfiawn-derau – yn trio gwneud sosialwyr pybyr ohonon ni cyn ein bod ni'n ddeg oed. Yr Arglwydd Crawshay, Dic Penderyn, aeth i'w grogi tua'r cyfnod hwn, canol Awst ym 1831, amgylchiadau gweithio dan ddaear, streic y glowyr a'r miloedd mewn argyfwng. Ac Aberfan, wrth gwrs.

A jyst fel petai i ddangos nad fi yn unig oedd yn susceptible i'r dylanwad, roedd fy nhad hefyd – 'solid, implacable Dad' – yn wahanol pan fyddai Davies yn dod rownd i'n tŷ ni. Neu ai dychmygu hyn ydw i? Hynny yw, roedd e wastad yn adrodd yr un straeon ond pan fyddai Davies rownd ... 'Now then, Robert' (Dad oedd yr unig un oedd yn ei alw fe wrth ei enw cynta. Roedd hyd yn oed Mam, a'i fam ei hun weithiau, yn ei alw e'n Davies), 'now then, Robert, do you know the story of Dic Penderyn?', a 'nhad yn trio swnio fel Richard Burton.

'No, Mr Thomas. We haven't done that yet.' 'What about the Rocket?' 'No, Mr Thomas.' 'Well, good God, what do you know about?' Ac roedd hi'n anodd gwybod pa un ohonyn nhw oedd yn mwynhau'i hun fwya – fy nhad yn cael clust newydd i wrando, ac yn mwynhau bod yn addysgwr mawr, unig ffynhonnell gwybodaeth ac yn cymryd y rôl yn hollol ddifrifol, neu Davies ei hun.

Roedd Davies wastad yn gwneud argraff ryfedd arna i ar yr adegau hyn. Dwy' ddim yn cofio nawr faint o amser oedd yna ers i'w dad ei hun farw – falle cymaint â phum mlynedd, neu gyn lleied â blwyddyn neu ddwy – ond am yr amser hynny pan oedd fy nhad o gwmpas, roedd e fel tasai'n ei anghofio'i hun. Yn anghofio'r rhegfeydd roedd e'n barod i'w dosbarthu i'w wrandawyr eiddgar ar yr iard, ac yn anghofio'r cool roedd pawb arall yn meddwl oedd yn rhan gynhenid ohono fe. Roedd e'n blentyn eto. Yn naw neu ddeg neu un ar ddeg *yn blentyn eto*, a dim ond nawr ma' trasiedi'r peth yn fy nharo i. A thra oeddwn i wastad yn trio meddwl am ffyrdd i beidio gorfod cusanu fy nhad i cyn mynd lan i'r gwely, dyma fy ffrind gorau, oedd byth yn gorfod wynebu'r problemau hyn, yn gwahodd y berthynas. Yn barod i wneud ei hun yn ufudd. A dwy' ddim yn cofio Davies yn siarad llawer am y peth pan oedden ni'n hŷn – neu ddim yn y termau yna, beth bynnag – ond fe alla i ddychmygu: 'But this was Dowlais. We never had any psychologists or nothing, did we? Your mother made you a bacon sandwich the day after the funeral and even before you'd put brown sauce on it, and had a chance to enjoy it, she was telling you you had to be strong and get on with it.'

Gwynt cig moch. Gwynt sentiment, mewn ffordd,

felly. Neu wynt y peth agosa i sentiment yr oedd bywyd yn Dowlais – mamau a thadau a phlant – yn fodlon ei gynnal. Cig moch a choffi parod, y gronynnau'n dal i droi yn yr hylif, heb doddi'n iawn. Straeon syml, fel plentyn yn hiraethu am ei dad. Straeon trist, ond wedi'u hadrodd ag arddeliad a brwdfrydedd. Trasiedïau personol, i gyd wedi'u gwau i hanes y lle. Bara gwyn yn amsugno saim y cig. Bara gwyn brown, a chig y mochyn fel petai'n dal i waedu – nes bod y bara'n llipa a'r gwynt sentimental nawr yn wynt trwchus sy'n mynd yn sownd yn y blew mân yn eich trwyn, ac yn tewhau'r gwaed.

Tu allan mae hi bron yn dywyll, ond mae'r gwynt yn fy nilyn – y bagiau du wedi'u taflu yn erbyn y wal yn barod at gael eu casglu yn y bore. Wrth dynnu allan o'r maes parcio yn fy nghar, rwy'n edrych yn y drych, cyn mynd am y roundabout, a thuag at yr A470 'nôl i Gaerdydd.

[1.3]

Digwyddodd rhywbeth rhyfedd ar y ffordd lawr yn y car heddi. Ar y draffodd oedd e, yn gwneud naw deg milltir yr awr. Edrychodd yn y drych a gweld car tu ôl iddo, yn eitha agos, yn sownd wrth gefn ei gar ei hun bron, fel petai'n cael ei dynnu ar hyd y lôn allanol. Ond eto ddim cweit yn ddigon agos i Daniel allu gweld wyneb y gyrrwr. Roedd e'n gar tebyg i'r car roedd e'n ei yrru – hen Ford coch tywyll. A mwya i gyd roedd e'n edrych yn ei ddrych, mwya i gyd roedd e'n gweld y rhaff anweledig yn cysylltu'r ddau gar. A mwya i gyd roedd e'n methu gweld wyneb y gyrrwr tu ôl, mwya i gyd roedd e'n teimlo taw fe ei hun oedd yn gyrru'r car hwnnw. Un o'r eiliadau yna, ac ma' gyrru'n gallu gwneud hyn, un o'r eiliadau yna pan 'ych chi ar y ffordd i rywle, heb fod mewn un man yn arbennig, ac felly rhwng dau gyflwr. Roedd e'n edrych yn ei ddrych ac yn disgwyl i'r car ddod jyst ychydig bach yn agosach, ac roedd e'n rhyfedd: roedd e'n teimlo fel petai e allan o'i gorff ei hun am eiliad, wedi'i ddatgymalu o'r diriaethol saff, cyfarwydd. Gallai fod wedi bod uwchben y sefyllfa, neu'n gwibio ar hyd ochr yr hewl â'r ddau gar yn ei olwg, neu'n dilyn uwchben mewn hofrennydd. Ac am yr eiliad honno roedd ei feddwl yn chwarae triciau. Beth os taw fe ei hun oedd yn gyrru'r ddau gar – fel petai mewn rhyw fydysawd cyfochrog? A beth petai'r ddau fydysawd yna, y ddau fyd o bosibiliadau, wedi'u arwain e i'r un lle yn union mewn gofod ac amser? Neu o fewn deg metr i'r un lle, beth bynnag. Gofynnodd iddo'i hun a oedd hynny'n arwyddocaol. Allai e fod wedi gwneud unrhyw beth cyn nawr, byw bywyd hollol wahanol, a dal i gael ei hun yn gyrru naw deg milltir yr awr ar hyd yr M4 at yr un diben? Ai dyna oedd hyn yn ei olygu – ei fod e'n anelu at ddyfodol penodedig ac nad oedd unrhyw beth yn gallu newid ei sylwedd? Neu oedd hi jyst yn un o'r jôcs cosmig hynny – deadpan, wrth gwrs – lle mai'r unig beth oedd yn wahanol rhwng bydysawd rhif un a bydysawd rhif dau, copi rhif un a chopi rhif dau – o'r holl filiynau o amrywiolion – oedd ei fod e wedi treulio deg eiliad ychwanegol yn gwneud yn siŵr fod drws y tŷ wedi'i gloi'n iawn cyn gadael? Neu'i fod e wedi mynd 'nôl i droi golau'r grisiau off cyn cerdded allan i'r car? Ond yna meddyliodd, os oedd yna ddau fydysawd yn cyd-redeg, pam nad dau ddeg dau, neu ddau gant a dau? Faint o hen Fords coch tywyll eraill oedd ar yr M4 rhwng yr A34 a phont Hafren yr eiliad honno?

Ond beth bynnag am hynny, rodd y profiad yn teimlo fel drwgargoel – ma' Daniel yn hanner credu yn y stwff yna, wedi'r cyfan. Ac yn ddrwgargoel achos ei fod e'n chwilio, falle, am ddrwgargoelion. Drwy gydol y ffordd lawr roedd e wedi teimlo'n anghyffyrddus, fel tasai rhywun yn ei wylio. Edrychodd yn y drych eto, ac yn ystod yr amser roedd e wedi bod yn meddwl y pethau hyn, roedd y Ford coch tywyll wedi diflannu – wedi'i basio, mwy na thebyg. Tybed oedd e'n dal ar y draffordd, neu wedi stopio yn rhywle i gael paned?

Gweld ac edrych. Hen lygaid, llygaid newydd.

Arhosodd yn y gwasanaethau dwetha cyn Pont Hafren i dynnu arian o'r banc er mwyn gallu talu'r doll. Roeddech chi'n gorfod talu ar ochr Cymru nawr. Ceisiodd benderfynu a oedd hynny'n beth da neu beidio – gorfod talu i fynd mewn i'r wlad pan oeddech chi'n gallu'i gadael am ddim. Cofio hen gerdd Max Boyce. Pan gyrhaeddodd e'r bwth talu roedd merch ifanc yn estyn drwy'r ffenest i gymryd arian y gyrwyr. Gallai Daniel fod wedi mynd i'r bwth awtomatig, ond roedd e eisiau edrych yn ei llygaid hi. Teimlai fod yna rywbeth profound iawn ynglŷn â'r holl brofiad. Roedd jyst dychmygu merch ifanc yn cael lifft i'r gwaith, i'r bont – ond ddim hyd yn oed i'r bont, ma'r bwth talu bron filltir i ffwrdd, yng nghanol no man's land – yn ddigon. Meddyliodd fod holl ystyr bywyd wedi'i gynnwys yn y senario hon. Y ferch ifanc yn ffonio'i chariad i ofyn iddo a fyddai e'n gallu mynd â hi i'r gwaith cyn dod i'w chodi eto yn yr oriau mân. Neb arall o gwmpas ond y lorïau trwm a'r golau afreal. Roedd e eisiau gwybod am beth y bydden nhw'n siarad yn y car ar y ffordd adre.

Rheol gynta'r ditectif: paid gofyn i fam Jack the Ripper fod yn dyst i'w gymeriad. Ac yn dynn ar ei sodlau: paid byth credu cyffes wirfoddol.

Ond dwy' i ddim yn unrhyw fath o dditectif.

Ond wedyn efallai nad oes rhaid i fi fod. Hynny yw, ma' gwaith ditectifs fel arfer yn hawdd. Os 'ych chi'n credu taw'r wraig sy'n euog, yna r'ych chi'n mynd i ffindo mas yn hwyr neu'n hwyrach bod hynny'n wir. Do's 'na ddim dirgelwch mawr, dim un dyn hollbwerus yn cyfarwyddo popeth, dim theorïau cymhleth am gynllwyn cosmig rhwng holl sylwedd daear lawr. Fe ddylai'r holl beth fod yn hawdd, felly. Ac mae e, mae'n debyg. Roedd Daniel a Davies yn ffrindiau ers yr ysgol gynradd. Fe dyfon nhw i fyny gyda'i gilydd, tyfu *mewn* i'w gilydd, bron. Un yn gweld adlewyrchiad o'i hun yn y llall – ddim yn union, nid fel copi, ond yn swildod un a hyder y llall; un yn cyfleu nodweddion delfrydol ei ffrind, y naill yn cyflenwi syniadau'r llall amdano'i hun, fel alter ego o gig a gwaed. Dau berson sy'n gweld yn ei gilydd y complement perffaith: cydgynllwynio, rhannu amheuon plant am eu byd – ei fod yn lle rhyfedd i fod yn blentyn ynddo a bod Dowlais yn lle rhyfedd iawn o fewn y byd hwnnw. Yn anymwybodol i ddechre: dau fachgen ifanc a'u hymateb annelwig, amhenodol, ryw hanner cydnabyddiaeth, heb wybod eto eu bod nhw'n rhannu unrhyw beth – ond yn datblygu wedyn, ac yn rhoi llais (amrwd) i'r peth. Cerddoriaeth, ffilmiau, y ffordd y bydden ni'n trafod pobl yn eu cefnau. Ond os oedd Davies wastad yn fwy hyderus na fi, yn allanol, a fi fel taswn i'n cilio 'nôl i'r cysgodion pan oedd e ar ei fwya egnïol, yna roeddwn i wastad yn ymwybodol ei fod e'n hoffi hynny. Nid yn unig fy mod i'n straight-man i'w sioe e, ei berfformiad, ond hefyd bod gen i gyflwr, falle, oedd yn apelio ato. Rhyw dawelwch arbennig, gwbod i beidio siarad pan oedd dim gen i i'w ddweud, er enghraifft. Ymddangos yn hunan-feddiannol falle. Roedd Davies wastad yn siarad gormod pan nad oedd ganddo fe unrhyw beth i'w ddweud. Roedd hwnna wastad yn arwydd.

Rwy'n cofio unwaith, gwyliau haf oedd hi, a'r ddau ohonon ni ar fin mynd off i'r coleg. Ro'n ni'n un deg saith, lawr ym Merthyr, mewn tafarn, ac yn mynd i aros yn nhŷ Davies y noson honno. Ac oherwydd hynny roedd e'n teimlo bod angen iddo fe wneud ymdrech arbennig, taw ei noson e oedd hi. Ac er ein bod ni wedi bod ym Merthyr ar bob dydd Sadwrn yn ein bywydau bron â bod – gyda'n mamau i ddechre, wedyn ar ben ein hunain – roedd hi fel tasai'r lle yn newydd i ni y noson honno, taw fe oedd yr host a taw ei ddyletswydd e wedyn oedd gwneud yn siŵr ein bod ni'n cael amser da.

Davies oedd yn prynu ac yn y dafarn roedd e wedi
cymryd y lle i fewn yn gyfan gyda un golwg. Wedi tynnu
popeth o'i gwmpas i fewn i'w gread ei hun, a'i hidlo trwy
ei hwyliau da. Doedd Davies a fi ddim yn yfwyr mawr
cyn mynd i'r coleg. Roedden ni wedi dysgu'n hunain i
hoffi lager (cyfnod Hofmeister oedd hwn), ond doedden
ni ddim yn regulars o gwmpas y dre yn yr un ffordd ag yr
oedd rhai o'r bechgyn eraill oedd yn ein blwyddyn ni yn
yr ysgol. Felly roedden ni'n nabod neu'n hanner nabod
cwpwl o bobl pan gerddon ni mewn i'r dafarn gynta ac
roedd cwpwl o wynebau eraill roedden ni wedi'u gweld o
gwmpas ond ddim yn gwbod mwy amdanyn nhw na'u
bod nhw'n professionals – yn nhermau yfed, hynny yw.

Aeth Davies i'r bar a fi i eistedd mewn cornel. (Dyna
fel roedd hi – un yn prynu, un yn edrych am sedd, achos
bod Merthyr gyfan a'r pentrefi o amgylch i gyd wedi'u
gwasgu i mewn i ddwsin o dafarnau. A mwya i gyd o
dafarnau oedd yn agor, mwya llawn oedd pob un.) Ac o'r
bwrdd yn y gornel ro'n i'n gallu gweld Davies yn
gwthio'i ffordd tua'r bar. Roeddwn i'n edrych arno'n
mynd, yn gwasgu'i ffordd rhwng amrywiol gyrff, yn
gwylio diodydd pawb, yn plygu ymlaen, plygu 'nôl,
gwyro'i gorff yn gelfydd, cyn deifio am y bar. Ac rwy'n
cofio meddwl nad oedd ganddo fe hawl o gwbl i fod
cweit mor gyffyrddus yn yr amgylchiadau hyn ag yr oedd
e yn amlwg yn teimlo . . . Ac y byddai hi'n cymryd amser
iawn – a'r math o ymroddiad i yfed nad 'ych chi ond yn
gallu'i gynnal yn y coleg – cyn y byddwn i'n gallu bod fel
yna.

Ar y ffordd i'r bar roedd e wedi siarad â ugain o bobl,
falle. Rhai pobl roedd e'n eu nabod, y rhan fwyaf yn

34

ddieithriaid llwyr. Do'n i ddim yn gallu clywed y geiriau dros y gerddoriaeth, ro'n i jyst yn edrych arno fe'n siarad â'i gorff. Ysgwyddau ar agor yn hyderus, ei ddwylo'n arwain – yn tynnu'r person ato yn agos agos cyn ei wthio i ffwrdd eto – yn rheoli'r sefyllfa'n hollol. A'i amseru hefyd. Ro'n i'n ei weld e'n gweithio, 'working the room', yn symud rhwng un a'r nesa fel taw fe oedd canol popeth, fel tasai e'n dweud y gallai'r noson ddechre'n iawn nawr ei fod e wedi cyrraedd.

Ond roedd e'n rhyfedd hefyd, oherwydd er mor ddiffuant yr oedd e'n ymddangos, roedd e'n hollol amlwg i fi ei fod e'n cymryd y piss. Ac ro'n i'n synnu nad oedd hi'n amlwg i bawb arall hefyd. Roedd e'n mimic mor dda, yn dynwared y bobl hyn yn eu hwynebau, eu dychanu nhw jyst drwy siarad â nhw. A hyn oedd yn bwysig. Roedd Davies yn gwbod bo' fi'n edrych. Pan ddaeth e at y bwrdd, gyda dau beint i ni, roedd e'n gwenu â'i holl wyneb. Rhoddodd y diodydd ar y bwrdd, ac eistedd lawr. Yn dal i wenu, fel tasai'r gwynt wedi newid a chyhyrau'i wyneb wedi'u dal fel yna am byth.

Mae hi'n anodd gwneud cyfiawnder â dau ffrind fel hyn yn siarad. Mae yna gymaint sy'n mynd ymlaen; ma' ystyr a theimlad, craidd a chalon, emosiwn, popeth, yn codi oddi arnyn nhw nes ei fod yn weledol bron, yn drwch yn yr awyr. Roedd Davies yn eistedd ar y fainc oedd yn rhedeg ar hyd wal gefn y dafarn. Roedd e'n pwyso ymlaen, yn gwenu o hyd. Roedd e'n mwynhau bob eiliad, ond ro'n i'n meddwl fy mod i'n gallu gweld hefyd awgrym o, dwy' ddim yn gwbod, rhyw awgrym o gydnabod yn ei lygaid. Cydnabod y sefyllfa, falle: ni'n dau fan hyn, yn ddynion ifanc, ein bywydau o'n blaenau, mewn tafarn gyda'n gilydd ar fin mynd i ffwrdd i'r coleg. Ond ein bod ni mewn tafarn gyda phawb arall hefyd, pawb oedd yn mynd i aros o gwmpas, a bod yn adeiladwyr, gweithwyr ffatri, trinwyr gwallt. Ma' nosweithiau allan – eu diodydd, eu trafod angerddol – yn gwahodd y math yma o sylweddoliad. Ac roeddwn i'n meddwl fy mod i'n gweld yn Davies, wrth i ni eistedd yno, y problemau hyn yn troi yn ei feddwl: cyfle, diffyg cyfle, a chyflog ar ddiwedd yr wythnos wedi'i dalu mewn amlenni brown, bach.

Ac yna roedd e'n siarad. Roedd e â'i ysgwyddau ar agor unwaith eto, a'i ddwylo wedi'u troi i wynebu'r to. ''Ey, 'ow are you then, butty?' Edrychais arno a chwerthin. Allwch chi ddim gwneud yn fach o'r munudau hyn. O'n i *yn* ei deimlo fe, yn teimlo'r egni yn chwyrlïo yn yr awyr uwchben y bwrdd. Dau sy'n nabod ei gilydd, ac yn meddwl eu bod nhw ar y trywydd iawn gyda'i gilydd. ''Ey, ma' fe'n good boy on'd yw e, Bobby-o – ti'n gwbod? Fe – fe fynna.' Ac mae e'n pwyntio, jyst ar yr eiliad pan mae Bobby-o, pwy bynnag yw e, mae e'n enwgwneud, y ddau ohonon ni'n ei weld e am y tro cynta, yn troi'i ben, ac yn edrych yn syth aton ni am eiliad. Ma' Davies yn codi'i fawd ato, fe'n gwneud yr un peth. Ma'r ddau ohonon ni'n chwerthin yn ein peintiau. Y teimlad hwnnw o fod yn gwneud synnwyr o bethau. Anodd ei ddisgrifio, achos ei fod e'n dibynnu i raddau helaeth iawn ar alcohol. Ond yn werth ei gael beth bynnag. Jyst er mwyn ei brofi.

Ac yna ma' Davies yn hedfan, eto. Yn parablu eto. Gair da, achos mae e jyst yn siarad a siarad. Yn gweithio pethau allan ar lafar, yn gor-ddweud am y gorau. Hanner y peth am yr achlysuron hyn, rhan o'r rheswm rwy'n dweud na allwch chi wneud yn fach ohonyn nhw, yw na alla i yn fy myw gofio un o'r monologues yma roedd Davies yn arfer eu hadrodd. Yn un peth ro'n nhw'n hollol improvised, a doedd e byth yn gwbod ei hunan lle roedd e'n mynd tan iddo sylweddoli'i fod e yno yn barod. Y peth arall oedd eu bod nhw'n digwydd mor aml. Bydde fe jyst yn lawnsio i fewn i stori a dyna lle fydde fe wedyn, yn cysylltu pethau â'i gilydd, free-association fel y digrifwr mwya profiadol, fel rhyw fath o Lenny Bruce o'r cymoedd glo, ac yn amlwg jyst yn mwynhau'i hun. Ac yn mwynhau clywed ei hun yn siarad. Roedd e'n fy atgoffa i ar yr adegau hyn o Don King – yr hyrwyddwr, a'r hunan-hyrwyddwr, chwedlonol. Roedd Davies wedi darllen *The Fight* ychydig cyn hynny, rwy'n cofio, llyfr Norman Mailer am yr ornest rhwng Muhammad Ali a George Foreman, y 'Rumble in the Jungle'. Roedd e wedi hoffi yn arbennig y disgrifiad o Don King. Rhywbeth fel, 'He couldn't say *ecstatic* if you wouldn't let him add, *with delight*'. Am sbel ar ôl hynny, roedd Davies yn 'ecstatic with delight' drwy'r amser . . . Fe ddarllenais i'r llyfr hefyd, ac rwy i'n cofio disgrifiad yr un mor addas: 'When he rapped, however, ah, then he became the other man in himself'. *The other man in himself.* (Rwy'n tanlinellu'r cymal hwnnw.)

A phan oedd Davies yn 'rapio', felly, o'ch chi'n teimlo bod jyst cael bod yna i wrando yn fraint. Bydde trio cofio nawr, air am air, trio ailddyfeisio'r rants yma, ddim yn deg, a fydden i ddim yn gallu gwneud, beth bynnag. Ond roedden nhw, yn sicr, yn cwmpasu ei hanfodion e. Roedden nhw'n fyw, yn baragraffau cyfain ohono fe'i hun: person – ifanc – yn ei blethu'i hun yn y byd. Fel golygfeydd cyfain, ond heb fod yna gamera i'w cofnodi. Darfodedig cyn gynted ag yr oedden nhw wedi'u disgrifio, a dim ond atgof o'u grym a'u bywyd-yn-y-foment yn aros.

Aeth Davies i ôl mwy o ddiodydd, yn mynnu talu eto. Ro'n i'n edrych arno fe'n dawnsio drwy'r dorf. Yn dilyn ei symudiadau, tan iddo ddiflannu dan fraich rhywun, neu rhwng dau gorff, a'r llif yn symud i gau'r bwlch eto. Bum munud yn ddiweddarach roedd e ar ei ffordd 'nôl, yn cario dau beint rhwng ei fys a'i fawd, a dau wydr bach wedi'u gwasgu yn erbyn y peintiau, ei ddau fys canol yn cadw popeth yn sownd yn ei gilydd.

A'r tro hyn, nid jyst fe a'i ddiodydd oedd yna. Roedd e'n arwain dwy ferch at y bwrdd, yn siarad â un ac yn gwneud arwyddion ar y llall gyda'i ben a'i ysgwyddau. Ac mae hyn, rwy'n siŵr, yn rhan bwysig o'r rheswm fy mod i'n cofio'r noson hon mor glir nawr. Hynny yw, doedd e ddim yn fater o'r ddau ohonon ni, Davies a fi, yn mynd gyda'n gilydd yn bedair ar ddeg oed at butain yn y Bowery neu rywle, un yn aros i'r llall orffen cyn cael ei dro ei hun. Ddigwyddodd dim byd fel yna – fe ddaeth y merched i eistedd gyda ni am ychydig a dyna'r cyfan, mewn gwirionedd. Ond roedd y noson yn rhyw fath o gyfaddefiad cynta o fwriad. Dyna'r tro cynta i fi weld y croen wedi'i dynnu 'nôl: cwrw, crysau check, bronnau, persawr, gin a tonic, sefyll mewn môr o piss yn y toiledau, cwmnïaeth ac, ar y diwedd, diwedd y noson, cariad.

Ro'n i'n gwbod hefyd y byddwn i'n dibynnu ar Davies yn y sefyllfa hon. Ac am ychydig roedd popeth yn mynd yn OK; Davies yn diddanu'i hun a phawb arall, fi'n gwneud rhyw sylw bach nawr ac yn y man ac yn dechre ymlacio, y merched yn chwerthin digon, ac yn troi i edrych a gwenu ar ei gilydd bob hyn a hyn. Ond roedd Davies yn amlwg yn well o dipyn na fi, reit o'r dechre. Roedd e'n gallu 'chwarae' â'r merched yma, eu tynnu nhw i fewn yn hollol. Cymysgedd o fflyrtiɑ chwareus a'i hiwmor naturiol, oedd yn sarcastig ond yn ysgafn a thyner hefyd. Byddai'n cynnig compliment, er enghraifft, ond yn ei adael jyst ar y funud ola ac yn troi ata i wedyn i ofyn rhywbeth hollol wahanol. Yna byddai'n troi 'nôl at y merched i wenu, ac i ddangos ei fod e'n gwbod yn iawn beth roedd e'n ei wneud. Rheolaeth lwyr.

'Beth amdanoch chi'ch dau, 'te?' Y merched wedi llwyddo o'r diwedd i gael gair i fewn.

A Davies, mewn fflach, wedi *lleoli*'r sgwrs: '"Wel, ni'n mynd off i'r coleg mewn cwpwl o wythnosau," meddai yn swil. "Pa goleg, felly?" gofynasant â brwdfrydedd. "Caerdydd," atebodd yn syth, yn methu cadw'r balchder o'i lais.'

Ro'n ni wedi'n rhannu yn eitha pendant yn frontman a sidekick. A phryd bynnag y byddwn i'n trio dilyn Davies, cymryd mantais ar un o'r laughs roedd e newydd ei gael, byddwn i wastad yn llwyddo i dynnu popeth 'nôl i dawelwch lletchwith. Bydden i'n cael edrychiad wedyn oedd yn gymysgedd o 'Anlwcus, 'rhen foi, tria eto . . .', a 'Bloody hell, dyw e ddim mor anodd â 'ny, man'. A taswn i wedi ffeindio'r noson honno bod merched yn dwlu arna i, bydden i wedi bod yn iawn, a falle bydde lot o bethau wedyn wedi bod yn eitha gwahanol. Ro'n i'n falch ar ôl deng munud neu chwarter awr i allu dianc i'r toiledau.

Pan gyrhaeddais i 'nôl roedd Davies yn eistedd ar ei ben ei hun. Dwy' ddim yn gwbod beth oedd wedi digwydd, a doedd e ddim yn fodlon dweud mwy na bod y ddwy ferch jyst wedi codi, dweud bod yn rhaid iddyn nhw fynd a'u bod nhw *wedi* mynd. Ar ôl iddyn nhw adael y bwrdd roedd e wedi arllwys gweddillion eu diodydd mewn i un gwydr ac roedd e nawr yn yfed hwnna yn ogystal â'i beint ei hun.

'O wel, fuck it.'

'Beth nest ti, 'te?'

Roedd e'n gwrthod dweud, jyst yn yfed ei ddiodydd ac yn codi'i ysgwyddau. Falle'i fod e wedi diflasu â gorfod esgus hoffi pobl a thrio'u diddanu nhw a phopeth. Neu falle'i fod e jyst wedi rhedeg allan o jôcs. Ond ro'n i'n teimlo taw fi odd y rheswm mewn gwirionedd. Naill ai bod y merched wedi cymryd y cyfle i allu mynd, i beidio gorfod diodde fi yn y gornel yn baglu dros fy ngeiriau neu, yn waeth, fod Davies wedi cael digon arna i yn methu cadw lan. Fel tase fe wedi dod â'r merched yma draw at y bwrdd er fy mwyn i, er ein mwyn ni fel dau ffrind, fel rhyw fath o aberth neu anrheg.

Es i'n dawel ar ôl hynny. A fe hefyd, ac roedd e'n eitha poenus. Naethon ni yfed nes bod ein harian ni wedi rhedeg mas, oedd ddim yn hwyr iawn. Ond doedd pethau ddim yr un peth o gwbl. Roedd Davies fel petai e'n annaturiol o fregus. Un funud roedd e wedi bod yn siarad â hanner Merthyr, y funud nesa, dim. Ac ar y ffordd adre mewn tacsi ar ddiwedd y noson, ar ôl i ni gael chips a curry sauce, ro'n i'n cael y teimlad ei fod e'n ei ffrwyno'i hun, yn gwneud ymdrech i ddal ei hun yn ôl, i siarad yn dawelach, addfwynach. Fel tasai e'n ei weld ei hunan o ryw bwynt ar y tu allan iddo; yn edrych draw o'r sedd nesa ac yn gwneud critique manwl ohono'i hun.

Mae'r draffordd yn syth a diwyro. Mae'n rhyddhad i gyrraedd gwaelodion y cymoedd, gyda'u troeon pragmatig, a'r roundabouts sy'n cadw'u haddewidion ac yn mynd â chi i le penodol, yn lle rownd a rownd o un slip-road i'r llall. Castell Coch yw'r arwyddbost cynta. Mae e'n camu allan o'r gorffennol, neu yn llusgo'r gorffennol gydag e yn hytrach. Amhosib edrych arno heb gofio llyfrau plant, wedi'u harlunio â holl chic grotésg yr Oesoedd Canol. Stwff hunllefau: cewri, merched mewn ffrogiau wedi'u torri'n isel, bronnau onglog, miniog, yr hetiau pigog rhyfedd yna. A'r bwyd. Y bwyd yw'r atgof penna – moch wedi'u coginio'n gyfan, afalau yn eu cegau, chops wedi'u gosod yn ofalus gyda'r esgyrn yn pwyntio i fyny, coesau ffowlyn a phowlenni anferthol o datws. Ac yna'r arwyddion eraill. Y stac rhyfedd hwnnw yn coffáu Jiwbilî Arian y frenhines, tŵr o friciau, heb bwrpas yn y byd. Yr arwyddion i'r Parc Treftadaeth, a Phontypridd – 'gateway to the valleys' – Ynys-y-bŵl a Guto Nyth Brân, ond, yn fwy na dim, y tai llwm ar ochr yr heol, a'r A470 wedi'i adeiladu'n unswydd ar gyfer gwibio heibio heb gymaint ag un edrychiad sydyn draw ar y prudd-der tawel. Does 'na ddim byd i gymharu â'r llif cyntaf o atgofion: yn blentyn ar brynhawn dydd Sadwrn, yn meddwl bod yr hewl yno i wyrdroi ei holl ddyheadau. Roedd e'n ddiddiwedd o hir: yn ddiddiwedd o bell i gyrraedd Caerdydd yn y bore, a'r bachgen yn tynnu cot ei fam i gael gadael, ond yn ddiddiwedd o bell i fynd adre hefyd.

Ac yn y fan hon, fe ddaw Davies reit i'r blaen, i'r

41

ffocws miniog, angharedig, ac anffodus hefyd, sy'n gwrthod gadael i unrhyw fanylyn bach aros o'r golwg. Yn yr atgof generig hwn, yr olygfa stoc o blentyndod ar hyd a lled y cymoedd, ma'r holl beth yn tasgu: roedd e ar ei ffordd adre.

[1.4]

Dan ddylanwad felly. Presenoldeb y tu fewn iddo – yn ei feddwl, yn ei lygaid yn y drych – sy'n tyfu gyda phob awr. A gyda phob milltir o hewl gyfarwydd. Wedi bod yno erioed ond dim ond nawr yn ei amlygu'i hun.

Pethau eraill ddaeth i'w feddwl ddoe, a'r diwrnod cyn hynny pan glywodd: teimlad hanner cyfarwydd fod popeth yn digwydd yn ôl y disgwyl.

Ond nawr mae'r teimlad yn treiddio trwy bopeth. Bod yr holl beth yn fucked up. Bod Daniel yn fucked up am beidio, na, am fethu ymateb i farwolaeth ei ffrind gyda mwy o deimlad amrwd. Ei fod e wedi methu crio, er enghraifft. Nid bod hynny yn arwydd ynddo'i hun. Falle bod pobl jyst ddim yn crio yn yr un ffordd nawr. Ond mae e'n dal i deimlo'n siomedig â'i hun. Ei fod e jyst wedi cario 'mlaen, wedi paratoi a bwyta te, fel ar unrhyw brynhawn dydd Sul arall. Ond mae e'n meddwl hefyd bod amgylchiadau y farwolaeth ei hun yn fucked up. Dim ond artistiaid, sêr ffilm, sêr pop sy'n llwyddo i gario off y gamp anodd o farw'n osgeiddig a baletig mewn damweiniau car. Ac ar y gorau, roedd Davies yn chancer, yn ddiog, ac yn treulio gormod o amser yn eistedd rownd yn trio cofio beth i'w wneud nesa . . . Rwy'n dweud hyn yn y ffordd neisa posib, wrth gwrs, ond mae e'n wir. (Neu dyna sut yr oedd e, beth bynnag. Fe allai e fod wedi troi deilen newydd heb i fi wybod.) Ac roedd e'n fucked up jyst yn y manylion a'r eironïau diflas, prosaic. Roedd Davies wedi marw ar yr A470 – sy'n hewl anhygoel o ddiflas. Ac yn waeth na hynny, roedd e ar ei ffordd 'nôl lan y cwm. Yn mynd 'nôl i Flaenau Ffestiniog – ac ma' hwnna'n achosi problemau o'r dechre. Tasai e wedi bod yn gwneud can milltir yr awr yn y cyfeiriad arall . . . Oherwydd dyna oedd pwrpas yr hewl newydd: Caerdydd mewn hanner awr, Llundain mewn tair, Efrog Newydd, y byd, cyn amser te. Uchelgais yr hewl gyflym. Ond roedd y ddau yma – Daniel a Davies – yn siarad o bellter diogel beth bynnag. Ro'n nhw ar eu ffordd allan yn barod. Fydden nhw ddim ond yn gorfod defnyddio'r hewl i fynd 'nôl bob nawr ac yn y man. Y fuckers truenus oedd ar ôl – fe allen nhw ddianc nawr . . . Roedd hyd yn oed y car yn ddiflas hefyd. Doedd Davies ddim yn gyrru Spyder neu Morgan. Roedd e yn Renault ail-law Anna. Bocs matsys ar olwynion, a'r gêr yn ysgwyd fel bastard ar ôl cyrraedd pum deg milltir yr awr.

Ond y teimlad hwnnw o fod dan ddylanwad. Mae e'n cymell Daniel ar hyd ffyrdd annisgwyl yn barod. A mwya i gyd y daw Daniel i feddwl am ei feddwl ei hun, mwya i gyd y mae e'n credu bod 'na bethau rhyfedd yn digwydd: breuddwydion rhyfedd, gweld ei hunan o bell, ei bresenoldeb ei hun y tu ôl iddo ar y draffordd, efelychu Davies, gallu edrych yn oer ar bethau – a'r amheuon yn codi drwy'r amser. Nid fi sydd yma'n meddwl.

Davies sy yna. Yn dweud jôc eto, yn cyfareddu'i lys: Ti'n cofio ni'n trafod on'd wyt ti, yr hewl newydd? Wel dyma fi'n marw ar yr ochr arall, yr ochr anghywir. Pa fath o prick sy'n gwneud hynny, eh? . . . chwerthin . . . James Dean, Jackson Pollock . . . A watsia fi'n gadael corff hardd . . . Byddan nhw yna am bump awr yn trio torri fi mas o'r metal! . . . Cyn troi at Daniel ac ychwanegu'n dawel, Nag oeddet ti'n gwbod taw fel hyn bydde hi? Nag oedd hi'n amlwg i ti? O't ti ddim yn meddwl y bydden i'n gwneud yr holl beth sinematig yna, o't ti? Car cyflym, route 66? – bullshit . . . Tagu ar fy chŵd fy hun: dyna o'n i'n mynd i wneud, ond – ti'n gwbod – 'bach gormod o hassle.

Ma' Daniel yn cymryd eiliad, ac yn trio meddwl yn wrthrychol. Davies oedd wastad yn gallu gwneud y jôcs creulon. Davies oedd yn felodramatig. Davies oedd yn gwthio'r pethau yma i'w heithafion twp, afresymol, nid fe.

Dim ond wedyn daeth y sylweddoliad, pan oedd hi wedi dechrau tywyllu. Ac nid sylweddoliad yn union, wrth gwrs, oherwydd ma' hynny'n awgrymu dealltwriaeth neu ddygymod neu adnabyddiaeth, ac ma' marwolaeth wastad yn methu â chyrraedd y diffiniadau cywir hynny. Ma' 'na eiliadau o synwyrusedd, cyffroadau elfennol, sy'n diflannu cyn iddyn nhw hyd yn oed gyhoeddi'u presenoldeb yn y nerfau, yn gynyrfiadau yn y meddwl, a'r gewynnau. Ac maen nhw'n eiliadau – llai na hynny, o ran eu presenoldeb yn ein psyche – ond yn anhraethol fwy hefyd. Bron fel bodau meicro cyfain, sy'n ymgyrraedd at y diffiniadau hyn ond yn eu goddiweddyd hefyd: maen nhw'n magu ac yn diwallu pob angen mewn amrantiad. Tristwch, ie, ac ymdeimlad o'r corfforoledd sydd wedi'i ddiddymu hefyd, ond ymhellach: eich lle eich hun yn y byd ac ym mhatrwm eang bywyd. Ac mae hi'n gymaint ag y gallwn ni'i ddisgwyl, yn y sefyllfaoedd hyn, yn gymaint ag y gallwn ni ofyn i'n heneidiau cyfyng ei wneud i gydnabod bodolaeth y crychau-dros-dro; i wybod bod y teimlad wedi bod ac wedi mynd, ac na all sylwedd unrhyw fyfyrdod neu weddi ei ddwyn i gof eto.

Roedd e wedi bod yn syndod o composed tan hynny. Wedi clywed y newyddion bron yn ddideimlad. Ac roedd e wedi mynd yn ôl yn ddidrafferth i'w ddydd Sul diog, diflas.

Ond nawr, yn sydyn, roedd e'n anghyffyrddus. Sylweddolodd fod y teledu ymlaen, a'i fod e wedi bod yn syllu ar y sgrîn ers munudau cyfain heb weld na chlywed unrhyw beth o'r rhaglen oedd yn cael ei dangos. Llifodd holl sŵn yr ystafell ar hyd ei ymwybod, a'i ysgwyd bron yn gorfforol. Roedd yn gras, amhersain, ac yn hollti'i ben yn ddau, rhwng y ddwy glust. Teimlodd ei holl synhwyrau'n cael eu gorchfygu – ei drwyn yn crychu mewn cydymdeimlad â'i glustiau, a'i ddannedd yn cloi wrth ei gilydd. Ac roedd e'n gallu mapio'r sŵn, fel tasai'n baent ar gynfas. Gallai deimlo sŵn y stryd – lleisiau, ceir – yn agosáu y tu ôl i'w glust chwith, yn pasio ar letraws ar hyd ei ymennydd ac yn gadael drwy'r gornel dde. Roedd y teledu fel bloc cyfan o liw, porffor tywyll, reit ar flaen ei feddwl. Mewn amrantiad arall teimlai ei lygaid yn dawnsio dros yr olygfa o'i flaen, heb iddo fod yn ymwybodol o reoli'u cwrs. Gwasgodd fotwm coch y remote, ac fe ddiflannodd llun y teledu i bwynt gwyn, gwyn. Ceisiodd gadw'i lygaid ar y pwynt hyd yn oed ar ôl iddo ddiflannu o'r sgrîn. Teimlai fod amser yn cael ei ymestyn – ar draws yn gynta, ac yna ar ei hyd, yna fe ddiflannodd yr impulse hwnnw hefyd, fel llun y teledu, yn llinell wen oedd yn pylu, pylu tan fod dim byd ar ôl ond yr argraff annelwig o'r lle y bu.

Llwyddodd ymhen ychydig i gael gafael arno'i hun. Arhosodd am eiliad, i drio achub y profiad hwn, i'w amddiffyn rhag y byd. Mor ddiaros. Y grym rhyfedd hwn yn fflachio'i bŵer ar hyd ei feddwl. Ac roedd e'n meddwl nawr mewn cyflyrau. Yn cofio Davies mewn gweadau. Mewn golau-haul-yn-y-bore a lloriau pren. Mewn ffenestri Ffrengig hir a waliau gwyn. Ac mewn marmor sgleiniog, glân. Ceisiodd lapio'i feddwl o'r cefn i'r blaen yn y teimlad hwnnw – y llyfnder, a gwythiennau'r marmor, y swigod, yn graddol ddatgelu'u hunain yn ei ben.

Ar ôl i'r profiad hwn basio rhoddodd ysgytwad bwriadol i'w gorff, a chodi. Rhoddodd gerddoriaeth i chwarae ac eistedd mewn rhyw fath o ddimbydwch rhyfedd, yn falch i gael ymyrraeth o'r tu allan. Ond bod y sŵn piano, fel petai'n synhwyro'r awyrgylch yn yr ystafell, ac eisiau'i gynnal. Fel swigen yn y marmor.

Ond roedd hyd yn oed cerddoriaeth yn teimlo'n wag mewn cymhariaeth â'r hyn roedd e newydd ei deimlo, ac wrth iddo fe ddefnyddio'r gerddoriaeth, felly, symud i mewn iddi, y tu hwnt iddi, teimlodd y peth yn glir. Fod ystyr, cyfanrwydd, a, wel, bodlonrwydd mae'n debyg, wastad allan o gyrraedd; yn chwareus o agos, ond yn anghyraeddadwy yr un fath. Neu ei fod yn bodoli oddi mewn i ni ond na fedrwn ni gael gafael arno. Na allwn ni fynd i mewn iddo ond pan ei fod yn ein dewis ni. Ac ar ôl y teimlo, pŵer goresgynnol y bland eang. Gwybod y bydd ei ymateb yn methu â tharo'r marc. Gweddïo felly, yn y gwely rhyw awr neu ddwy wedyn. Adrodd hen bennill ysgol gynradd i ymarfer, i dwymo lan cyn mentro cyfansoddi ei hun. Gweddi y byddai'r dosbarth yn ei hadrodd ar y cyd cyn i'w mamau ddod i'w codi. 'Arglwydd, mae yn nosi, gwrando ar ein cri, o bererin nefol, aros gyda ni.' Pennill syml, pennill plant, a'r rhythmau wedi'u serio yn y llinellau – rhythmau eisiau mynd adre. Nosi, cri, ni, Aaaa-men. Ond yn y fan hon ma'r llinellau fel tasen nhw'n cario grym newydd, a'r pwyslais ar eiriau gwahanol yn trawsnewid yr ystyr. Nosi, gwrando, *aros*. Mae hi'n dal yn weddi plentyn ond bod yr haenau wedi plethu yn ei gilydd nawr: symlrwydd y meddwl a'r dyhead ifanc, golwg yr oedolyn ar y byd hwnnw, y byd a fu, a'r ddau'n cyfuno yn y meddwl sydd yn, ac sydd wedi, eu cynnal. Nabod yr hunan trwy weddi, efallai?

Ond fel pob adnabyddiaeth, dim ond yr ennyd datgysylltiedig sydd. Rhwng llinellau herciog ei weddi fyrfyfyr mae 'na ormod o amser meddwl, gormod o wagle i'w lanw. A'r hyn sy'n llanw'r gwagle yw'r olygfa ohono fe'i hun, yno yn llefaru'n uchel, yn cyflwyno geiriau i dywyllwch amsugnol yr ystafell wely sengl. Mae e'n meddwl, yn sydyn a digymell, am y dyddiau mae e'n eu cyfri'n rhai llwyddiannus, ac am y meini prawf ar gyfer y cyfri hwnnw: rhyfedd ei fod e'n cyfystyru cyrhaeddiad â bod yn brysur. Rhyfedd nad yw cyrhaeddiad yn cael ei fesur mewn oriau tawel o orwedd ar ddihun yn sefyll yn erbyn y düwch.

Ac yn y fan hon mae'n debyg y trodd yr amheuon – oedd wedi bodoli ers blynyddoedd, ac ers iddo fe fod yn ddigon hen i gynnal y fath bwysau – yn bosibiliadau real a brawychus. Ac ar ôl i'r syniad ymddangos, allan o'r holl nosweithiau lletchwith mewn tafarnau, allan o'i holl adnabyddiaeth o Davies, ac allan o ryw annelwig-ddychmygu cyn nawr ei weld yn y *Western Mail* wedi'i ffrwydro'i hun, mae'n amhosib dychwelyd at y tawelwch a fu. Cyn hyn – ar ôl sgyrsiau meddwol, difrifol am bedwar y bore, ffantasi ac iselder am yn ail, dynion ifainc – doedd meddwl y pethau yma ddim ond yn naid orffwyll yn yr ymennydd; efelychiad o feddylfryd a berthynai i Davies, a hynny fel un arall o'i syniadau grandiose am ei bwysigrwydd ei hun, a'i le unigryw yn y byd. Rhan o'i gymeriad oedd hynny, rhan o'r ddeuoliaeth – y poser hunandybus, swil. Hanner amau yr oedd Dan. Ond nawr mae'r syniad yno, yn fawr a pheryglus, yn gysgod du ar ei ymennydd. Fel prudd-der trwm prynhawn dydd Sul. Fel ofn plentyn fod Duw yn gallu'i weld yn chwarae â phwerau dieflig.

Ar ôl gadael y caffi 'nes i ddim mynd yn syth i Gaerdydd. Fe yrrais i lawr yr heol newydd, ar hyd ochr y tip, ac ro'n i'n gallu teimlo'r domen y tu ôl i fi o hyd – yr ymchwydd gwenwynig yn y tir, y twll, diwaelod i fod, yn orlawn o dan yr hewl a'r sbwriel ar fin ffrwydro i'r wyneb. Roedd hi fel taswn i ar ryw ddihangfa wyllt; fel taswn i'n syrffio mynydd o don ar y Cefnfor Tawel a holl rym a bygythiad miloedd o filltiroedd o ddŵr ac ewyn berwedig yn crynhoi uwch fy mhen, yn aros i fy llyncu. Ar waelod yr hewl ro'n i'n gorfod pwmpio'r brêcs i fynd rownd y cylchdro, a'r car yn ymladd ei reddf ei hun er mwyn cadw'r olwynion ar y llawr. Ma'r hewl newydd yn teimlo'n anghyfarwydd o hyd – fel tasai 'na rywbeth cynhenid yn y car ac ynof fi sy'n credu y dylen ni fod yn mynd ar hyd yr hen ffordd o hyd; ei fod e'n hirach, ond yn fwy onest. Ma'r hen hewl wastad yn rhoi pen tost i fi – dyna beth sy'n onest amdano, y dioddef. Ac rwy'n credu bod stribed tua troedfedd o led ym mhawb rownd fan hyn, eu bod nhw'n credu mewn dioddef fel yr unig fath o onestrwydd.

Ond mae yna ryw ramant yn perthyn i'r lle hefyd. Ma' llefydd, wedi'r cyfan, yn magu'u hystyron yn ôl y llygaid sy'n eu gweld. A falle 'mod i'n edrych ar bethau gyda llygaid mwy tosturiol nag arfer heddi ac yn gallu gweld heibio i'r ffatrïoedd, y bont newydd, hyll, a'r tai yn eu rhesi, fel milwyr yn erbyn wal, yn aros i gael eu dymchwel. Mae'n siŵr fy mod i *eisiau* edrych yn fwy caredig ar yr olygfa heno. Neu falle eto bod yr olygfa, yn wrthrychol, *yn* fwy dymunol a taw fy llygaid i sy'n cael trafferth â hynny. Fy mod i wedi gwneud cam â'r lle yn fy nghof yr holl flynyddoedd hyn. Neu falle 'mod i'n gweld y lle, yn syml, fel y mae – fel y byddai pe na bai yna lygaid o gwmpas â gormod o hanes personol wedi cronni ynddynt i allu edrych ar y lle gydag unrhyw beth ond dirmyg neu ddifaterwch.

Ma'r machlud cyfoethog yn gwneud i mi deimlo'n fwy o ran o'r lle yma nag a wnes i ers blynyddoedd. Ma' 'na ryw nostalgia'n perthyn i'r domen hyd yn oed (falle am ei bod hi'n ddigon pell tu ôl i fi erbyn hyn). Dyw e ddim yn unrhyw beth sentimental, y teimlad hwn, jyst yn rhywbeth sy, yn sydyn, yn dod ynghyd yn fy mhen: fy rhan fy hun yn y lle yma, a'i ran e ynof fi. Rwy'n meddwl i fy hun, wrth ddod i gylchdro arall, a gorfod torri'r rhythm naturiol ma'r car wedi'i fagu, bod yna waeth llefydd i farw ynddyn nhw. Hynny yw, ma' llefydd mawr ein bywydau ni, llwyfannau'r dramâu pwysica, ma' nhw wastad mor anaddas. Ma'r cefnlen i'r sefyllfaoedd hyn – y copaon hapusa, y cafnau trista – ma' nhw wastad yn cael eu chwarae allan mewn llefydd sy fel tasen nhw'n gwbod eu hunain pa mor functional ydyn nhw. Priodasau mewn gwestai, receptions mewn neuaddau amhersonol, yn gorfod amsugno hapusrwydd am noson cyn troi'n ganolfannau cynhadledd i ddynion busnes y diwrnod wedyn. Hyd yn oed eglwysi a chapeli – mor dawel, mor nerfus, pob sibrydiad yn embaras, yn cael ei luosogi ganwaith, pan ddylai'r gynulleidfa fod yn gweiddi'i ffydd nes ei fod yn taranu yn erbyn y waliau. A'r lle yma hefyd, wrth gwrs. Dyna'r peth oedd yn fy meddwl i pan ffoniodd Anna: mor anaddas oedd hi iddo fe farw fan hyn, lle ma' prydferthwch y cwm wedi'i arosod â metal ac ymarferoldeb a gweithio-i-fyw. Ac i feddwl am Ferthyr a'r cwm, lle ma'r gwaith yn frwydr, a lle ma' marwolaeth yn rhedeg yn y tir o dan yr adeiladau ond bod yn rhaid trio'i guddio wastad . . . A dyma Davies yn marw yma, ac yn datguddio'r celwydd . . .

Ond dwy' ddim yn teimlo'r lletchwithdod yma erbyn nawr. Rwy'n teimlo'n falch, bron, bod Davies wedi marw yma ac nid yn rhywle arall. Am unwaith, mae e'n teimlo'n arbennig o addas. Ac wrth stopio'r car, wrth roi'r hazards i fflachio, a thynnu i mewn i'r llain galed ar ochr y dual carriageway, mae'n anodd peidio â gwenu – yn fewnol o leia. Mae e'n lle unigryw ac rwy'n falch am hynny. Wrth stopio'r car, ac edrych yn y drych i wneud yn siŵr nad oes car yno y tu ôl i fi cyn i fi agor y drws, mae'r olygfa'n magu rhyw bendantrwydd mawr yn fy meddwl, cywirdeb bwriad ac ystyr, fel taw fi yn neidio dros y crash barrier ac yn hanner cerdded hanner rhedeg i lawr y banc yw'r unig beth sy'n bodoli. Mae hi fel bod yn dditectif yn ymweld â scene of the crime, ac ma' fy meddwl i'n cyflenwi'r syniadau hynny am fynd i chwilio ateb. Ond mae'r trosiad hwnnw'n annilys wrth gwrs – ma' troseddau'n gwahodd ateb, yn gwahodd datguddiad, ac nid trosedd yw hon. Duw a ŵyr beth yw e. A beth bynnag, ma'r naws wedi newid nawr, yn bendant. A lle roedd y dre, Merthyr a'r stadau diwydiannol, yn gwthio'u ffordd yn ddiystyriol, ddideimlad i'r meddwl, mae'r fan hon yn oasis o lonyddwch.

Rwy'n trio stopio fy hun rhag mynd yn rhy gyflym i lawr y bryn – rwy'n teimlo fy mod i'n mynd i gwympo ar fy wyneb unrhyw eiliad, fy nghoesau odana i'n rhedeg ar eu pennau'u hunain, heb orchymyn. Mae'r teimlad o fod ar fy mhen fy hun yn bwerus iawn. Rwy hyd yn oed yn gweiddi wrth drio fy ngorfodi fy hun i ddod i stop ar y gwaelod. Dwy' ddim wedi gwneud hynny ers blynyddoedd. Ac ar y gwaelod mae e'n teimlo fel virgin territory, fel darganfod byd newydd. Mae hi mor dawel, er bod yr hewl fawr uwch fy mhen. Mae'n anodd dychmygu bod unrhyw berson wedi aros, wedi sefyll yn y fan hon ers iddyn nhw orffen y gwaith adeiladu. A dim ond ambell gar sydd i'w glywed yn gwibio heibio, y sŵn yn rhyfeddol o bell i ffwrdd yn barod. Rwy'n dychmygu llygaid y gyrwyr yn sownd yn y tarmac o'u blaenau a fi oddi tanyn nhw'n mwynhau'r rhyddid mwya: bod yn rhywle nad yw'n bodoli. Rhywle nad yw'n bodoli am nad oes neb yn ei weld, a neb yn ei weld am ei fod yn rhy agos i'r hewl i fod yn lle ynddo'i hun. Does 'na ddim arwahanrwydd fel arwahanrwydd y cerddwr ar hewl fawr, bod ar ddwy droed a phawb arall ar bedair olwyn. Mae e'n naid enfawr yn y meddwl, fel mynd 'nôl mewn amser, y tu hwnt i bwerau dealltwriaeth. Ac os oedd ganddo fe, Davies, unrhyw ddewis yn y mater, os taw teimlo hyn i gyd wrth yrru'i gar bach yr oedd e, wel, gorau i gyd. Rwy'n falch, falch drosto fe. Ma'r fan yma mor dawel, mor heddychlon, mor . . . onest, ac alla i ddim ond ei ddisgrifio fe fel yna. Fel cyflwr trosgynnol. Byw heb y paraphernalia. Yn ddyn yn y cwm hwn, ar y gwair hwn, o dan yr awyr goch, goch – fe allech chi anghofio fod unrhyw beth arall yn bodoli. Anhygoel, beth all hanner canllath ei wneud.

Mae'n cymryd rhyw ddeng munud, chwarter awr i fi ffeindio'r union fan. Ac ar ôl i fi wneud, dyw e ddim yn sefyll allan o gwbl fel lle a welodd farwolaeth – a dyna falle pam ei fod e'n lle mor dda i farw. Ma' 'na olion teiars yn y gwair, a'r pridd odano yn dangos, ond dyna'r unig arwydd o unrhyw beth. Yr unig graith. Ac ymhen wythnos neu ddwy bydd y gwair wedi tyfu 'nôl a'r mwydod yn saff o dan ddaear eto a natur wedi'i ail-sefydlu'i hun. Mae gan y lle yr un ansawdd arallfydol ag sydd gan hen gaeau'r Rhyfel Byd Cynta – r'ych chi'n gallu dychmygu gweld yr holl gyffro'n cael ei chwarae allan gan gymeriadau tryloyw, holl bwysau'r ymladd fel pe bai'n digwydd rhyw droedfedd ledrithiol uwchben y ddaear. Ac ar ôl i'r tanau ddiffodd, a'r gynnau dewi, dim byd. Dim byd ond natur fel yr oedd a dim byd cynhenid yn y tir i awgrymu cyflafan, ar raddfa fawr neu fechan, neu unrhyw ymyrraeth ddynol. Gwir brydferthwch.

Ro'n i wastad wedi meddwl y byddai gweld man eich marwolaeth yn ddigon i'ch gwneud chi'n fwy gofalus mewn bywyd – dewis eich ffordd yn fwy pwrpasol. Ond yn y fan hon ma' 'na gyflawnder. Ac yn y cwm hwn sydd wedi gweld ymladd a dioddef, riots a chrogi, anghydfod a thlodi a thrais, beth allai fod yn ddedwyddach na llecyn tawel, gwyrdd a'r gwynt yn ffres wrth iddi nosi?

[1.5]

Rwy'n ei chael hi'n anodd iawn dod o hyd i unrhyw fath
o bwynt cymhedrol, cyfartalog ar gyfer yr holl beth.
Rwy'n teimlo fel Archimedes: 'Show me a place to stand
and I will move the earth', ond rwy'n amau taw nid jyst
symud y ddaear y byddwn i yn y fath sefyllfa. Rwy'n
credu y gallen i wneud niwed go-iawn. Rwy'n trio
ffeindio'r pwynt diogel i fod yn rhan o bethau ond eto ar
wahân. Achos dyw hi ddim jyst yn fater o fod ar y tu allan
– dyw hwnna ddim yn gweithio mwy nag y mae bod yn
hollol oddrychol, yn-ei-chanol-hi. Mae'n teimlo fel amser
bwyd yng nghawell y llewod: rwy'n gobeithio y bydd y
llew yn gallu gwahaniaethu rhwng y bwyd a fy mraich, er
bod y ddau wedi'u gwneud o gig ac asgwrn.

Marwolaeth, euogrwydd. Dyna drefn pethau, ac ar ôl
yr epiphany annisgwyl wrth ochr yr hewl, ma'r
euogrwydd yn cwympo dros feddwl Daniel. Mae e wedi
cyrraedd yn ôl i gylchdro Nelson ac Abercynon erbyn
hyn. Mae e'n gweld car fel car ei dad yn pasio ar ochr
arall yr hewl ac ma' hynny'n ei dynnu e yn ôl i'r byd.
Mae e'n meddwl am ei fam ac amdani hi'n methu deall
pam na fyddai wedi galw, tasai hi'n gwybod ei fod e
newydd fod yn Dowlais. Mae e'n meddwl am eu hymateb
nhw, ei rieni. Byddai'n rhaid dod lan y cwm eto cyn
diwedd yr wythnos; bydden nhw'n gwybod ei fod e 'nôl,
siŵr o fod. Meddwl hefyd mor rhyfedd y bydd hi i weld
ei fam yn yr amgylchiadau hyn. Roedd hi wedi nabod
Davies mor hir ag yr oedd Daniel ei hun ond doedd e
ddim yn gallu dychmygu ei gweld hi'n galaru. Byddai
hi'n dod at y peth o safbwynt bod yn fam i fachgen a
gollodd ei ffrind, fel tasai Davies a hi heb ddod i

54

gysylltiad uniongyrchol â'i gilydd erioed. Meddwl wedyn am gymaint o amser roedd ei fam wedi byw cyn iddo fe gael ei eni – amser na wyddai e ddim byd amdano.

Ar yr hewl gyflym eto, a'r euogrwydd yn datod nes ei fod yn gyfres o gyhuddiadau unigol.

Euogrwydd syml achos-ac-effaith yn gynta: tasen ni, fi ac Anna, ei ffrindiau, wedi gwneud rhai pethau'n wahanol, y gallai Davies fod yn fyw o hyd. Fyddai e ddim wedi mynd yn y car.

Dyna'r cyhuddiad ar ochr olau pethau, ar yr ochr obeithiol, ddelfrydol. R'yn ni'n hapus i dderbyn damweiniau ar eu telerau'u hunain, a pheidio â disgwyl atebion ganddyn nhw . . . Ond ar yr ochr dywyll, annifyr, y syniad fod Daniel, ac Anna, a phawb, mae'n debyg, pawb a welodd ac a brofodd yr endid roedden ni'n arfer ei nabod fel Davies, wedi cyfrannu. Ein bod ni i gyd yn euog. Ac y gallen ni fod wedi osgoi hyn, yn ein dewisiadau, yn ein hymatebion, yn ein penderfyniadau. Ond na wnaethon ni. Doedd e ddim yn fwriadol, ma' hynny o'n plaid ni, rwy'n credu, ond mae hyn i gyd yn ganlyniad i ni a'n gweithredoedd ni. A'r ffordd y gwnaethon nhw effeithio ar Davies. Mae hi'n broses ddwy-ffordd, ydy, wrth gwrs, ond *ni* oedd yno, ar un ochr – un ochr hollbwysig – i'r peiriant.

Ac ar ôl iddo farw, allwn ni ddim hyd yn oed gwneud y rhan hon yn iawn. Peidio crio, peidio gadael i farwolaeth sbwylio'r diwrnod, siomi ein ffrind ni eto. Gwneud ei farwolaeth yn frwnt, hyd yn oed. Cachu ar yr atgof ohono trwy amau prosesau'i feddwl. Sut allen ni, sut allai Daniel, amau'r berthynas fu rhyngddyn nhw? On'd oedd e yna? On'd oedd e'n gwybod ei hun?

55

A'r euogrwydd o fod yng ngafael amser, ei weld yn eich troi chi'n bopeth nad oeddech chi am fod: cardiau Nadolig, gwahoddiadau priodas, Llongyfarchiadau – Bachgen Bach! Cyfathrebau bychain yr adegau mawr. 'Annwyl Daniel, dwy' ddim wedi cysylltu ers amser hir, ond rwy'n ysgrifennu nawr i ddweud am Davies . . .' Chi'n ifanc. Chi'n meddwl bod pobl sy'n hoffi'i gilydd yn aros gyda'i gilydd.

Mae e'n trio cael pethau'n sorted cyn cyrraedd y tŷ, fel tasai tawelwch meddwl, llonyddwch, yn fater nid yn gymaint o fetaffiseg gymhleth ond o gemeg syml: golau haul a dim gormod o caffeine. Fe allai Caerdydd fod yn unrhyw le yn y tywyllwch. Ma' diwedd yr A470, y ffordd ddeuol, 40-milltir-yr-awr, heibio i ysgol yr Eglwys Newydd a'r carvery generig wrth y goleuadau traffig, yn bob hewl ar gyrion dinas. Ma'r niwl oren o lampau'r stryd yn goleuo cyflwr yn hytrach na man arbennig: hanfod y maestrefedd hwn, calon y profiad, sefyll yn y glaw gyda wyth person arall, yn aros am y bws mewn i'r dre, neb yn torri gair. Tu ôl i'r goleuadau, ma'r semis mawr yn edrych yn gynnes, ac yn gartrefol, mewn ffordd sy'n eich atgoffa chi o'r chwedegau.

Lawr trwy Gabalfa, Whitchurch Road a Cathays, ac ma' popeth yn teimlo fel ail-natur iddo, y gyrru'n anymwybodol, ei draed yn anwesu'r brêcs yn reddfol. Mae e'n cyrraedd Newport Road ac ma'r hewl yn agor allan – tair, pedair lôn bob ochr, y swyddfeydd tal, y concrit, ac ambell eglwys a'u tyrau cywrain yn britho'r cyffredinedd. Fe allai fod yn gyrru ar hyd Queen's Boulevard yn Efrog Newydd. Rhamantu – hyd yn oed yr hewl fwya seedy. Dyna yw dinas a'r dinesig: bod yn barod i gredu eich heip eich hun. Pan oedd Daniel yn y coleg roedd e'n byw ar gornel 'Woodville and Crwys' – fersiwn Cymru o 'Delancey and Essex'.

Y tro cynta i fi gyfarfod Anna roedd hi'n gwisgo cot hir, lawr at ei phengliniau, a gwallt hanner ffordd rhwng byr a hir, ddim cweit yn 'bob' ond heb fod yn 'crew cut' chwaith. (Dwy' ddim yn gwbod beth ma' merched yn ei alw e pan maen nhw wedi cael scalping da, fel roedden ni'n arfer ei gael gan y barbwr adre.) Roedd hi'n edrych fel tasai hi newydd gerdded allan o ffilm Ffrengig. Neu dyna fel roedd hi'n ymddangos i fi, beth bynnag. Doedden ni ddim wedi gweld gormod o steil yn Dowlais. Mae'n siŵr nad oedden nhw wedi gweld gormod o steil fel yna rownd Cwm Tawe chwaith. Ac ma' trio dychmygu yr amgylchiadau fyddai wedi cyfrannu at ei syniad hi o'i hunan, trio meddwl ym mha le y byddai hi wedi cael y syniad, yr ysbrydoliaeth os 'ych chi moyn, fyddai wedi esgor ar y got hir yna, mae e'n mynd at graidd y posibilrwydd, y cysyniad, o gymeriadu rhywun. Y meddwl ifanc yn gwahodd y byd i mewn, yn gwahodd yr argraff, ond yn mynnu rheoli marciau'r pensil hefyd. Dyna gyffro bod yn ifanc: gweld popeth – pob sylw, pob sefyllfa, pob sgwrs – yn gyfle i daflu delwedd newydd yn ôl at y byd.

Roedd hi'n bert ac, o'r dechre, o'r cyfarfod cynta pan 'nes i daro mewn iddi hi, yn llythrennol fwy neu lai, ar y campws yn y brifysgol, roedd hi fel petai hi'n eich cyfarwyddo chi i feddwl hynny. Roedd y got hir yn gwneud iddi edrych yn dalach nag yr oedd hi mewn gwirionedd, ac roedd 'na rywbeth yn ei llygaid hi – dim byd i awgrymu bod ei hyder hi'n ei gosod hi ar wahân i bobl eraill, jyst awgrym falle o hunanfeddiant, o fod yn gyffyrddus â'i chorff, ac â'i phresenoldeb corfforol gyda phobl eraill. Hynny yw, lle roeddwn i yn ddigon amlwg yn blentyn o hyd, o ran golwg o leia, a fy llygaid i'n bradychu hynny – yn methu canolbwyntio arni am fwy nag eiliad ar y tro – roedd hi'n gallu hoelio'i sylw arna i, heb syllu, a fy mherswadio ei bod hi'n gwrando'n ofalus. Yn agored i unrhyw nuance neu bwyslais mewn brawddeg. Roedd hi fel petai hi'n gwrando arnoch chi gyda'r bwriad o ail-greu'ch geiriau yn ei phen gyda'r spin gorau posib arnyn nhw. Cynulleidfa ddelfrydol. Roedd hi'n rhoi'r argraff ei bod hi'n falch i fod yno'n siarad â chi, taw dim ond hynny oedd yn bwysig, y foment honno. Fe soniodd pobl eraill wrtha i am yr un rhinwedd wedyn, ac rwy'n dueddol o gredu ei fod e'n arwydd o'i diffuantrwydd hi. Ei bod hi, pan oedd hi'n stopio i siarad â rhywun, yn wironeddol falch i wneud. Naill ai hynny neu roedd hi'n actores ffantastic.

Wrth feddwl am y peth nawr, rwy'n embarrassed i feddwl pa mor blentynnaidd oeddwn i yn y sefyllfa honno – o fod mor amlwg yn *ymarfer*. Wyneb fel babi ac yn siarad am, o, unrhyw beth. Mae e'n un o'r sgyrsiau hynny r'ych chi'n gallu edrych yn ôl arni a bod yn falch ei bod hi wedi digwydd achos roedd beth ddaeth wedyn yn werth ei gael, ond teimlo'r embaras mwya dwfn ar yr un pryd oherwydd actual cynnwys y sgwrs. Darlithiau, ein cyrsiau, mynd allan – rwy wedi trio anghofio. Ni oedd wedi gadael ein cartrefi ers blwyddyn ond yn meddwl ein bod ni'n sophisticates mwya'r ddinas. Rwy'n synnu na wnes i ofyn a allwn i gario'i satchel hi adre.

Ond rwy'n cofio meddwl ar y pryd y byddwn i'n

cofio'r cyfarfod hwn yn y dyfodol, y byddai'n arwyddocaol hyd yn oed os na fyddwn i'n dod yn ffrindiau gyda'r ferch hon. Ac fe ddigwyddodd hynny; fe gofiais i, ac fe ddaethon ni yn ffrindiau hefyd, felly falle'i fod e'n fwy na jyst plant bach yn chwarae. Falle taw'r wers yw bod pethau da yn digwydd pan 'ych chi'n rhy ifanc i allu rhesymoli yn eu herbyn nhw.

A'r peth arwyddocaol erbyn hyn yw bod hyn i gyd wedi digwydd heb fod Davies o gwmpas. Fi gyflwynodd e iddi hi. Fi oedd yn ei nabod hi, fi oedd ei ffrind hi a Davies oedd y person dethol hwnnw roeddwn i'n ei gyflwyno. Fel estyniad ohona i. Dyma'r ffrindiau rwy *i*'n eu dewis.

Gorfodi fy hun i fod yn ddewr, ac yn 'gymdeithasol'. Roeddwn i wedi'i gweld hi cwpwl o weithiau cyn hynny, yn dod allan o'r llyfrgell, mewn caffi yn un o'r arcades yn y dre, jyst o gwmpas y lle. Ac yn gwisgo'r got hir. Esgus i ddechrau sgwrs yw'r peth, ond yna cerdded ar ei thraws hi un tro, a synnu'i chlywed hi'n siarad. Llais tyner, tawel hyd yn oed, ond doedd hi ddim yn baglu'i geiriau, ddim yn rhoi'r argraff bod yr hyn oedd yn gadael ei cheg fymryn yn wahanol i'r hyn roedd hi wedi bwriadu'i ddweud. Bwrw yn erbyn ei hysgwydd – ddim yn galed iawn – ond yn ddigon i orfod ymddiheuro. Cynnig mynd am goffi. 'Standard fare' – ond yn teimlo fel cwestiwn y 64,000 o ddoleri. Mor anghelfydd, mor lletchwith â hynny.

Ar ôl hynny, doedd hi ddim yn anodd. Ac r'ych chi'n ffeindio nad yw pobl yn edrych fel eu cymeriadau o gwbl – bod merched sy'n ymddangos mor gwbl hyderus yr un mor debygol o fod yn swil ag yr ydych chi, neu nad oes yna unrhyw beth i ddweud na all rhywun hyderus hefyd fod yn berson uffernol o neis. Digon amlwg fy mod i'n hoffi Anna o'r dechrau. Cael fy synnu mor amlwg yw hi ei bod hi'n fy hoffi i hefyd. A Davies. Mae hi ddwy flynedd academaidd yn hŷn na ni. Yn fyfyriwr ymchwil, yn gwneud M. Phil yn yr Adran Ffrangeg – traethawd estynedig ar lenyddiaeth yr ugeinfed ganrif. Ystyr a dirfodaeth, sgrech gyntefig, chic deallusol, y tu hwnt i ni, bydoedd yn agor o'n blaenau. Ma' hi'n hoffi jazz a chantorion benywaidd fel Nina Simone ac Ella Fitzgerald.

Y noson ar ôl i fi gwrdd â hi, ma'r ddau ohonon ni, Davies a fi, yn mynd draw i'w thŷ hi, y tŷ mae hi'n ei rannu gyda dwy ferch arall, jyst tu ôl i Cathays Terrace, y brif hewl sy'n mynd allan y tu ôl i'r brifysgol. Mae hi'n nos Wener, ac ma' 'na ryw thrill mewn cerdded i'r cyfeiriad arall, i ffwrdd o gyfeiriad y dre. Mae hi fel tasai'r llif diddiwedd o bobl sy'n mynd i'r undeb, neu i dafarnau'r dre, yn benderfynol o'n tynnu ni gyda nhw. Fel tasen nhw'n anfodlon ein bod ni'n gwneud rhywbeth gwahanol ond yn genfigennus ar yr un pryd.

Ond r'yn ni'n cyrraedd y tŷ, a'r ddau ohonon ni wedi bod yn annaturiol o dawel yr holl ffordd draw. Fi'n edrych ar y myfyrwyr eraill yn mynd heibio i ni, yn ceisio dychmygu amdanyn nhw y pethau ro'n i'n trio'u dychmygu am Anna: cefndir, beth sy'n eu gyrru nhw, sut maen nhw'n meddwl amdanyn nhw eu hunain – ond heb feddwl am y pethau yma gyda hanner y brwdfrydedd, neu'r un ysfa bendant i wybod ag oedd gen i pan oeddwn i'n siarad gyda Anna am y tro cyntaf. (Roedd y rhan fwyaf ohonyn nhw'n sylfaenol dwp beth bynnag. Darnau o'u sgyrsiau: straeon am champagne a bod yn stafelloedd merched yn hwyr yn y nos, acenion Seisnig yn sôn am bobl o'r enw Dom a Will.) Roedd Davies yn cerdded, yr un mor dawel, wrth fy ochr i. Doedd gen i ddim syniad am beth roedd e'n meddwl.

A bydde fe, dwy' ddim yn credu, byth wedi cyfadde ei fod e'n impressed mewn unrhyw ffordd, neu fod hyn mor newydd i ni ag oedd rhegi yn ystod gêmau rygbi 'nôl ar y cae yn y pentre. Roedd e wastad yn rhy cool, ac ro'n i'n ei gasáu e weithiau, bod e ddim yn gallu jyst anghofio am hwnna i gyd pan oedd e mewn cwmni. (Achos ar adegau eraill, doedd 'na neb yn teimlo pethau yn fwy na fe. Doedd e ddim hyd yn oed yn gallu edrych ar y newyddion weithiau, heb orfod gadael yr ystafell mewn cymysgedd o embaras a thrueni dros rywun oedd yn cael ei gyf-weld: dyn yn y cymoedd newydd golli'i swydd, yn beirniadu'r llywodraeth mewn Saesneg plentyn, a'i ramadeg yn gwneud i ni feddwl hyd yn oed os taw'r llywodraeth oedd yn gyfrifol na allech chi'u beio nhw mewn gwirionedd; straeon am dimau chwaraeon plant anabl, a'u gwenau fel diwedd y byd. Byddai e jyst yn codi o'i sedd ac yn gadael, yn siarad â fe'i hun, yn gwneud unrhyw sŵn jyst i guddio sŵn y teledu.)

Roedd y tŷ fel tŷ iawn, gyda phobl iawn yn byw ynddo. Roedd y ddwy arall allan am y noson; dim ond Anna oedd yno. A'r got hir honno'n gydgymeriad perffaith i'r lle. Roedd yr ystafell fyw lan llofft, yn edrych dros y stryd, ac roedd hi'n dawel yno, yr un llawr o bellter yn teimlo fel milltiroedd, a blynyddoedd. Es i i edrych drwy'r llenni, ac aros yna am ychydig i weld a fyddai yna rywun yn edrych lan o'r stryd ac yn fy ngweld i. Roedd dwy lamp yn goleuo'r stafell, y to'n gymharol uchel a'r golau'n cyrraedd tri-chwarter y ffordd lan y wal. Roedd corneli'r nenfwd yn dywyll. Ar y waliau, a hyd yn oed yn y coridor ar y ffordd lan y grisiau, roedd lluniau. Ymhobman. Prints du a gwyn, wedi'u prynu, wedi'u torri allan o gylchgronau a phapurau newydd, actorion, cerddorion, rhai o'i ffotograffau ei hun hefyd fe ddwedodd hi wrthon ni wedyn. Golygfeydd o ffilmiau – ffilmiau nad oeddwn i wedi'u gweld ac a allai fod wedi bod jyst yn olygfeydd cyffredin mewn du a gwyn, do'n i ddim yn gwbod. Roedd Davies yn edrych yn fanwl arnyn nhw – yn unigol ac fel casgliad. Roedd e'n nabod rhai o'r golygfeydd, ac yn chwerthin dan ei wynt nawr ac yn y man, fel tasai e yr unig un oedd yn adnabod y cyfeiriad.

'Anna, dyma Davies. Davies, dyma Anna.'

'Helo.'

'Shw mae 'de.'

'Nag oes enw cynta gyda ti?'

'Davies yw fy enw cynta i. Rwy'n Americanwr. Davies McCormack the Third.'

'O, okay.'

Mae'n bosib rhag-weld hyd yn oed yn yr hanner munud cynta iddyn nhw gyfarfod â'i gilydd os yw dau berson yn mynd i ddod ymlaen. A jyst fel yr oedd y ddau ohonon ni, Davies a fi, wedi penderfynu'n anymwybodol rhyngddon ni y byddai e'n arwain a fi'n dilyn (os nad yn union chwaith), ro'n i'n gallu gweld yr un peth yn digwydd yn y fan hon. Ro'n i'n gallu gweld y byddai Davies yn ei chymryd hi'n ganiataol, yn meddwl ei bod hi'n rhy ddifrifol, ac yn gweld popeth mewn ffyrdd *sylfaenol*, a bod hynny'n wendid. Ac nad oedd hi'n gallu gwneud value-judgements chwaith, fel yr oedd e. Ond byddai e'n ei charu hi. A byddai hi'n meddwl amdano fe ei fod e'n bach o twat, yn dwp weithiau, yn anaeddfed weithiau, ond yn gymaint mwy na hynny hefyd. Ei fod e'n disgwyl, ac yn aros, am y byd i gyd. Ei fod e'n dda, ac yn onest, ac y byddai hi'n ei garu e.

Dwy' ddim yn gwybod yn iawn pa fath o drefniant oedd wedi'i amlygu'i hun yn ystod y cyfarfod cyntaf hwnnw, pan taw dim ond Anna a fi oedd yno. Rwy'n meddwl am y peth nawr ac efallai nad oedd yna drefniant, neu gytundeb, o gwbl. Fi'n rhy swil, a hi'n rhy neis, er gwaetha'r argraff hyderus, a'r ddau ohonon ni'n methu'n gilydd; yn gwneud y synau iawn, yn chwerthin ar yr adegau iawn, ac yn gwybod pryd i dawelu a rhoi cyngor da, ond yn methu'n gilydd jyst yr un peth.

(Ma' 'na elfen gref o bullshit yn hyn i gyd, wrth reswm. Ma'r berthynas rhwng dau berson, unrhyw ddau berson, yn anfeidrol gymhleth, ac rwy'n chwerthin hyd yn oed wrth feddwl y gallwn i fod wedi gweld hyn i gyd yn y munudau cynta hynny pan gyrhaeddon ni dŷ Anna, llai fyth ei ffurfio mor drefnus mor gyflym. Rwy'n rhoi geiriau ar bapur, wedi'r cyfan – y geiriau sy'n ffurfio'r brawddegau sy'n ysgrifennu'u hunain, ac sy'n fy ysgrifennu i.)

Ond wrth i'r noson fynd yn ei blaen – ac fe aeth hi yn ei blaen yn grêt, pawb yn dod ymlaen yn ffantastic – roedd hi fel tasen ni angen Davies yna, jyst i gadw pethau i fynd. Rhywle yn y canol, rhwng Anna a fi, yn bresenoldeb cyflawn, hunangynhaliol, a hyd yn oed ei dawelwch yn llwyddo i gyfiawnhau a dilysu ein tawelwch ni. Doedd 'na ddim gormod o dawelwch – roedd Davies eto yn un o'i moods enwog, wedi blasu'r cyffro o'r dechrau. Ond pan fyddai e'n gadael y stafell fyw, i fynd i'r toilet, neu i agor potel arall o win, yna byddai pethau'n troi jyst ychydig bach yn anghyffyrddus. Nid yn annymunol, ond jyst ychydig bach yn fwy ffurfiol: gofyn y cwestiynau amlwg, jyst i gadw sŵn yn yr awyr. Ond byddai e'n dod 'nôl a byddai Anna a fi'n ymlacio, yn llacio'n cyrff ac yn siarad yn normal, yn cymryd y piss ac yn gallu edrych yn llygaid ein gilydd eto.

Ac eto, fe allech chi ddilyn y trywydd yn ôl i'r noson honno, pan oedden ni wedi meddwi ar win a chwrw a gwydrau mawr o gin a tonic. Mae'r noson yn mynnu cyflwyno'i heironïau. Y noson honno pan oeddwn i'n falch o gwmni Davies yn y fenter fwya yr oeddwn i wedi bod yn rhan ohoni hyd hynny, ond ar yr un pryd yn methu dioddef y ffordd roedd e wastad yn piso rownd – yn fy nghynnwys i yn ei jôcs ond byth yn poeni am fy ngollwng i ar yr eiliad ola i gael y punchline iawn. Roedd y ddau ohonon ni'n chwarae lan i'n gilydd, y double-act eto. Dau wryw yn procio, pryfocio'i gilydd yng nghwmni'r ferch, i'w diddanu hi i bob golwg, ond yn mwynhau canol-bwyntio ar ei gilydd hefyd. Y dynamic: gwneud i'r llall chwerthin, mabwysiadu rôl, actio, pŵer-ac-ewyllys, chwilio a chwerthin. Cyn i un dynnu 'nôl a throi'r sefyllfa ar ei phen. Ro'n i wedi bod yn siarad am amser hir, yn esbonio rhywbeth neu'i gilydd, neu'n rhoi fy nehongliad i o rywbeth, alla i ddim cofio'n iawn nawr – rhywbeth i wneud â cherddoriaeth, siŵr o fod, neu pam fod merched cyfoethog nid jyst yn debyg i geffylau ond actually *yn* geffylau. Rhyw rubbish, beth bynnag. Ond ro'n i'n siarad, monolog, ac yn mynd i hwyl, tra bod Davies wrth fy ochr i, yn syllu arna i. Ro'n i'n gallu teimlo'i lygaid yn dwym ar fy wyneb – nid jyst yn fy llygaid, ond yn syllu ar fy nhrwyn, fy ngên, fy nghlustiau. Ac ro'n i'n gallu synhwyro'r cenfigen. Ond ma' cenfigen yn air rhy gryf, falle, achos nid cenfigennus yn gwmws oedd e. Doedd e ddim yn genfigennus o'r hyn roeddwn i'n ei ddweud, na'r ffordd roeddwn i'n ei ddweud e na dim byd. Jyst cenfigennus o'r sylw oedd e, fel plentyn bach. Yn methu peidio â bod yng nghanol popeth. Fe ddechreuodd e dorri ar fy nhraws – nid i ychwangeu unrhyw beth, ond i ofyn cwestiynau. Pam bod hyn yn wir? Beth roedd hwnna'n ei olygu? Sut oeddwn i'n gwybod bod pethau wedi digwydd fel roeddwn i'n dweud? Roedd e'n fy annog i, ond bod y pwyslais, yn sydyn, wedi newid yn hollol. Nid fi oedd y canolbwynt, ond fe, a'i gwestiynau – wedi'u gosod fel tasai e'n rhyw fath o gyflwynydd teledu smug. Roedd yr holl beth wedi troi'n sgets, a fe'n actor ynddi. Roedd e'n chwarae'i ran e'n deadpan, gyda hiwmor sarcastig, ac roedd y ffordd ro'n i'n ateb, gyda'r un egni ag o'r blaen, yn cyflenwi'r teimlad o act-wedi'i-sgriptio. Ac ar y diwedd, wrth i fi orffen fy esboniad i, ro'n i'n edrych yn ei lygaid e, ac yn disgwyl ei ymateb. Fe ddaeth e reit lan ata i, yn agos, agos, a dweud, 'Kiss me, Daniel, kiss me'. Y non sequitur. Punchline y sgets ddirfodol-ddiystyr roedd e wedi'i chreu. (Roedd yn 'rhaid i chi fod yno', siŵr o fod. Roedden ni.)

Wrth gwrs, fe chwerthodd pawb. Allen ni, ac allwn i, ddim peidio. Ond falle nad oeddwn i'n chwerthin *gyda*'r ddau arall yn hollol. Roedd grymoedd yn penderfynu droston ni. Ro'ch chi'n gallu'i weld e o filltiroedd i ffwrdd: y set-up: y bachgen swil, y fenyw hyderus, a'r maverick arall. Trindod. Triawd. Triongl. Fel yr hen noirs. Y private dick ma' pawb yn cymryd mantais ohono, y femme fatale a'r player.

Ar ôl hynny, ac am weddill y noson, roedden ni'n chwerthin gyda'n gilydd. Mae'n rhaid bod Davies a fi jyst wedi cwympo i gysgu ar ryw bwynt, oherwydd pan ddeffron ni wedyn, mewn môr o boteli, a'r atgof o fwg y noson cynt yn aros yn ein pennau fel tarth du, argoelus, dim ond y ddau ohonon ni oedd yn y stafell. Fi ar y llawr, yn gorwedd ar glustogau'r soffa, a Davies yn gorffwys ei ben ar fy nhraed, fel rhyw Doberman mawr cysglyd, newydd-gael-asgwrn.

Ond hyd yn oed yn y bore, pan oedd cyffro'r foment wedi pasio, a'r byd wedi agor unwaith eto, i oleuo'r pethau hynny roedd y lampau a'u golau egwan wedi'u cuddio, ro'n i'n ffaelu stopio meddwl am y triongl. Ac ro'n i'n meddwl fel private dick oedd yn rhy involved yn yr achos. Chandlerese: 'I saw it coming that night. I saw it all, and it depressed me – even though these were the two most beautiful cats I'd ever known.'

[1.6]

Ma' 'na rai pethau r'ych chi'n eu gohirio eto ac eto, yn eu gwthio nhw i gefn eich meddwl am gymaint o amser, ac mewn ffordd mor benderfynol, fel eich bod chi'n dod i gredu y gallwch chi gyfiawnhau peidio â'u dweud nhw o gwbl. Peidio hyd yn oed â'u meddwl. Ac na *ddylech* chi eu dweud na'u meddwl nhw chwaith. Ac os yw Daniel wedi rhoi fersiwn ddiogel, sanitised hyd yn oed, o bethau hyd yn hyn – o'i berthynas â Davies ac Anna, er enghraifft, ac argraff o fod wedi bod allan o'u bywydau ers blynyddoedd, a dim ond ar gyrion y digwydd oherwydd hynny – yna fe allech chi ddweud ei fod e wedi llwyddo'n rhyfeddol. 'Sgwn i faint o hanes y byd sydd wedi cael ei ysgrifennu allan o fodolaeth fel hyn?

A rhan o'r rheswm eich bod chi eisiau anghofio yw am fod y digwyddiadau yn adlewyrchu'n wael arnoch chi, a'r syniad sydd gan bobl ohonoch chi. Hynny yw, d'yn ni ddim ond yn ni ein hunain pan allwn ni ddweud, 'Dyma fi, yn fy ngwendid.' Rwy'n hollol sicr nad oes yna unrhyw beth y gall dyn ei gyflawni sy'n dweud mwy amdano na'r lleiaf o'i wendidau. Dwy' ddim yn meddwl am wrthrychedd nawr – problem Archimedes, o fod angen lle i sefyll er mwyn gallu symud y byd – ac rwy'n croesawu'r goddrychedd anwyddonol sy'n ein gwneud ni'n bobl o deimlad a nuance. Ond fel y gofynnodd Primo Levi un tro, os nad nawr, pryd? Y cwestiwn mawr. Ac os nad nawr, a marwolaeth yn duo'r awyr, meddyliau ar chwâl, a bywydau eraill yn y fantol, yna pa bryd yn wir?

Ond r'ych chi'n adeiladu'r tensiwn, yn creu cyd-destun mawreddog i'r holl beth, a'r cyfan yw e, mewn gwirionedd, yw un dyn yn caru merch nad oes ganddo hawl i'w charu.

67

Daniel ac Anna. Anna a Daniel. (Ond mae'r enwau'n cynganeddu, rwy'n eich clywed chi'n datgan. Sut allan nhw beidio â bod gyda'i gilydd?) Mae e'n beth digon syml, yn y bôn, a hyd yn oed i'r meddylwyr mawr, does 'na ddim goresgyn i fod ar y corff dynol, a'r cyfuniad o gemegau a phrosesau sy'n gyrru rhyw. Falle tasen ni wedi byw yn Ffrainc, wedi mynd ar wyliau bob haf gyda Picasso a Man Ray, ac wedi rhannu cyrff fel poteli o win, y byddai popeth wedi bod mor, mor wahanol . . . (A dyna i chi frawddeg i grynhoi'r holl beth. 'Tasen ni ddim ond wedi bod yn Picasso a Man Ray!' Byddai e wedi hoffi honna.)

Ond, fel ro'n i wedi dechre dweud. Dyw e ddim yn unrhyw beth mawr, pan 'ych chi'n trio meddwl amdano fe'n wrthrychol. Ond o fod yna, yn y canol . . . Ac mae hi'n rhyfedd hefyd sut y gallwch chi fod mor deyrngar i rywun fel y byddech chi wedi dweud ar un adeg y byddech chi'n fodlon marw drostyn nhw ond ar yr un pryd wybod y byddech chi'n hollol barod i'w bradychu nhw. Oherwydd pwy ydyn ni'n ei dwyllo os 'yn ni'n meddwl hyd yn oed am eiliad fechan na fydden ni'n ddigon bodlon gwthio'n ffrindiau dros y dibyn a neidio i fewn i'w slippers cynnes nhw? Ac mewn sawl ffordd bwysig roedd y farwolaeth *wedi* cael ei rhag-weld. Hanner dwsin o weithiau a mwy. Yn benodol hefyd, y manylion wedi'u hystyried, posibiliadau a sefyllfaoedd wedi'u chwarae allan yn ofalus, a gyda brwdfrydedd. Fel pen draw delfrydol hyd yn oed.

Ac nid ar amrantiad chwaith, ond dros fisoedd hir o feichiogrwydd. Pob galwad ffôn, pob sgwrs, ac yn aml jyst geiriau unigol, yn cyflenwi ac yn llenwi'r greadigaeth newydd.

Yn y llais yn fwy na dim yr oedd yr hedyn. Llais heb gorff, llais yn fy nghlust. Llais ar beiriant ateb, yn bodoli, yn sicr, ac yn awgrymu fod yna rywun a siaradodd ac a wnaeth sŵn y llais hwn ac ynganu'r geiriau. Ond heb ddim mwy na chôd o un rhif ar ddeg yng nghof y ffôn i awgrymu cyd-destun neu hanes. Dim byd arall i awgrymu bodolaeth ddiriaethol. Y system gyfathrebu yn anghyflawn, anghytbwys. Llais heb gorff. Corff heb fater. Mater corfforol heb fyd.

Ond mae llais fel hwn yn llais cymhellgar, atyniadol: roedd Daniel yn gallu llanw'r bylchau ei hun, wrth gwrs. Roedd e'n gallu gwneud amlinell y corff yn ei feddwl – a gweithio yn ôl y patrwm clasurol ar gyfer disgrifio person: o'i phen, o'i cheg yn symud, a'i gwefusau'n anwesu'i gilydd yng nghynildeb yr ynganu, i'r llygaid, yn ddifrifol ac ymroddedig. A'r rheiny yn eu tro yn awgrymu lliw yn ei bochau, dechreuadau gwrid, y gwaed yn chwyddo'n dwym dan y wyneb, a thensiwn yn ei chorff, fel cryndod ysgafn. Ac ymlaen a thu hwnt. I'r byd o gwmpas y llais. Yr atsain ysgafn mewn ystafell wag, coridor efallai, a dim byd yno ond ffôn a chorff yn eistedd ar y llawr, yn siarad yn dawel i fewn i'r derbynnydd. Cyn i'r manylion eraill ymddangos yn araf wedyn, yn ymdarddu fel llong yn hwylio allan o'r niwl. 'Man reveals himself as the entity which talks.' Wedi'i droi ar ei ben. Llais, siarad, yn datguddio'r person.

Ac yn ogystal â'r llais (sef y ddrychiolaeth, ond ei bod yn ddrychiolaeth gorfforol, yno yn nirgryniadau'r awyr), y geiriau gofalus . . .

Ma' sôn am ddrychiolaethau yn fy atgoffa i hefyd. O stori, chwedl o ardal Dowlais. Ond nid Dowlais o gwbl, mewn gwirionedd, ond Cwm Rhymni, yr ochr arall. Ac nid Cwm Rhymni chwaith, mewn ffordd, ond reit ar dop y cwm, Blaen Rhymni. Mae'r stori hon, mae hi wedi cael ei phasio lawr ar hyd y cenedlaethau. Byth wedi gweld print, dwy' ddim yn credu. Davies ddwedodd hi wrtha i. Roedd ganddo fe deulu yng Nghwm Rhymni a falle'i bod hi'n un o'u straeon nhw. Falle taw aelodau'i deulu oedd rhai o'r cymeriadau yn y stori, dwy' ddim yn cofio nawr. Ond rwy wastad yn ei chysylltu hi â Davies, ac rwy'n gwybod ei bod hi'n stori wir.

Roedd hi'n stori arswyd. I ni fel plant, beth bynnag. Ac rwy'n credu bod y ffaith honno, ein bod ni'n dal yn ddigon ifanc i gael ein brawychu, yn bwysig. Ein bod ni'n dal i allu rhyfeddu. Ac mae hi'n dal yn stori hynod, hyd yn oed nawr. Yn dal yn anesboniadwy – ond yn fwy diddorol, falle, am yr hyn mae hi'n ei gynrychioli ac yn ei awgrymu nag o ran yr arswyd visceral. Davies oedd y storïwr, wrth gwrs. Fe oedd yn gwybod pob manylyn – y stori yn amlwg wedi bod yn ei ben, ac yn corddi yno. Fe oedd wedi ceisio rhesymoli'r digwyddiadau ac wedi ceisio'u hesbonio, ac roedd hynny'n rhoi rhyw bŵer arbennig iddo fe ac i'r stori. Roedd e'n dwysáu'r effaith jyst trwy fod yna, jyst o ran y ffaith taw fe oedd yn ei hadrodd hi. Fel petai e'n rhywun oedd wedi profi rhyw ddioddefaint mawr ac a oedd wedi byw i gael adrodd yr hanes. Ond wedi'i effeithio'n enbyd hefyd . . . Ac rwy'n ei chael hi'n anodd peidio â'i drifialeiddio fe fan hyn. Rwy eisiau gwneud cyfiawnder â fe, ac â'r ffordd yr oedd e'n llwyddo i dynnu pob diferyn o ystyr allan o'r digwyddiadau hyn. Rwy eisiau cyfleu'r gallu hynod hwnnw oedd gyda fe . . . Felly, plîs, fe wnewch chi dderbyn yr ymgeisiau hyn at esboniad fel y maen nhw, a pheidio â'u darllen nhw fel ystrydeb neu eironi o unrhyw fath neu, yn waeth, gyda doethineb bydol-flinderus. Ac fe wnewch chi ddarllen yn fy ffordd vulgar i o esbonio hyn i gyd y syniad taw yn niffygion geiriau y mae'n diffygion ni. Neu fod ein diffygion geiriol ni yn trosi'r cyflwr o fod yn anifeiliaid sydd yn aflonydd.

Ond mae hynny ynddo'i hun yn awgrymu ein bod ni'n cyrraedd tir peryglus nawr. Gwallgofrwydd, a'r hyn sydd dan yr wyneb. A dyna pam fy mod i'n gorfod stopio bob pum munud nawr – i gerdded rownd am ychydig, neu i edrych ar y byd yn mynd heibio i'r ffenest – jyst er mwyn gallu aros ar yr ochr iawn i'r ffin, ochr 'normalrwydd', yr ochr lle mae hi'n broblem gysurus-anodd i feddwl am dalu morgais a dyledion coleg. Gadael i hylif yr ymennydd setlo eto. Ond dyna'r broblem hanfodol ar ei gwedd amlycaf: gorfod dal yn ôl. Trio esbonio heb rwygo gwead y byd.

Mae siarad â Anna eto yn rhy hawdd os rhywbeth. Ond roedd e wastad yn mynd i fod, mae'n debyg. Pan 'ych chi wedi dychmygu sefyllfa am gymaint o amser allwch chi ddim synnu pan fo pethau yn gyffyrddus, ie, ac yn hamddenol heb-bwysau, ond rhywsut ychydig bach yn automatic hefyd. Fel tasai un, neu'r ddau siaradwr, wedi anghofio beth yw ymgolli mewn siarad rhwydd; gadael i'r geiriau dywys, cyn dychwelyd – 'lle o'n i, gwed?' – at y pwrpasol. Crefft y gwyriad, sydd fel thema gerddorol yn newid y tu hwnt i bob adnabyddiaeth ond yn cynnal y deinamig gwaelodol drwy'r amser. Y tro hwn mae hi fel tasai'r ddau ohonyn nhw'n ceisio rhoi tic yn erbyn eitemau ar restr feddyliol o bynciau i'w codi – nid i'w 'trafod' – ac yn rasio trwy bethau.

Ond os yw'r sgwrs, ym manylion y siarad, yn arwynebol o slic, ac os yw hyn yn rhyfedd o safbwynt dau berson sydd wedi nabod ei gilydd cystal ac ers cymaint o amser, yna mae yna drydan hefyd, sydd yn codi popeth uwchlaw dweud syml. I Daniel, yn sicr, a phwy a ŵyr i Anna hefyd . . . I Daniel mae e'n falchder diamwys, ar y dechrau beth bynnag, ei fod e'n siarad eto â'r ferch hon y mae e wedi'i charu erioed, mewn un ffordd neu'i gilydd. Ac mae hynny'n deimlad nad yw'n perthyn i unrhyw beth ond ei felyster ei hun.

Ond yn syth ar ôl y teimlad hwnnw mae e'n cofio pam fod yna gyffro yn perthyn i'r holl beth nawr: y ffaith ei fod e wedi bod yn ofod amlwg yn ei bywyd hi, ac nad ydyn nhw'n gyfarwydd â'i gilydd nawr fel yr oedden nhw unwaith. Ac mae hynny hefyd, yn ei ffordd ei hun, yn gwneud iddo deimlo'n dda. Nid yn yr un ffordd ddiamwys â'r teimlad melys, ond mewn ffordd fwy pigog. Oherwydd mae e'n gallu mesur wedyn faint y golled yn ei bywyd hi. Hi sy'n ei ffonio fe, wedi'r cyfan. A does yna ddim byd fel y sadistiaeth braf o wybod eich bod chi wedi achosi poen. Fel tase bod mewn cariad yn fater o unbennaeth: gwybod taw ohonoch chi y daw poen a gwellhad.

'Hello, stranger.'

A mwya i gyd y daw Daniel i feddwl am siarad, ac am frawddegau unigol, a'r union ymadroddion gafodd eu defnyddio, mwya i gyd mae e'n meddwl bod geiriau yn bethau i'w hystyried yn ofalus; i'w darllen wedi'r dweud yn ogystal ag yn ystod y profiad. Bod 'na gymaint i'w ddweud am bob un gair bach sy'n dod o'n cegau, cymaint i feddwl amdano. A taw'r trueni yw ein bod ni wastad yn ymateb i eiriau cyn gallu'u treulio nhw'n iawn.

Yn gohirio'r seiliau cadarn yn annherfynol. A bod gwirionedd yn fater nid o'r hyn sy'n cael ei ddweud, ond o'r hyn sy'n aros ar ôl i chi gymryd allan bethau fel swildod, euogrwydd, trefn naturiol sgwrs, a'r amser rhwng dechrau siarad a dechrau 'siarad yn iawn': 'O'n i eisiau gofyn rhywbeth i ti, hefyd . . .'

Geiriau cyffredin – ond yn methu cuddio'r thrill: tybed oedd Anna'n teimlo fel tasai hi'n rhan o gynllwyn y diwrnod hwnnw? Mae'n rhaid ei bod hi'n gwybod yn iawn beth oedd yn digwydd. Ac yn *mwynhau*'r sefyllfa hefyd: bod yn rhan o frwydr fawr dros bethau mawr y byd. Ac roedd hi lan at ei chlustiau yn yr holl beth. Yn mynd tu ôl i gefn ei chariad, gyda'i ffrind gorau, yn gor-ddramateiddio, ac yn mwynhau, yn gweithio i'r delfryd mwya nobl a difrifol: achub bywyd, ond yn ffaelu help meddwl hefyd ei fod e'r peth mwya cyffrous yn y byd.

'Beth ti'n meddwl? – bod e'n câl rhyw fath o crisis neu rywbeth?' Ofni'r geiriau – ac nid jyst oherwydd eu bod nhw'n swnio mor llipa a chyfarwydd.

'Sai'n gwbod, ond mae e'n teimlo fel mwy na jyst rhyw fath o . . . o iselder achlysurol. Mae e'n teimlo fel, o, sai'n gwbod. Dylen i ddim bod wedi ffonio ti.'

Ond mae hi'n rhy hwyr i hynny, wrth gwrs. A thra bod Daniel yn ceisio dweud y pethau iawn, i fod yn ffrind, i gysuro, mae e'n meddwl o hyd: wel, fe *wnest* ti ffonio, on'd do? Roeddet ti wedi deialu'r rhif, a hyd yn oed yn ystod y deialu roeddet ti wedi meddwl 'pam?' ac 'i ba bwrpas?', ond fe wnest ti barhau i ddeialu, ac aros i'r llinellau gysylltu. A hyd yn oed pan oedd y ffôn yr ochr arall wedi dechrau canu doedd hi ddim yn rhy hwyr. A dyma Daniel nawr yn trio tawelu'i hofnau: er mwyn eu

tawelu, ie, ond hefyd er mwyn peidio gorfod siarad am
Davies. Ac er mwyn gallu creu'r byd newydd, delfrydol
hwn, y byd fyddai wedi *gallu* bodoli . . . Ac os oedd
Davies, yn raddol, wedi ymbellhau, wedi gadael y tŷ o'r
diwedd, ar ôl jyst cerdded o gwmpas y lle am fisoedd yn
trio pasio'r amser, yna roedd e'n pellhau yn derfynol, a'r
pellter hwnnw'n cymell agosatrwydd arall, gwahanol.

Pan ffoniodd hi wedyn i ddweud bod Davies wedi
marw, wrth gwrs dwedodd Daniel y byddai'n dod 'nôl i
Gaerdydd yn syth, ond mae'r meddwl yn gweithio y tu
hwnt i ni, er ein gwaetha ni. Ac erbyn hynny, roedd yr
holl beth yn teimlo fel gwireddu proffwydoliaeth y
sgyrsiau ffôn. I Anna – oedd wedi bod yn byw yng
nghanol popeth, ac wedi gorfod barnu maint ac
arwyddocâd ymddatodiad Davies, dyfalu beth oedd yn
mynd ymlaen a gwybod trwy bopeth na allai hi erioed
wybod yn iawn – roedd e'n teimlo fel yr unig ganlyniad
posib. Ac i Daniel hefyd roedd e'n teimlo fel pellter ac
agosatrwydd wedi'u diddymu, ond am resymau eraill:
dim ond dau nawr, a dim rhwystrau na chorneli, dim ond
dau bwynt a llinell syth yr M4. Synhwyro angen ynddi
am y tro cynta erioed, rhywbeth ar wahân i'w Anna-
rwydd cynhenid. Rhyw fath o ddyhead. Ymbil, hyd yn
oed. Ac o'r pwynt hwnnw does dim angen iddo fe fod yn
Bertrand Russell o resymegydd i'w osod ei hun yng
nghyflenwad y dyhead hwnnw.

Dyw esboniadau byth yn gweithio fel r'ych chi'n
gobeithio y gwnân nhw. Os ydw i'n dweud fan hyn bod
Daniel yn anhygoel o ansensitif, neu galon-galed, yna
mae hynny'n sicr yn wir. Ond pwy ydyn ni i feddwl am y
pethau hyn fel tasen nhw'n digwydd mewn gwaed oer, ac

i ddadansoddi'r gwersi'n fanwl? Cymaint yn mynd ymlaen, cymaint i drio'i amgyffred, cymaint i drio'i osod allan ar bapur. Ac, yn y pen draw, marwolaeth yw marwolaeth. Ac os oedd Daniel yn casáu'i hun am feddwl rhai pethau, yng ngwres y foment syfrdanol, yna on'd oedd yna'r teimlad hefyd na fyddai Davies ei hun wedi methu ag adnabod y frwydr honno? A beth bynnag, doedd 'na ddim gobaith o gwbl y byddai'r getaway yn llwyddo. Byddai Davies ei hun yn taflu cysgod oer dros bopeth, jyst yng ngrym y siarad amdano. A byddai Anna'n methu peidio â meddwl bod popeth wedi deillio ohoni hi, allan o ryw ddiffyg ynddi hi. A byddai'r diffygion hynny'n gwbl ddychmygol, efallai, ond fe fydden nhw'n drwm fel cymylau glaw yr un peth.

A'r teimlad o hyd, yn gorwedd ynghwsg dan yr wyneb, fod y gwir am yr hyn oedd wedi digwydd wedi'i golli – am byth, efallai – yn yr holl rymoedd a cheryntau croes oedd yn chwyrlïo o gwmpas. Yn yr holl postulation am gyflwr Davies – dau feddwl yn dod at ei gilydd i drio nabod un arall – mor rhyfedd oedd hi nad oedd un o'r posibiliadau yn cyhoeddi'i hun fel y gwir, neu arwydd o'r gwir, ond fod pob posibilrwydd yn hapus i adael i ni gario 'mlaen i feddwl yn uchel, siarad er mwyn siarad, a phellhau oddi wrth y nod gydag anocheledd ofnadwy.

Roedd hi'n stori am olau ac am oleuni. Am ddyn o'r enw
Cristo. Mae'r enw'n arwyddocaol, wrth gwrs. Crist wedi'i
aileni, wedi'i atgyfodi yng Nghwm Rhymni a Gwent. Tua
diwedd y bedwaredd ganrif ar bymtheg oedd hyn. Roedd
eglwys Crist yn mwynhau awr anterth, ysbryd Diwygiad
1859 yn dal yn y tir, ac yn britho i'r wyneb bob hyn a hyn,
dros y wlad. Pregethwr crwydrol oedd Cristo, cenhadwr
yn y diffeithdiroedd yn ceisio troi'r fflam, oedd wedi'i
chynnau'n barod, yn danllwyth o deimlad tanbaid. (Ac
ro'n i'n arfer meddwl mor addas oedd yr enw iddo. Tasai
Crist yn dod yn ôl i'r ddaear nawr, ac i'r rhan hon o'r
ddaear yn benodol, byddai pobl yr ardal yn ei gyfarch fel
tasai e'n ffrind roedden nhw'n ei nabod o'r dafarn: ''Ey,
Christ-ow. Alright, butt?') Roeddwn i'n meddwl am Cristo
fel rhywun allan o'i gyfnod hyd yn oed bryd hynny. Roedd
e'n arfer gwisgo clogyn hir, at ei draed, a phawb yn ei
nabod fel eccentric – ond eccentric taer a brwd. Byddai'n
cerdded ddegau o filltiroedd mewn diwrnod jyst i gyrraedd
cyfarfod capel, neu i bregethu mewn sgwâr pentre. Rwy'n
dychmygu pobl y cyfnod yn eu siwtiau tywyll a'u coleri
uchel yn ei weld ar hyd rhyw dre neu'i gilydd ac yn ei
nabod yn syth, ac yn troi at ei gilydd i ddweud, 'A, dyna
Cristo eto, yn ei glogyn hir', neu ''Co fe'n mynd, ar ei
deithiau fel arfer. 'Sgwn i lle mae e'n pregethu heddi?' Ac
yn synhwyro, hyd yn oed yn y cyfnod crediniol hwnnw, ei
fod e'n dod o fyd gwahanol, rhywsut, ac o gefndir a
chyfnod gwahanol, a bod ei bwrpas, fel gweinidog pybyr,
yn ddieithr i'w profiad nhw o grefydd ac o Dduw.

Roedd Cristo'n byw mewn beudy o ryw fath ar fferm
lan ar fynydd Blaen Rhymni. Sièd, i bob pwrpas, ond

doedd e byth yna'n ddigon hir i weld eisiau unrhyw gyfleusterau fyddai wedi gwneud y lle'n fwy cartrefol – roedd e wastad allan, ymhob tywydd ac ymhob tymor. Ac un noson roedd storm ofnadwy'n chwipio'r mynydd. Afonydd yn ffurfio yn y tir wrth i'r glaw dorri'r pridd meddal, mellt yn ffrwydro drwy'r awyr, yn goleuo brigau'r coed fel eu bod nhw'n edrych fel bysedd sgerbwd, a'r taranau'n cyhoeddi Dydd y Farn. Roedd Davies yn dweud bod hon wedi bod yn noson i brofi ffydd y Diwygwyr Mawr – fel tasai e'n gwybod yn ffaith bod duwiolion ar hyd y sir wedi diodde'n ofnadwy y noson honno . . .

Yn y ffermdy oedd ar bwys tŷ Cristo roedd gwraig y fferm wedi bod allan i edrych ar yr anifeiliaid. Roedd y defaid wedi bod ar y tir uchel, ond pan ddaeth y storm, fe ddaeth y ffarmwr â nhw i lawr yn nes at y tŷ. Tro'i wraig oedd hi nawr felly – roedd e wedi tynnu'i sgidiau, ac wedi mynd i eistedd wrth y tân cyn mynd i'r gwely. A dim ond allan i'r buarth roedd yn rhaid iddi fynd, beth bynnag. Ond yn y buarth, roedd hi'n amlwg bod yr anifeiliaid wedi cynhyrfu'n ofnadwy. Roedd y defaid, oedd wastad mor dawel ac yn ddof, bron, yn curo'u traed yn galed ar y graean anghyfarwydd dan eu traed, neu'n bwrw yn erbyn ffensys y gorlan. Roedd y sŵn yn atalnodi'r taranau, fel rhyw fath o spiritual grymus gyda natur: y daran yn galw, a'r traed yn ateb y weddi, yn rhythmig-frawychus, fel tasen nhw wedi'u swyno. Yn y dechrau doedd Davies ddim yn gwybod a oedd y ffermwr a'i wraig wedi'u dal yn angerdd y diwygiad roedd Cristo'n ei bregethu. Pan adroddodd e'r stori wedyn, pan oedden ni ychydig yn hŷn, roedd y ddau wedi datblygu i fod yn Gristnogion ofergoelus, yn gymysgedd naïf o grefyddwyr capel a chredinwyr dall ymhob math o hud a lledrith. Creu effaith, mae'n debyg, a chwarae â'i gynulleidfa hefyd. Ond un peth oedd wedi aros drwy holl fersiynau'r stori oedd yr hyn oedd yn dod nesa. Un eiliad pan oedd unrhyw amheuon fyddai gen i am Davies yn cael eu chwalu'n llwyr. Pŵer y foment? Pŵer ei bersonoliaeth yn y foment? Dwy' ddim yn gwbod, ac alla i ddim dweud pam bod y foment hon yn fy ngwneud i mor sicr (ac yn sicr o beth yn union dwy' ddim yn gwbod chwaith), ond mae e'n trosgynnu syniad yn y meddwl. Mae e'n effeithio ar fy holl fod corfforol – fel tasen i'n ei weld nid â fy llygaid ffaeledig fy hun ond yn ei wir ddelw.

Roedd e wastad yn pwysleisio'r foment hon. Allan ar y buarth, roedd y wraig, yn sydyn iawn, wedi teimlo rhywbeth rhyfedd yn dod drosti. Ofn, yn meddiannu'i chorff yn llwyr, reit i'w pherfedd hen a blinedig. Roedd hi wedi mynd yn stiff ar amrantiad, ond bod ei llygaid yn edrych dros bobman ar unwaith: y bwlch rhwng y gegin a'r toilet-tu-fas, llechen rydd ar y to yn sianeli'r gwynt yn ochenaid, gât y fferm yn ysgwyd fel tasai yna gorff nerthol yn ceisio gwthio drwyddo. Mannau bygythiol, tywyll, ar ei buarth ei hun. Roedd y taranau'n fyddarol – ond roedd hi'n wraig fferm, ac er gwaetha'i hofergoelion, roedd hi wedi gweld digon o stormydd i wybod nad gwaith y diafol oedden nhw. Gwrandawodd am eiliad. Roedd hi wedi'i rhewi i'r fan. Nid sŵn y gwynt oedd yn gwneud iddi deimlo mor annifyr, na'r llechen rydd yn y to, na'r gât hyd yn oed. Ond traed y defaid. Roedden nhw'n curo yn erbyn y llawr a'r sŵn yn cynyddu gyda phob eiliad. Roedd eu rhythm yn mynd yn fwyfwy cywir, fel byddin yn martsio, nes ei bod hi'n amhosib clywed traed unigol. A'r sŵn yn cynyddu, cynyddu, a'r defaid yn bwrw'u traed ar y llawr gyda chymaint o rym fel y byddai'n rhaid gwneud yn siŵr nad oedd niwed iddynt. Aeth y wraig draw at y gorlan, a'r sioc gyntaf oedd gweld bod pen pob un o'r defaid yn hollol lonydd – doedd dim golwg o gynddaredd y traed yn un o gyhyrau'r gwddf, er enghraifft, neu yn rhan ucha'r cefn chwaith. Roedd hi fel tasen nhw'n beiriannau – a dim ond y traed yn gweithio, fel pistonau trên. Yna roedd hi wedi edrych yn agosach, mynd reit lan at wyneb un o'r defaid i weld a oedd yna unrhyw arwydd o'r symud ym meddwl y ddafad. Edrychodd i fyw'r llygaid, a wnaeth yr anifail ddim sylwi arni hyd yn oed – dim ond cadw i edrych yn syth o'i flaen. Ac yn y llygaid roedd golwg o arswyd pur. Ac yn llygaid y ddafad nesa, a'r nesa hefyd. Ac o weld yr holl wynebau cyfarwydd, y wynebau diniwed, twp, oedd mor gyfarwydd â wyneb ei gŵr, y wynebau hyn roedd hi wedi'u gweld filoedd o weithiau a byth wedi gweld unrhyw beth yn debyg i deimlad ynddyn nhw o'r blaen, meddyliodd am eu penglogau, wedi'u gwasgaru ar hyd y caeau o amgylch y fferm a'r llygaid wedi diflannu o'u tyllau.

Rwy wedi meddwl yn aml, wrth gyrraedd y pwynt hwn yn y stori, am sut roedd pobl y cyfnod yn gweld eu hunain, mewn perthynas â'r byd gwyllt oedd o'u cwmpas nhw. Roeddwn i'n arfer gorwedd ar ddihun am nosweithiau cyfain yn meddwl am y wraig fferm a'r olwg yn llygaid y defaid. Fe dreuliais i oriau yn ceisio dychmygu beth oedd yr arswyd, sut siâp fyddai arno, a rôl y defaid hyn fel rhagargoelion i weddill y stori. Beth oedd y defaid wedi'i weld? A gafodd y wraig yr un weledigaeth, yn llygaid y defaid? Noson i brofi ffydd y Diwygwyr Mawr. Y diafol ar gerdded. Oedd hi'n beth cyffredin, tybed, i anifeiliaid ymateb fel hyn? Ma' doethineb y wlad yn dweud eu bod nhw wastad yn synhwyro newid yn y tywydd a'r pwysedd atmosfferig. Byddai hynny wedi gallu esbonio'r hypnosis ymddangosiadol yn y praidd. Byddai gwraig y ffermwr wedi gwybod hynny cystal â neb. Pam felly gafodd hi gymaint o ofn yr eiliad honno? A pham bod yr ofn hwnnw wedi'i drosglwyddo, yr un ofn trydanol, yn yr un fan yn union, i'w gŵr yn nes ymlaen ar yr un noson? Doedd y bobl hyn ddim wedi gweld 1,500 o lofruddiaethau ar y teledu cyn iddyn nhw gyrraedd deuddeg oed. Doedd ganddyn nhw ddim cynseiliau i'w hofn. Dim amheuaeth sylfaenol o'r tywyllwch. Yn America, roedd y bylb golau'n cael ei ddyfeisio. Byddai Efrog Newydd wedi'i lifoleuo erbyn 1882. Ond beth wyddai ffermwyr Blaen Rhymni am hynny? Doedd ofni'r tywyllwch ddim yn bodoli tan i Edison wneud y tywyllwch hwnnw'n sail i farchnad fyd-eang. Tan hynny, doedd yna ddim byd o gwmpas y fferm yn y tywyllwch nad oedd wedi bod yno yng ngolau dydd. Dwy' ddim yn dweud am eiliad bod y bobl hyn yn llai tebygol o deimlo ofn nag y bydden ni. Dwy' ddim yn credu, jyst achos bod rhywun yn gyfarwydd â ffordd y wlad, a ffordd y tir diffaith, bod hynny'n ei wneud e'n 'agosach at natur', ac yn bellach o fyd arswyd, rhywsut. Roedden nhw'n bobl ofergoelus, oedden, a straeon am bethau ofnadwy yn mynd ar lafar gwlad yn yr un ffordd ag y mae'r teledu'n cario'r straeon hynny nawr. Ond jyst yn y ffaith o fod yn gweithio gyda ac yn dibynnu ar natur fel rhyw fath o rym daionus, rhadlon. R'ych chi'n gwbod taw sŵn y gwynt yw sŵn y gwynt – tywyll neu beidio. A bod brigau'n cael eu hysgwyd i'r llawr, ac yn taro yn erbyn waliau a lloriau caled heb fod yna garnau fforchiog yno i sefyll arnyn nhw a'u torri'n faleisus. Hynny yw, alla i ddim help meddwl, y noson honno yn arbennig, bod 'na arwyddocâd mawr i lygaid y defaid, a'r ofn a ledodd dros fuarth y fferm fel tân petrol. A'r ffaith bod golau ar ei ffordd, golau trydan, golau'r byd. Fel tasai'r byd yn gyfan wedi cael ei ildio, *en masse*, i'r tywyllwch. A thra bod y ffermwr a'i wraig yn nesu at y tân, roedd y byd y tu allan i'r ffenest yn dod yn fyw.

Cwpwl o oriau wedyn, yn oriau mân y bore, deffrodd y ffermwr a'r storm yn dal i ferwi. Tynnodd y blancedi lan at ei glustiau. Meddyliodd am y tŷ – sut yr oedd yn gwrthsefyll y gwynt, mor ddewr. Meddyliodd amdano fel person. Ceisiodd ddychmygu a oedd yn teimlo ofn, yn sefyll yno ar ei ben ei hun, heb dŷ arall o'i gwmpas am filltiroedd. Wrth ei ochr yn y gwely gallai deimlo'i wraig yn dal ar ddihun. Roedd ei choesau'n drwm dan y dillad gwely. Trodd ar ei ochr i drio mynd yn ôl i gysgu ond roedd e'n gwrando o hyd am synau y tu allan, fel tasai e'n cael ei ddenu o'r gwely. Cododd ar ôl ychydig, a dweud wrth ei wraig ei fod e'n mynd i edrych ar y defaid.

Y tu allan roedd yr anifeiliaid wedi anghofio'u swyn. Roedden nhw'n gwthio yn erbyn ei gilydd yn y gorlan, yn brefu'n achlysurol, ond yn ddigon tawel erbyn hyn, fel tasen nhw wedi cyfarwyddo â'r storm a jyst yn aros iddi basio. Roedd y ffermwr ar fin mynd yn ôl i'r tŷ. Roedd e wedi blino, ac yn difaru dod allan o gwbl – gallai fod wedi gwneud yn siŵr fod y defaid yn ddiogel o ffenest y stafell wely. Ond edrychodd o'i gwmpas – arferiad cydwybodol dyn sy'n dibynnu arno'i hun i fod mor effeithlon a thrylwyr ag y gall. Edrychodd ar hyd y buarth, ac i lawr y coridorau tywyll rhwng yr adeiladau, lle roedd ei wraig wedi synhwyro bygythiad cwpwl o oriau cyn hynny.

Edrychodd ar y toeon i wneud yn siŵr bod pob llechen yn ei lle. Roedd popeth yn iawn, popeth fel y dylai fod. Yna edrychodd i fyny, dros bennau'r defaid, i'r tir uwch a godai y tu ôl i'r buarth. Neidiodd ei galon pan welodd o'i flaen, yn nadreddu'i ffordd drwy'r glaw, a dim mwy na rhyw hanner canllath oddi wrtho, ffigwr tywyll yn dringo i gyfeiriad y sièd ar y mynydd. Roedd yn cario lantern a bob hyn a hyn, wrth i'r gwynt afael, byddai'i glogyn hir yn cuddio'r golau ac yn cuddio amlinelliad y corff yn gyfan gwbl, nes ei fod yn diflannu i fewn i'r mynydd. Cristo. Gwelodd y ffermwr y clogyn hir eto; roedd e'n ei nabod erbyn hyn ac fe ymlaciodd ychydig. Roedd Cristo'n pasio bob hyn a hyn, ac yn galw mewn ar y ffermwr a'i wraig i gael sgwrs, paned o de weithiau, neu gwpwl o wyau neu ychydig bach o laeth i fynd 'nôl gyda fe i'w dŷ. Ynganodd y ffermwr yr enw'n uchel, 'Cristo!', ond heb fod yn uwch na tasai e'n siarad â'i hun i ddechrau. Galwodd yn uwch. 'Cristo! Cristo!', a'i lais ei hun yn codi ofn arno, wrth iddo'i glywed yn ymgordeddu yn y gwynt. Ond doedd Cristo ddim yn ateb, ddim yn rhoi arwydd ei fod e'n clywed y ffermwr. Gwaeddodd eto, ond roedd y lantern yn dal i wneud ei ffordd drwy'r glaw, lan y mynydd tuag at y beudy. Byddai e wedi gallu clywed y llais, na fyddai? Doedd dim cymaint â hynny rhyngddyn nhw, ac roedd y gwynt yn chwythu drwy'r iard, rhwng yr adeiladau a lan tuag at y clogyn hir. Edrychodd ar y lantern. Gwelodd y fflam yn crynu y tu fewn i'r gwydr, ar fin diffodd.

Yna, daeth gosteg sydyn dros y lle. Stopiodd y glaw – jyst am ychydig eiliadau – ac fe dewodd y gwynt nes ei fod yn ddim ond murmur ysgafn yn y coed ar bwys y tŷ. Gwaeddodd y ffermwr – yn benderfynol o wneud i Cristo glywed. Ac ar y mynydd fe stopiodd y lantern, fel tasai'r ffigwr tywyll wedi troi i edrych i gyfeiriad y gweiddi. Dwedodd y ffermwr wedyn ei fod wedi gallu gweld y clogyn hir yn estyn allan y tu ôl i'r dyn, a bod y corff a oleuwyd yno yn fwy sgwâr, rhywsut, na chorff Cristo, yn fwy cryf yr olwg . . .

Ond yn yr eiliadau hynny o osteg, pan oedd y glaw wedi peidio, roedd y ffermwr yn siŵr ei fod wedi llwyddo i ddenu sylw'r dyn. Roedd ar fin gweiddi arno eto, 'Cristo!', i wneud yn siŵr, ac i ofyn iddo ddod i'r tŷ am weddill y nos, i gael rhywle twym i gysgu, ac i gael brecwast da yn y bore. Roedd ar fin gweiddi – pan edrychodd 'nôl i gyfeiriad y tŷ am ryw reswm, dim rheswm, efallai, neu ddim rheswm y gallai feddwl am esboniad iddo, ac yno, yn ffenest yr ystafell wely, roedd ei wraig. Roedd ei hwyneb yn sownd wrth y gwydr. Roedd hi'n gwisgo'i gŵn nos gwyn, ac roedd golau'r gannwyll yn ei llaw yn gwneud iddi edrych fel drychiolaeth. Roedd cyhyrau'i hwyneb yn dynn, dynn – mor dynn fel y gallai'r ffermwr weld yn glir gysgod miniog asgwrn ei gên, a'r croen wedi'i dynnu fel croen drwm dros ei bochau.

Edrychodd yn ôl i gyfeiriad y lantern. Roedd wedi aros yn hollol stond. Gallai'r ffermwr deimlo llygaid ei wraig yn llosgi cefn ei wddf, ond daliodd i edrych tua'r mynydd, y lantern yn hoelio'i sylw, fel tasai'n trio'i ddal mewn telepathi. Ond yna dechreuodd y golau symud eto. Ar yr un daith, yn yr un cyfeiriad – lan tuag at y beudy. Wnaeth y ffermwr ddim gweiddi ar ei ôl y tro hwn. Cerddodd yn syth 'nôl i'r tŷ a lan y grisiau i'r gwely, at ei wraig.

Roedd hi'n beth rhyfedd ond doedd Davies byth yn manylu ar berthynas y ffermwr a'i wraig ar ôl y pwynt hwn. Roedd e'n symud ei ffocws at bwyntiau eraill yn y stori. Roedd hyn yn syndod, mewn ffordd, achos fe allech chi fod wedi disgwyl taw yn y manylion hyn y byddai'i brif ddiddordeb. Beth wnaeth y gŵr a'r wraig pan gyrhaeddodd e 'nôl i'r stafell wely, er enghraifft? Oedden nhw wedi gallu cysgu? Wnaethon nhw aros ar ddihun, tan i'r golau dreiddio'r stafell eto yn y bore, i drafod yr arswyd tawel, di-eiriau roedden nhw wedi'i rannu? Ac o wybod yr hyn roedd Davies yn ei ddweud am beth ddigwyddodd wedyn, neu'r hyn sy'n cael ei awgrymu wedyn, a ddwedodd hi wrth ei gŵr beth oedd yn ei meddwl? Neu a wnaethon nhw droi oddi wrth ei gilydd yn y gwely ffarm mawr, oedd wedi'i gerfio'n gywrain o bren derw lleol, a pheidio sôn am y peth byth eto? Mae'n rhaid bod Davies yn meddwl cymaint am beth ddaeth wedyn, a'r hyn roedd e'n ei olygu, nes ei fod wedi anghofio sut i ddiriaethu'r peth – sut ma'r dadleuon yma am enaid a bywyd a bodolaeth yn dibynnu ar fywydau cyffredin, ac ar y sgwrs rhwng ffermwr a'i wraig dros y bwrdd brecwast yn y bore.

Ac o'r fan honno, lle roedd y ffermwr wedi mynd 'nôl i'r gwely, roedd y ddau gymeriad yma'n cilio i'r cefndir. Ddaeth Cristo ddim lawr i'r fferm y bore wedyn fel roedd e'n arfer ei wneud – ac mae'n rhaid bod hyn wedi gwneud iddyn nhw feddwl eto am y noson cynt, y golau rhyfedd a'r adnabyddiaeth ddrychiolaethol ddaeth i'r wraig a'r gŵr yn eu tro. Ac wrth adael y defaid allan o'u corlan, a'u harwain nhw tuag at y tir uwch eto – mae'n rhaid bod y ffermwr wedi aros am eiliad, i feddwl, a'i wraig wedi cofio'u gweld nhw i gyd yn farw ar hyd y mynydd. Hynny yw, pan fo pethau rhyfedd yn digwydd, r'ych chi'n disgwyl iddyn nhw ddangos eu heffaith ym mhopeth.

Ond rwy'n credu fod Davies wedi symud ymlaen erbyn hynny, yn ei feddwl – yn baglu dros ei draed ei hun yn y cyffro o drio cyrraedd y rhan nesa. Ac fe wnes i ddweud bod effaith y stori, a grym yr ofn wedi newid nawr i'r hyn oedd e pan oedden ni'n blant. Mae hynny'n wir i raddau, falle. Achos y darn oedd wastad yn gwneud i ni golli cwsg pan oedden ni'n blant, neu fethu ag aros lan llofft ar ein pennau'n hunain, neu feddwl bod 'na rywbeth yn ein dilyn ni bob tro y bydden ni'n dringo'r grisiau, y darn hwnnw oedd y rhan o'r stori pan oedd y plismon lleol yn dod i'r fferm i ddweud wrth y ffermwr a'i wraig bod Cristo wedi marw yn barod pan welon nhw fe yn cerdded tua'i dŷ. Roedd e wedi marw ar noson y storm fawr, ond ymhell cyn yr oriau mân a rhai milltiroedd i ffwrdd hefyd – ar y Black Rock rhwng Brynmawr a'r Fenni. Doedd e ddim wedi bod yn agos i Flaen Rhymni ers dyddiau. A'r peth oedd yn gymaint o ofn ar y pryd oedd yr annaearol. Ma' plant yn nabod bywyd am yr hyn ydyw. Mae e'n rhyw fath o allu arbennig, neu gynneddf, fel daioni pre-lapsarian. Fel tasai'r byd yn hunangynhaliol ddim ond oddi mewn i fywyd plentyn, a taw esgus a jôcan yw unrhyw beth arall. A chwalu'r balans, felly, yr oedd stori Cristo, chwalu'r cydbwysedd bregus rhwng y 'credu popeth' a'r 'gwybod yn reddfol beth yw bywyd dynol'. Roedd Cristo'n perthyn i'r ddwy set ar yr un pryd. Ac os ydw i'n dweud nawr bod yr ofnau sy'n codi o'r stori yn fwy datblygedig – fel y byddech chi'n ei ddisgwyl mewn oedolyn clyfar, addysgiedig – nag oedden nhw pan oedden ni'n blant syml, yna mae hynny'n wir, ond ein bod ni wedi colli'r hyn a'n gwnaeth ni'n ddynol yn y lle cynta, sef yr hyn a'n gwnaeth ni'n blant.

Ac wrth geisio parhau â stori Cristo dwy' ddim yn siŵr pa rannau roedd Davies yn eu hadrodd a pha rai rwy i'n eu dyfeisio nawr, wrth fynd. Ond gan taw conjecture oedd y rhan hon o'r stori beth bynnag, does dim llawer o ots, mae'n debyg. Dim ond ei fod e'n enghreifftio'r cyfnewidioldeb: Davies a fi, fi a Davies.

Ond rwy'n meddwl wedyn, pa mor gyfnewidiol hefyd? A'r ddau ohonon ni wedi tyfu lan yn yr un gymdeithas, dan yr un dylanwadau, i'r un foeseg, yr un syniadau di-eiriau am ddyn a gwaith, am ddioddefaint a merthyrdod, a'r dystiolaeth o'n cwmpas ni'n glir. Pa mor debyg? Roedd tad Davies wedi marw. A pha vortices oedd yn eu hamlygu'u hunain yn ei feddwl, pan geisiai ddychmygu'i dad wedi'i osod allan ar lechen oer? Neu ddychmygu'i hun – fyddai e ddim yn gallu cofio'r olygfa – yn edrych ar yr arch yn y stafell flaen, y stafell oedd ddim ond yn cael ei defnyddio ar gyfer ymwelwyr neu farwolaeth, pan oedd e'n gallu clywed bechgyn eraill ar y stryd tu allan yn chwarae pêl-droed? Pryd oedd e'n cofio am ei dad? Neu'n meddwl sut fyddai e wedi bod yn wahanol tasai'r dyn wedi cael byw i'w fagu? Wrth archebu bwyd mewn caffis, falle. Neu deimlad rhyfedd ei fod e'n cael ei wylio pan oedd e wedi meddwi, ac yn siarad â thafod estron. Neu pan oedd e'n cusanu'i gariad ac yn dychmygu'r dynfa fyddai yn ei ysgyfaint, pan fydden nhw'n gorwedd yn y tywyllwch ar ôl caru. Neu a fyddai ei dad yno yn yr ochenaid hir, trwm, fyddai'n gwneud iddi hi feddwl nad oedd unrhyw beth wedi bod o'i chwmpas, arni, y tu fewn iddi ond ei gorff noeth, unig – ar yr un pryd ag yr oedd e'n teimlo'i ysgyfaint ar fin byrstio gyda chariad?

Oriau cyn i'r ffermwr ei weld. Roedd hynny'n awgrymu

deuddeg, canol nos, os oedd Cristo wedi ymddangos ar y fferm yn yr oriau mân. Roedd ysbryd diwygiad yn y tir. Ond ar y Black Rock y noson honno, roedd y diafol wedi dod lan i'r byd. Ar y màs anferth hwnnw o graig, ei gwreiddiau yng nghrombil tanbaid y ddaear, roedd e wedi codi o'r dyfnderoedd ac wedi harneisio'r gwynt a'r glaw a'r mellt a'r taranau, a'r tywyllwch, y tywyllwch yn fwy na dim, i demtio'r cyfiawn, i ddweud wrtho, 'Rwyt ti'n wan, alli di ddim cerdded gam arall o'r fan hon. Gofyn i dy Dduw droi'r garreg hon yn fara i ti gael bwyta o'i nerth a cherdded i ffwrdd'.

Ymadawodd y diafol â'r Iesu 'gan aros ei gyfle', ac ar y fan lle ma' heol Blaenau'r Cymoedd nawr roedd e wedi gweld y cyfle hwnnw. Gyrrwch chi ar hyd yr hewl heddi: r'ych chi'n gallu teimlo grym yno o hyd, rhyw fath o egni sydd fel petai'n eich tynnu chi drwyddo, yn anfodlon i chi aros yn y lle, ac edrych o amgylch, fel tasai yna ddrws i uffern yno ar y mynydd o hyd. Ac roedd Davies a fi'n cytuno hyd yn hyn. Yn ôl tystiolaeth y stori doedd 'na ddim byd allai esbonio beth ddaeth wedyn ond am bresenoldeb y diafol. Fe allai Cristo fod wedi marw oherwydd yr elfennau, yr oerfel hyd fêr ei esgyrn a'r glaw'n diferu lawr i'w ysgyfaint, ond doedd hynny ddim yn debygol. Roedd e'n ddiwygiwr, ac ma' Duw yn gofalu am ei genhadon ar y ddaear. A beth bynnag, dyw pobl sy'n marw ar ddamwain, dyw eu hysbrydion nhw ddim yn cerdded y wlad i gael eu gweld gan bobl eraill. Mae'n rhaid i chi gael eich *lladd*.

Roeddwn i wastad yn mynd am y dehongliad Cristnogol, uniongred. Hanner nos. Roedd Cristo wedi cael ei demtio gan y diafol, wedi gwingo dan garnau ofnadwy'r bwystfil nes bod ei asgwrn cefn wedi torri'n ddau, a'i fod wedi cael cynnig y byd yn gyfnewid am ei enaid, a'i addoliad, ond ei fod wedi gwrthod. A bod y diafol wedi manteisio ar gread Duw ac wedi arwain mellten reit i'w galon. Ar y graig honno, lle roedd y fellten wedi taro, roedd tân wedi cynnau, dan gorff Cristo, a'r ddaear yn sych am droedfeddi o gwmpas er ei bod hi'n arllwys y glaw. Ond roedd Cristo wedi goroesi. Ei ysbryd wedi trechu'r diafol, ac yn y tân hwnnw roedd y diafol wedi'i wthio 'nôl i grombil y ddaear, i aros ei gyfle eto, ond i ystyried hefyd mor gadarn oedd dyn. Roeddwn i wastad wedi bwriadu mynd i edrych am y fan, i weld a allwn i ffeindio carreg oedd wedi'i llosgi a gwres mor wyn fel y byddai'r graith wedi goroesi canrif a mwy o law de Cymru.

Ac o'r garreg honno, ar ôl gwneud yn siŵr fod y diafol wedi'i ddiarddel o'r byd, roedd Cristo wedi codi. Roedd ei ysbryd wedi gadael ei gorff ac wedi parhau ar hyd yr union lwybr 'nôl i'r sièd ym Mlaen Rhymni. Ac ar y llwybr hwnnw yr oedd pan welodd y ffermwr ef. Roedd pobl yn arfer dweud mai rhyw fath o gymysgedd o nwyon cors, neu'r math yna o beth, esboniad ffisegol, naturiol, oedd y golau. Roeddwn i'n meddwl taw ei enaid oedd wedi goleuo'r buarth, a bod y ffaith ei fod wedi aros wrth glywed galwad y ffermwr cyn parhau am ei dŷ yn bwysig: ei fod e'n dangos y ffordd iddyn nhw. I'r ffermwr yn gwylio'r defaid ac i'w wraig, oedd yn gweld popeth o'r ffenest lan llofft. Gwyddai fod y ffermwr wedi ofni am ei fywyd. Gwyddai y byddai'n bolltio am ddiogelwch y tŷ, diogelwch ei wely a'i wraig. Gwyddai mai'r wers fwyaf y gallai ef ei dysgu iddyn nhw, fel cenhadwr ar ddaear Duw, oedd mai yn y cartre y mae pob bendith, yn y cartre y mae dynion agosaf at Dduw. Aeth yn ôl i'r sièd, felly, i'w gymundeb ei hun â'i Dduw, yn hapus ei fod, hyd yn oed yn ei farwolaeth gorfforol, wedi arwain dwy ddafad yn ôl at y praidd.

Ond . . . Ond . . .

Hanner y byd i ffwrdd roedd Edison yn arbrofi gyda ffilamentau. Gwlân i ddechrau, wedi'i droi a'i dynnu'n dynn. Ond roedd gwlân yn llosgi'n rhy gyflym. Stribedi o fetal, wedyn, wedi'u plethu'n ofalus, yn denau fel gwallt babi, ac yn ara bach ma' pethau'n dechrau dod, a'r dyfeisiwr enwog yn teimlo fel alcemydd, fel tasai'n gallu tynnu golau o'r ffilament dim ond trwy rwbio'i fysedd athrylithgar ar ei hyd. Arbrofi â'r nwy yn y bylb – mwy, llai, cryfderau gwahanol. Gweithio drwy'r nos, yng ngolau cannwyll. 'Os alla i gadw'r ffilament i losgi am awr,' meddai, 'yna fe alla i wneud iddo losgi am wythnos.' Tan iddo ffeindio'r gwrthiant delfrydol – y metal yn wynias yn y gwydr, ac yn aros. Y foment. Cwrs y byd. Dynoliaeth. Ym Mlaen Rhymni mae'r diafol yn synhwyro: dyma fyd newydd o bosibiliadau. Mae e'n gweld y crwydryn unig ar y graig, yn brwydro drwy'r tywydd a dim ond ei lantern hen ffasiwn yn gwmni iddo. Fe wnaf i oleuo'r nos. Roedd dynion yn ddall, ond nawr maent yn gweld.

Ofn, fel teimlo bod y meirw'n gallu darllen eich meddyliau tywyllaf a'u defnyddio yn eich erbyn. Os oedd pwrpas Cristo mor ddwyfol, pam bod ofn yn cerdded y wlad gyda fe? Rwy'n meddwl am y diafol yn dod lan i'r ddaear y noson honno, fel yr oedd Davies wedi meddwl. Beth oedd Edison wedi'i wneud ond paratoi'r tir ar ei gyfer? – gwerthu hanner ein bywydau, hanner ein meddyliau a'n hymwybod. Am ddyfais sy'n gwneud y tywyllwch yn dywyllach fyth. Ac ar ôl iddo'i ladd, a'i adael ar y graig fel un o ffigyrau Bosch, fe afaelodd y diafol yn lantern Cristo, fel tasai'n vigilante penderfynol yn gafael mewn torch, yn arwydd o'i fuddugoliaeth. Cerddodd dros y mynydd i'w dŷ, ac yno, yng nghanol milieu y bywyd duwiol, fe ddifethwyd enaid y pregethwr. Ysgrifennodd ar hyd y copi mawr, trwm o'r Beibl, y peth drutaf yn y tŷ o bell ffordd, tipyn mwy drud na'i wely syml, a'r padelli rhydlyd neu'r hen degell ddu, 'Myfi yw'r goleuni', a 'Trwof i y mae goleuni'r byd'. Meddyliais am y ffermwr, a'r syniad oedd wedi dod i'w feddwl bod y corff a welodd yng ngolau'r lantern yn fwy sgwâr, yn fwy nerthol yr olwg. Oedd. Y corff dieflig. A phan stopiodd y corff hwnnw i edrych yn ôl, a gweld y dyn yno yn ei fuarth, ar ei dir ei hun, a'i wraig yn y ffenest, a gweld y brad wedi meddiannu'i galon yn barod, a phan ddechreuodd gerdded eto tua'r beudy, gwyddai na fyddai'n rhaid mynd ar ôl y ffermwr na'i wraig. Roedd y ffaith iddyn nhw ei weld yn ddigon. A'r noson honno fe gariodd y ffermwr y gannwyll lan y grisiau i'r stafell, a wnaeth e ddim mo'i diffodd hi tan ei fod yn ddiogel yng ngolau'r stafell wely. A lle byddai e cyn hynny wedi ymddiried yng nghof y cyhyrau yn ei goesau i'w gario lan llofft yn y tywyllwch, dyma fe nawr yn methu codi'i olygon, yn sownd yng nghylch y fflam ar y llawr o'i gwmpas. O gornel ei lygad gwelodd y ffenest a edrychai allan dros y buarth, ond doedd adlewyrchiad y golau yno ddim ond yn pwysleisio'r düwch yr ochr draw.

Dyw'r stori ddim mor bwysig ag y mae'r awgrym o unoliaeth: marwolaeth a goleuni, Davies a Cristo, Davies a fi, Davies a'r diafol, y diafol a Thomas Alva Edison, Edison a'r ffrind iddo a foddodd yn yr afon ar bwys y tŷ pan oedd y ddau yn chwech neu saith, Edison a'r grym a'i gyrrodd am byth, i greu, dyfeisio, lle nad oedd ond colled yn bodoli. Meddyliais am yr eiliadau cyn y farwolaeth gorfforol. Ai yr un yw'r chwa i dduwiolion? Mae'r corff yn llesg, yn heipothermig ar y garreg agored, ond mae'r ysbryd yn cerdded yn ei flaen, y milltiroedd yn ddim o dan draed sy'n hofran droedfedd uwch wyneb y ddaear. Twll y diafol, tomen Trecatti, Dowlais a thyllau du, glowyr a gweithwyr haearn. Pam nad yw'r diafol yn codi i'r wyneb eto trwy dwll Trecatti? Falle bod hyd yn oed y diafol yn tynnu'r llinell yn rhywle: gwastraff diwydiannol; cyrff defaid; hen fridges. Maen nhw'n dweud bod y meddwl yn cynhyrchu'i opiwm ei hun cyn marwolaeth. Shot o rywbeth cryf, i gysgu trwy bopeth. Y golau – gwyn fel achubiaeth. Greddf yr ymennydd yw marw. Ma' dringwyr yn aros i gysgu yn yr eira mawr, yn gadael i'w cyd-ddringwyr fynd yn eu blaenau, yn hapus i wynebu'r diwedd mewn breuddwyd. Oherwydd erbyn hynny y meddwl sy'n rheoli. Y meddwl – sydd yn crebachu nes ei fod yn tynnu'r benglog a'r pen yn gyfan i mewn ato: ymennydd, croen, gwaed a nerfau, clustiau i glywed, trwyn i arogli, a'r llygaid glas glas yna a welodd ac a sylwodd ac a ddenodd ac a aeth yn drist – bydysawd yn mewnffrwydro.

Fe freuddwydiais i unwaith am farwolaeth fy ymennydd i. Rwy'n cofio yn y freuddwyd i fi weld earwig mawr ar y llawr o fy mlaen i, ac i fi'i godi, a'i roi yn ofalus yn fy nghlust. Maen nhw'n dweud bod y creaduriaid yma jyst yn bwyta a bwyta tan iddyn nhw fwyta'u ffordd allan yr ochr arall. Ac roeddwn i jyst yn mynd o gwmpas fy mhethau bob dydd. Roedd hi'n ddiwrnod braf, rwy'n cofio. Ac ro'n i'n teimlo'r haul ar gefn fy ngwddf jyst fel oedd y pryfyn yn ffeindio'i ffordd lawr trwy dwnelau agoriadol fy nghlust. Antur fawr iddo. Mae'n rhaid eu bod nhw, yn eu tro, yn breuddwydio am hyn . . . Ac fe gerddais i heb drafferth o gwbl mewn i'r dre. Croesi'r bont dros y rheilffordd, cofio'r ffordd yn iawn, a rhoi profion i fy hun: darllen geiriau graffiti ar waliau metal y bont, a'u hailadrodd i fy hun ar y grisiau ar y ffordd lawr yr ochr arall. Cyrraedd caffi, a darllen poster o gynghorion Indiaid brodorol America. 'Only when the last tree has been cut down, the last river drained, will we realise that money cannot be eaten.' Meddwl am gerdd Langston Hughes wedyn, 'The negro speaks of rivers', yn falch 'mod i'n dal i allu gwneud cysylltiadau rhwng pethau. Ac yna ro'n i'n gwingo, un neu ddau convulsion sydyn, wrth i'r pryfyn dorri cortyn yn fy mhen. Aeth y byd yn dawel. Ro'n i'n gallu gweld o hyd, ond o 'mlaen i roedd popeth yn chwarae allan mewn mudandod hollol: y peiriant coffi yn stemio'r ffenest, pobl yn mynd a dod, cadeiriau'n crafu'n uchel yn erbyn y llawr caled. Y tu allan i'r ffenest aeth ci heibio, yn cael ei dynnu ar dennyn gan ei berchennog. Stopiodd o flaen ffenest siop a dechrau cyfarth. Fe welais i'r gewynnau yn ei geg a'i ben yn tynnu'n wyllt, yn straenio yn erbyn y coler a'r grym dynol arno. Ond roedd y digwydd wedi'i wahanu'n llwyr oddi wrth yr ystyr roeddwn i wedi disgwyl ei weld. Doedd yna ddim byd o flaen fy llygaid ond corff a chyfres o symudiadau, a'r rheiny'n hollol ddiystyr ynddyn nhw eu hunain. Ro'n i'n meddwl falle bod y pryfyn wedi bwyta'r rhan o fy meddwl oedd yn gofalu am deimladau a phrofiad a'r gallu i fod yn empathetig. Ond dwy' ddim yn gwybod chwaith. Tasai hynny wedi digwydd fyddwn i ddim wedi gallu teimlo empathi â'r adnabyddiaeth o fod heb deimladau empathetig. Ond roedd rhywbeth ar droed erbyn hyn, roedd hynny'n sicr. Rhywbeth ar gerdded. Codais o'r bwrdd a bwrw fy mhen yn ffrâm y drws wrth drio cerdded allan. Doedd hyd yn oed canolbwyntio'n ffyrnig ddim yn gweithio, ac roedd hynny'n sioc. Roedd y neurones wedi'u datgysylltu wrth gwrs, a fi yno fel tasen i'n trio edrych ar deledu heb blwg, ac yn mynd yn fwy a mwy frustrated wrth fwrw'r peiriant i drio cael y llun i ymddangos. Ochr chwith fy nghorff oedd y cynta i fynd. Ac eto, twinge bychan oedd yr arwydd. Ond roeddwn i'n dal yn gallu meddwl, a dychmygu'r pryfyn yn mwynhau'i bryd yn fy mhen. Tybed oedden nhw'n mynd yn sâl, hyd yn oed pan oedden nhw'n cael y bwyd ffantastig yma? Neu oedden nhw jyst yn cnoi a poeri'r stwff allan, ac yn ei wthio tu ôl iddyn nhw, fel gwahadden dan ddaear? Roedd yn rhaid i fi lusgo fy nghoes chwith felly. Ond dim ond un fraich oedd yn gweithio erbyn hynny, ac roedd hi'n dipyn o job. Ar bwys y caffi roedd siop gwisgoedd ffansi a rhes o fygydau yn y ffenest. Falle decllath oddi wrth y caffi. Ond yn barod roedd fy nghoes chwith yn teimlo'n uffernol o drwm, a doeddwn i ddim yn gallu troi fy nghorff yn iawn chwaith i gael grip digon da i gario mlaen. Ac roedd y mygydau yn syllu lawr arna i. Ro'n i'n gweld yr olygfa ar y pryd trwy gymysgedd o lygaid: llygaid y fi yn y freuddwyd oedd yn prysur gael ei fwyta'n fyw, llygaid y fi oedd yn rhywle, dwy' ddim yn gwybod ble, ond reit lawr yn y dyfnderoedd rhywle, llygaid y fi oedd wedi breuddwydio'r senario ac a oedd yn gwybod hynny er bod y teimladau oedd yn gysylltiedig â cholli fy synhwyrau mor fyw ag y gallen nhw fod, a hyd yn oed llygaid y pypedau yn y ffenest. Rwy'n credu taw fy wyneb i oedd arnyn nhw, er eu bod nhw'n edrych, yn arwynebol o leia, fel Margaret Thatcher a'r Frenhines a Batman. Ac ro'n i'n gwybod bod y diwedd ar fin dod. Roedd y llygaid yn dweud hynny'n ddigon amlwg. Ac ymhob ystyr arall roedd hi'n freuddwyd realaidd. Hynny yw, doedd y mygydau ddim yn dod yn fyw ac yn casglu o gwmpas fy nghorff llonydd i chwerthin ar fy mhen. Roedden nhw jyst yno. Ac yna fe aeth popeth yn dywyll, wrth i fy retina gael ei dorri. A'r eiliad y collais fy ngolwg, fe ddechreuais i glywed tician, yn dawel bach i ddechre, ond yn dod yn uwch bob eiliad, a llais oedd yn ddwfn ac yn uchel ar yr un pryd, yn dawel ac yn seinio dros bobman, oherwydd roeddwn i wedi colli fy nghlyw allanol ers amser, yn cyfri am yn ôl o ugain. Roedd e'n defnyddio'r rhifolion traddodiadol Gymraeg: ugain, pedwar ar bymtheg, deunaw . . . ac roedd hynny'n ddifyrrwch. Fyddwn i ddim wedi defnyddio'r ffurfiau yna fy hun. Deuddeg, un ar ddeg, deg, naw . . . Roeddwn i'n gwybod beth oedd ar y ffordd, beth oedd yn aros pan fyddai'r cyfri'n cyrraedd un ac yna dim . . . Pump, pedwar, ac ar y pwynt hwnnw ro'n i'n meddwl ymlaen, yn rhagdybio'r teimlad fyddai o wybod bod dau yn mynd i ddilyn tri, a bod dau ddim ond un oddi wrth un, a bod hyn i gyd mor pointless beth bynnag, gan fod cymaint o amser yn cael ei ddefnyddio ar ragdybio pethau fydd yn digwydd pa un ai ydyn ni'n meddwl amdanyn nhw ai peidio. Mae'n rhaid taw un ymdrech uwch-ddynol olaf oedd hynny – roedd fy meddwl wedi'i chwalu i bob pwrpas erbyn hynny. Ac ar yr eiliad honno, rhwng pedwar a thri, fe ddeffrais i, wrth gwrs.

Ac os yw bywyd yn dysgu un peth i ni, os oes un pwynt

yn aros ar ôl yr holl drafod ac ystyried, a'r holl ffuantu a'r chwarae, y pwynt hwnnw yw fod popeth yn gysylltiedig, popeth yn berthnasol. Naill ai hynny neu'r flipside, sydd yr un mor wir, neu'r un mor anwir, fod dim byd yn gysylltiedig, a dim byd o gwbl yn berthnasol. Oherwydd faint callach (ac rwy'n defnyddio'r gair 'callach' yn absenoldeb unrhyw eiriau mwy addas, ac i gynrychioli syniad o ddatblygiad a chyrhaeddiad at ben draw gwynfydedig), faint callach fyddai Daniel o wybod, er enghraifft, ar yr union adeg yr oedd e'n cofio'r freuddwyd hon – yn y car o hyd ond yn agosáu nawr at ben y daith – fod Anna hefyd, rhyw ychydig gannoedd o lathenni i ffwrdd, yn nhawelwch y tŷ roedd hi wedi'i rannu gyda bod corfforol Davies tan ychydig o ddyddiau yn ôl, a'r tŷ mae hi'n dal i'w rannu â'i ysbryd, ac â diriaethau yr ysbryd hwnnw, yr holl clutter a gyfrannodd at y rhwydwaith aneirif o ephemera a dreiddiodd o'i gorff ac a greodd y syniad ohono mewn eraill, fod Anna hefyd yn meddwl am freuddwyd a gafodd hi yn ddiweddar. Breuddwyd y mae hi wedi bod yn ei phrofi'n gymharol gyson dros y misoedd dwetha. Ond ei phrofi nid yn y manylion y gallwch chi'u hailadrodd wedyn, a'u geirio er mwyn eu dehongli, ond ei phrofi yn yr annelwig tywyll o fod wastad yn trio cyrraedd at le ac amser a chyflwr, ac amheuon sy'n aros o hyd i gael eu cyflawni a'u gwneud yn gig. A phan mae hi'n deffro o'i chwsg, yn rhwystredig ar ôl methu eto â chyrraedd y fan honno, pan mae hi'n gorwedd yn ei gwely dan luniau olew ar ei wal, a'i chorff wedi'i amgylchynu, fel pili-pala mewn cocŵn bythol, gan y silff lyfrau, a'i drariau dillad a'r waliau yn gornel o gwmpas ei phen, mae hi'n meddwl am y methiant hwn ac yn darllen llinellau cyfochrog y methiant hwnnw i fewn i bob dim sy'n nodweddu'i byd. Sut i ddidoli'r pwysig a'r dibwys. Sut i wybod beth sy'n ystyrlon a beth all gael ei adael i'r void. Sut i reoli meddwl sy'n rhoi sylw cyfartal i bopeth, yn darllen cylchgrawn wedi'i adael ar lawr fel tasai'n betal rhosyn, ac yn gadael i ran arall, o'r meddwl efallai, neu brosesau uwch-feddyliol – greddf, profiad, gwead cemegol – wneud y rhaniadau angenrheidiol. Gwaith ditectif ar ei bywyd ei hun. Ditectif metaffisegol, ynghwsg, a'r meddwl yn rhedeg yn wyllt, yn cynnig mwy o bosibiliadau, ac mewn nuances dirifedi, mwy o lawer nag sydd yna o amser i'w hymchwilio. R'yn ni'n blino. A'r dadleuon r'yn ni'n eu cael yn y cyflyrau hyn, a'r sgyrsiau, a'r caru diog, dau gorff yn rhwbio yn erbyn ei gilydd fel dau blât metel mewn gwaith dur, mor arwyddocaol bob tamaid â nosweithiau ein hanterth, pan 'yn ni wedi meddwi ar ein geiriau a'n siarad a'n cyrff ein hunain a'n gilydd. Cyn troi ar ei hochr, a gwres ei chorff yn gwneud ei orau i dreiddio i'r rhannau oer, yn y gwely sy'n rhy fawr i ddim ond un person. Y peth dwetha iddi ystyried, mae'n debyg, cyn iddi syrthio yn ôl i'w chwsg, yw hynny. Y ddau wedi dod yn un – dau fyd, dwy lefel, dau ddimensiwn, cwsg ac effro, bywyd a'r ffordd tuag ato, a marwolaeth, wedi cyfuno mewn un manylyn o uwch-realaeth ystrydebol. Y gwely hanner gwag.

Pwy sydd i ddweud sut y bydd pobl yn ymateb? Doethinebau seicolegydd teledu: 'Dyw pawb ddim yn gwirioni'r un fath'. Ar ôl stopio'r car, ar ôl troi'r peiriant i ffwrdd, ma' Dan yn agor y drws yn araf a'r golau gwan yn y to yn gwneud iddo feddwl am orsaf drenau. Mae e eisiau piso ac yn dychmygu toiledau ar blatfform yn rhywle, yn wyn brwnt, gyda ysgrifen blentynnaidd uwchben yr urinal yn cynnig rhif ffôn a rhyw hoyw. A'r tywyllwch eto, fel ar y buarth y tu allan i ffenest tŷ'r fferm, yn llyncu'r byd, yn llyncu cof a hanes. Mae e'n edrych ar ei oriawr ac yn cael y teimlad o bethau'n dod at ei gilydd yn ddirybudd, ddiesboniad. Ma' bys yr eiliad fel petai wedi stopio, amser wedi rhewi, ei feddwl wedi rhewi, amser a gofod yn plygu wrth iddyn nhw gyrraedd cyflymdra golau. Yr eiliad – diddiwedd, anfeidrol. Haul o'r tu hwnt i'r haul. Blychau ffôn diarffordd. Cofio gyrru heibio iddyn nhw pan oedd e newydd basio'i brawf gyrru. Dychmygu gweld ffigyrau annelwig yno y tu fewn. Edrych yn y drych wedyn, ganol nos, ar y ffordd adre, ffigwr cycyllog yn eistedd yn y sedd gefn, a'i lygaid ofnadwy yn treiddio'i lygaid e, yn barod i'w wthio oddi ar yr heol. Cristo, y diafol, straeon plant. A'r eiliad yn estyn o hyd, yn parhau dan bwysau'r bys metal sy'n straenio tuag at y rhif nesaf. A'r tristwch syml. Dyna wir gynnwys yr eiliad. Y tristwch syml ac absoliwt o fywyd wedi dadweindio, wedi rhedeg allan fel hen gloc pren ar silff ben tan. Ofergoelion ac eiliadau. Ceisio codi allan o'r car heb i'w gorff gyffwrdd â'r drws a chyn i'r drws gau wedyn dan ei bwysau'i hun. Y golled enfawr, bersonol. Davies. Geiriau yn unig. Ond yn yr eiliad. Yn yr eiliad, y cwbl. Popeth y gwelodd llygad ac y clywodd clust. Ein geni i'r Awr yn yr Eiliad.

Cyn i'r peiriant fynd trwy'i gorff, cyn i'r metel ladd ei galon, rhwygo'r cyhyrau, gwasgu'i wyneb yn ôl i'r clai dechreuol, roedd yna Eiliad.

[dau : chwarae plant]

[2.1]

Fel defaid fe ddaethon ni i'r dinasoedd. Ar gefnau'n ceffylau, yn ein wagenni pren a'n heiddo wedi'i bentyrru'n uchel tua'r nef. Ac arogl yr orenau yn drwchus, yn hofran yn yr awyr o'n cwmpas, fel tarth.

Mae'r stryd yn newid ei gymeriad yn llwyr gyda'r golau. Ar noson hir yn yr haf, pan fydd yr haul yn aros tan yr eiliad ola cyn diflannu, mae e'r lle hyfrytaf yn y ddinas. Pleser syml ond ma' eistedd mewn gardd a theimlo'r darnau ola o wres y diwrnod, mae e'n weithred gorfforol o gynnal hapusrwydd. Fel tasech chi'n gallu gweld effaith y machlud ar y croen; yr ymdrech i amsugno cymaint o wres a daioni ag y gallwch chi er mwyn eich cadw chi drwy'r nos. Ac ar yr adegau hyn, mae'r teimlad o reolaeth yn gyffyrddadwy: chi sy'n cadw'r byd mawr allan, chi sy'n pennu'r ffiniau. Hyd yn oed sŵn y traffig. Mae e'n pellhau yn sydyn, tan ei fod yn gysur – fel murmur peiriant yng nghefn yr ymwybod, yn eich perswadio chi fod popeth yn gweithio fel y dylai.

Ond os hafan, hafan perthynol, goddrychol. Yn y coed o flaen y tai, mae'r blociau o swyddfeydd yn gwthio'u ffordd trwodd, y canghennau'n blaguro concrit. A dyna pam ei bod hi'n fater o olau. Ar y nosweithiau clir, mae'r ffenestri'n dal pob diferyn, ac yn ei daflu'n ôl yn syth. Ac mae'r blociau'n ymddangos o'ch blaen fel cewri, yn sefyll yn falch â'u hysgwyddau wedi sythu. Ond yn y gaeaf, a'r diwrnodau'n erthylu cyn dechrau, maen nhw'n swil i gyd, yn crymu'u cefnau, fel tasai'r lle yn gyfan wedi cael pwl o swildod a nerfusrwydd, a'r tyrau'n ofni'u maint eu hunain. Ar y diwrnodau hyn mae'r stryd yn teimlo holl bwysau'i fyd, y waliau fel tasen nhw'n cau,

101

yn dymchwel amdano, a'r cysgodion yn cyrraedd nawr bron cyn dechre'r prynhawn . . . A hyd yn oed yn y tai, ar ôl i chi gau'r drysau a'r llenni, ma'r teimlad anghyffyrddus yn dal, fel tasai rhywun y tu ôl i chi, a'i anadl yn llaith a thrwm ar gefn eich gwddf.

Mae hi'n nos nawr, a'r tywyllwch newydd yn newid y lle eto. Mae yna oleuadau yn dal ymlaen yn rhai o'r swyddfeydd, a'r adeiladau'n gwasgu'n dynn yn erbyn ei gilydd. Mae hi fel edrych trwy delesgop, a holl rannau'r olygfa'n rhuthro i'r blaendir. Mae e *yn* atgoffa rhywun o Efrog Newydd: adeiladau Fifth Avenue wedi'u gweld rhwng dail Central Park.

Tu ôl i'r llenni, mae 'na gymaint o bethau i'w deall. Mae Daniel yn edrych ar y llenni yn ffenest flaen y tŷ drws nesa ar y dde, yna'r tŷ ar yr ochr chwith. Hoffai allu camu i un o'r ddau yna – i fyd gwahanol, lle bydd Anna'n eistedd yn dawel mewn dressing gown trwchus o flaen y teledu, yn gysurus-ar-goll mewn cylchgrawn rhad.

Ei deimlad yw fod popeth amdano fe, popeth am Anna, popeth am Davies, a phopeth amdanyn nhw gyda'i gilydd fel cyfuniadau o ddau, a phopeth amdanyn nhw fel cymeriad cyfun o dri phersonoliaeth, yn eu bradychu. Mae e'n cofio'r tŷ o'i flaen, ac yn cofio'r argraff o fod yno yn y gorffennol. Sut yr oedd popeth yn gywir, o ran ei ddiwylliant a'i chwaeth – neu yn gywir i'w lygaid e beth bynnag. Popeth yn tystio i fywydau wedi'u *trefnu*. Ac eto yn sylfaenol anghywir. Fel petai y tu ôl i bopeth roedd y sicrwydd mai fel hyn roedd y pethau yma'n cael eu gwneud beth bynnag, pan oeddech chi'n 'graddio' i'r ddinas. A hyd yn oed wrth wyrdroi eich plentyndod cyfyng, eich magwraeth gul, a'r byd-olwg nad oedd yn gweld dros dop y cwm nesa, roedd yna ffordd benodedig, dderbyniedig. Mae Dostoiefsci'n sôn yn ei *Lythyrau o'r Isfyd* am ba mor amharod y mae dyn i wynebu'i ryddid ei hun. Mor fuan yr ydyn ni'n estyn am y llaw arweiniol eto. Fframiau lluniau pren gwyn, clip frames gwydr, llyfrau gan Malraux a Valéry, mewn argraffiadau genuine-yr-olwg. Roedd Anna wedi gwneud Ffrangeg yn y coleg, wrth gwrs, ond rhyfedd nad hynny, yr ymchwil onest am wybodaeth a phrofiad, oedd y signified wrth edrych ar hyd y silffoedd a'r waliau. Rhyfedd mor gyffredin, mor batrymog ac mor arferol oedd y byw newydd hwn. A'r pen draw i Dostoiefsci oedd hyn: ein gwneud ni'n flinderus; i flino ar fod yn ddynol; i fod â chywilydd o'r cyflwr; ar goll; wedi drysu'n llwyr. A rhyfeddach wedyn taw Daniel efallai, o'r tri, sydd fwyaf ymwybodol o'r chwithdod. Tiriogaeth Davies, fel arfer.

Ond dyna gyrraedd yn ôl at yr anwybod eto. A chydnabod y goddrychol. Yr hafan. Oherwydd doedd hi ddim fel hyn bob amser. Roedd yna gyfnod, efallai, pan na fyddai Dostoiefsci wedi bod cweit mor anobeithiol amdanyn nhw. A hyd yn oed os oedd yna chwithdod, os oedd y lluniau du a gwyn yn gweiddi'n uchel dros y stafell yr hyn oedden nhw, yr ymdrechion amlwg i gyrraedd at rywbeth . . . beth? *amgen?*, yna doedd hynny ddim ond yn rhan o fyw normal: profiad ysbrydol yr oriel yn erbyn yr angen am baned o de a theledu. Ni sy'n amharod, yn methu, hyd yn oed, ag ymwneud â'r profiad hwnnw, i ymroi iddo, a'i gynnal. Haws cwympo'n ôl, llacio'r meddwl, ond i wneud hynny gyda rhywfaint o gysur – dan brint rhad o lun gan Cartier Bresson. Ac fe fyddai Davies wedi gweld hynny, mae'n siŵr. Y Davies oedd yn gwrando wastad am yr anadl rhwng dau air. Ac mae Daniel yn perthyn yn agosach i'w wreiddiau, beth bynnag. Mae ganddo dad, er enghraifft, a chymhlethdodau, a'r teimlad, yr hanfod dinesig cyn belled ag y mae e'n gwybod, o fod rhywsut wedi'i ddadleoli. Mae'r cyfan yn dod yn ôl i'r angen – pop-seicolegol yn sicr, ond yn dal i fod yn angen gwirioneddol – am hafan. Hyd yn oed yr hafan perthynol, goddrychol. Swigen – dyna i gyd. Os ydy Daniel yn gweld y chwithdod nawr, pan nad oedd yr argraff mor gryf yn y gorffennol, yna roedd Davies yn ei weld hefyd. Ond o'i weld, beth? Dyna'r cwestiwn. Davies, oedd wastad mor cutting, y tro hwn yn fodlon gadael i bethau i fod . . . Dyna'r cwestiwn, a dyna'r ateb hefyd, ar sawl ystyr. A dyna oedd y tŷ yn Howard Gardens.

I Anna, ar ei phen ei hun am ddau ddiwrnod cyfan a dwy noson erbyn hyn, yr aros sydd waetha. Mae hi'n gwybod, er enghraifft, bod Daniel ar ei ffordd ac, yn ei ffordd ei hun, mae hi'n edrych ymlaen yn fawr at ei weld e. Yr aros sy'n ei phoeni. Ac mae hi'n dyheu yn barod, o'r düwch, o gyfnod anterth ei sioc a'i hangerdd noeth, am y cyfnod pan na fydd pob eiliad yn cario yn ei gyfansoddiad – yn ei drymder trwsgwl – ddeoriad yr ofnau nesa. Mae'r disgwyl yn weithred gorfforol. Heddiw, er enghraifft. Erbyn i'r nos ddod, mae hi'n dechrau teimlo'n gyffyrddus eto yn ei chorff. Mae hi wedi cyrraedd y cyfaddawd anfodlon rhwng ei meddwl a'i blinder corfforol. Ond fe ddaw'r gnoc wrth y drws, a chwalu'r cydbwysedd fel chwalu drych. A dyna sy'n anodd – pan mae hi'n ymlacio mae hi'n hoffi meddwl y gall wneud hynny am byth.

Lletchwithdod fel cyfarfod hen ffrindiau. Os oedden nhw'n yfed, byddai'n cymryd tua dau beint ac wedyn fe fydden nhw'n iawn. Fel yr oedden nhw. Roedd Anna a Daniel wastad yn troedio'n ofalus, yn llygadu'i gilydd yn nerfus, ac yn gwenu lot, gwenu ar ei gilydd ac edrych i ffwrdd yn gyflym, cyn i bethau gwympo i'w lle.

Does yna ddim emosiwn ar stepen y drws. Dim edrych i fyw'r llygaid am dair eiliad cyfan cyn ildio i freichiau a chysur y llall. Dim sefyll yno, yng ngolwg y byd, a'u cyrff yn ysgwyd gan y baich. Yr unig gonsesiwn i'r syniad y gallai'r olygfa fod wedi'i chynllunio o flaen llaw, ac y gallen nhw fod wedi meddwl amdano, a'i 'chwarae' mewn rhyw fodd, yw'r Beethoven yn y cefndir. Mae'r drws i'r lolfa ar gau ond mae grym y gerddoriaeth, os nad y sŵn, yn treiddio i'r cyntedd. Ac wrth gerdded drwy'r coridor at y stafell fyw, ma' Daniel yn teimlo mwy fel teithiwr, dieithryn yn cyrraedd gwesty rhad am y nos, un o'r tai mawr tri-llawr yna mewn tre ddi-ddim, a'r perchennog a'r gwestai, y naill a'r llall yr un mor amheus o'i gilydd. Mwy fel yna nag fel ffrind i ddyn marw.

A dyna sy'n rhyfedd nawr ar y dechrau. Meddwl mor debyg oedd y tri ohonyn nhw i'w gilydd, taw dyna'r rheswm y daethon nhw at ei gilydd yn y lle cynta. Dyw'r ddau sy ar ôl ddim fel tasen nhw'n elwa o hynny. Maen nhw'n amlwg yn eu pennau'u hunain yn fwy na dim byd: yn amrywio rhwng bod yno yn y tŷ, yn gyflawn yn eu hymwybod eu hunain ac yn ymwneud â'r digwyddiadau sy'n mynd i chwarae allan o'u blaen, a bod yn rhywle arall, yng nghefn y meddwl, a'r llall yng nghefn meddwl y llall. Dyna sy'n digwydd yn y sefyllfaoedd hyn: ma' marwolaeth yn anghymdeithasol.

Ond mae'r ddau'n trio. A jyst achos ei bod hi'n haws os yw popeth yn digwydd yn unigol, mewn un meddwl y mae yna o leia obaith o'i reoli, yna dyw hynny ddim yn golygu nad oes yna empathi o gwbl, neu nad oes yna deimlad gwirioneddol dros y llall. A bod pang sydyn o'r teimlad hwnnw, a'r awgrym o gymundeb, yn fwy nerthol, o bosib, oherwydd hynny. Ac efallai, wedyn, ei bod hi'n fater o sylweddoli na allwch chi jyst ddim bod yn y cyflwr hwnnw am yn rhy hir – y cyflwr o weld distryw llwyr rhywun arall – heb wneud dychwelyd i'r ymwybod cynt yn amhosib. Fel profi pathos plant bach: wedi'u cam-drin, heb anrhegion Nadolig, yn ceisio dygymod â marwolaeth eu tad. Pan fo'r byd yn chwalu i blentyn does yna ddim byd ar ôl.

Ma' geiriau yn bwysig hefyd – yr ychydig o eiriau sy'n cael eu dweud. 'Nghariad i', a'r tro yma ma' Daniel yn estyn ei freichiau ac yn eu cloi nhw am Anna, ac yn teimlo ar yr un pryd fel hen ddyn dibynadwy, y dyn roedd ei dad am iddo fod, ac yn rhy ifanc o lawer i fod yn esgus fel hyn, yn yr amgylchiadau hyn. Mae e'n gallu aroglu'r gin ar ei hanadl hi ac yn ceisio dychmygu ers pryd mae hi wedi bod yn yfed. Un arall o'r ffyrdd yna o 'ymateb fel oedolyn'. A hyd yn oed heddiw mae hi wedi torri lemwn a iâ o'r rhewgell. Ac yn y cefndir o hyd ma' molawd Beethoven i lawenydd a goleuni. Mae hi'n torri o'i afael, fel tasai hi'n synhwyro'r angen i gadw pethau'n arferol.

'Ti moyn coffi? Well i fi gael peth, rwy'n credu . . .'

Golwg flêr, ansicr.

'Ie, okay. Ond naf i neud e. Dere di i ishte lawr.'

'Na, plîs, gad i fi.'

Ac wrth iddi hi fynd tua'r gegin, a Daniel yn dal i sefyll

yno, yn gwrando ar y gerddoriaeth, mae e'n cofio bod yn yr ysgol, yn bump, chwech oed. Yn eistedd ar y llawr pren, mewn grŵp, a'r dagrau'n dod i'w lygaid wrth feddwl am Beethoven yn colli'i glyw ac yn methu clywed ei gerddoriaeth ei hun. Rhyfeddu'i fod wedi gallu dal i gyfansoddi fel y gwnaeth. Gwybod hefyd y byddai wedi gallu 'clywed' heb fod angen cerddorfa – ond yn dal i deimlo'r peth yn drasiedi. Du a gwyn i blentyn. Aeth Edison yn fyddar hefyd. Codi clawr y record ma' Anna'n gwrando arni, a'r llyfryn o nodiadau sy ar agor. Mae'i lygaid yn cael eu tynnu at frawddeg sy'n sôn am y gerddoriaeth fel 'the categorical imperative of an idealistic reconciliation which is hardly to be achieved on earth'.

Roedd y tŷ, mae'n debyg, yn gorfforiad o'u hysbryd cyfun. Mae e'n dal i fod, wrth gwrs, achos does dim llawer wedi newid ers y tro dwetha i Daniel fod yna – ond eto mae yna'r amheuon. Os nad oedd y Davies 'iawn' yn adnabyddadwy, ac mae hynny'n cael ei awgrymu fwy-fwy nawr, yna sut all fod yna sôn am ei nabod e yn ei ddewis o luniau? Ac os cyfuniad o Anna a Davies, ac os gellir adnabod cyffyrddiadau fan hyn fan draw nad ydyn nhw'n perthyn iddi hi, yna i bwy maen nhw'n perthyn? Beth sy'n aros yn y gofod hwnnw?

Wrth edrych o gwmpas roedd y syniad o 'swigen eu bodolaeth' yn hollol amlwg. Roedden nhw wedi mynd ati'n ofalus i greu eu byd hunangyfeiriadol, hunangynhaliol, hunanategol eu hunain. Pan oedden nhw gyda'i gilydd yn y fan hon, byddai'n ymddangos i Daniel fod y ddau arall yn gwneud popeth er mwyn rhyw gynulleidfa anweledig; fod popeth am eu bywydau ac am eu tai a'u diddordebau yn gynhenid ddiddorol. Roedd

Daniel yn arfer bod yn genfigennus – fel tasai hyd yn oed eu golchi llestri nhw'n perthyn i chwaeth a celluloid cyfoethog oedd yn gam pendant uwchlaw'r prosaic y gwyddai e amdano. Gallai eu dychmygu nhw'n eistedd i lawr ar brynhawn Sul, Anna'n torri mount-board i fframio un arall o'i lluniau di-ben-draw a Davies yn eistedd yno'n 'smygu fel tasai e'n aros i gael ei lun wedi tynnu, fel tasai'n disgwyl bod yn un o'r cylchgronau trwchus fyddai'n gorwedd yno wedi'i hanner darllen wrth ei draed. Roedd y tŷ wastad yn anniben – ond bod yr annibendod hwnnw'n brysurwch. A dyna, falle, oedd y nodwedd fyddai'n diffinio'r holl beth: roedden nhw'n bictiwr o fywydau ystyrlon a phrysur. Roedden nhw'n iawn – gweddill y byd oedd yn ddiffygiol. Ac roedd yn rhaid i hwnnw guro wrth y drws ffrynt yn galed ac yn uchel cyn y byddai'n cael dod i fewn i'r stafell fyw.

Ond os oedd e'n deyrnas i Davies, yn ei ansicrwydd sicr, roedd e'n gymaint felly i Anna hefyd. Dyna'r llun fydd yn aros ohoni hi: yn eistedd yn ei chadair freichiau dan ei silffoedd, a'i chorff wedi'i fframio gan gardiau post o fenywod yn Affrica, llyfrau sgrap mawr, y tudalennau a'r meingefnau wedi torri ac yn arllwys eu cuttings papur newydd dros y lle, a nofelau Ffrangeg, a'u teitlau'n darllen am i fyny. Roedd hi'n arfer dweud bod hynny'n beth bwriadol gan y Ffrancwyr: ei fod e'n golygu wedyn eu bod nhw'n pwyso i'r chwith yn naturiol i gael ystyr i unrhyw beth, nid i'r dde fel ym Mhrydain. Ond dyna'r unig bryd y byddai hi'n arddangos unrhyw freuder, unrhyw eiddilwch – pan fyddai'n eistedd fel yna. Tasech chi wedi tynnu portread ohoni fe fyddech chi wedi dweud taw pwysau'r enwau mawr uwch ei phen oedd yn plygu'i hysgwyddau. Ond wedyn roedd y breuder hwnnw'n dderbyniol, wrth gwrs, am ei bod hi ar ei thir ei hun.

Ond nawr mae'r hyn a oedd yn ymddangos yn hyder tawel, di-dynnu-sylw-ato'i-hun, yn teimlo'n sinistr. A phwy allai ddweud nad yn y gofod byw roedden nhw wedi'i drefnu iddyn nhw eu hunain – nhw eu dau, pan oedden nhw ddim yn dri, neu ddim yn un ac un – nad yno roedd y frwydr fwya. I Davies yn arbennig. Ac os nad yw hi'n amlwg nawr bod ei ddewis o luniau, neu'r lliw mewn un stafell neu stafell arall yn ei lwyr adlewyrchu e, yna all hynny ddim ond siarad am yr ansicrwydd. Roedd y stafell ymolchi, er enghraifft, yn ddrama Freudaidd gyfan ynddi'i hun. Lle roedd Anna wedi trio gwneud y lle yn olau ac yn ysgafn, roedd Davies yn ddiarwybod iddo'i hun, ond yn ddigon amlwg i rywun arall fyddai'n ei nabod e, wedi dod wyneb yn wyneb â'i fam, ac wedi ffeindio'i hun yn cael ei dynnu rhwng y ddwy fenyw debyg a gwahanol hyn. Lle roedd Anna'n credu mewn moethusrwydd, roedd Davies wedi'i godi mewn stafelloedd ymolchi iwtilitaraidd, pwrpasol. Byddai ei fam yn gorfodi iddo olchi'i wyneb ddwy waith y dydd gyda sebon garw, caustic. Byddai hi'n ei sgrwbio'n filwrol yn y bath, yn *gweithio* i lanhau'i gorff fel tasai hi'n rhoi'r dillad drwy'r mangle. A phan ddaeth hi'n bryd iddo fe lanhau ei hun felly, roedd ei fam yno o hyd, yn nheimlad ei gorff wrth i'r sebon ddechrau ewynnu, yng nghof ei goesau hir a'i gefn – cryf erbyn hyn – o ddwylo'i fam, mor wydn â dwylo dyn. A nawr dyma Anna'n cynnau canhwyllau, yn trochi mewn swigod cyfoethog, yn llanw'r lle â gwynt mwynhad ac ymlacio. A'r sebon yn toddi yn y diferyn lleia o ddŵr. Bath salts, scrubs i'r corff, basn gwyn gwyn, bath gwyn gwyn o dan y ffenest fawr hir a'r gwydr barugog. Roedden nhw wedi bod yn byw gyda'i gilydd ers blynyddoedd erbyn hynny, ond yr argraff o hyd oedd bod Anna yn gadael i Davies gadw'i frwsh dannedd mewn gwydr bach wedi'i ddal mewn cylch metel oedd yn sownd yn y wal fel un consesiwn bach i'w id mamol. Ei bod hi'n goddef hynny achos y byddai ceisio'i waredu e o'r ddysgeidiaeth ddofn fel ceisio'i dynnu oddi ar deth ei fam a'i osod i'w sugno ar ei bron hi. Nid nad oedd e'n ddibynnol arni hi beth bynnag, mewn sawl ffordd, ond bod Anna, mae'n debyg, yn falch i fyw heb ormod o gymhlethdodau y-mab-a'i-fam. Neu, yn hytrach, ei bod hi'n gwybod eu bod nhw yno yn rhywle, jyst dan yr wyneb, ond ei bod hi'n hapus i adael iddyn nhw fod.

Roedd hi'n edrych yn dda, hyd yn oed yng ngolau gwan y noson ryfedd hon. Dim amheuaeth. Anodd dychmygu unrhyw un yn ei gadael hi o fwriad. Roedd ei gwallt hi'n hirach nawr, wedi tyfu allan o'i steil coleg ond yn dal yn ddigon byr i fframio'r wyneb heb ei guddio. Y bochau cryf ac asgwrn ei gên, siâp fel calon mewn darlun gan blentyn.

Gosododd y jwg goffi a'r ddau gwpan ar y bwrdd, a symudiadau'i chorff yn awgrymu cyfuniad o bendantrwydd a synwyrusrwydd mawr. Eisteddodd ar y llawr, yr ochr arall i'r bwrdd, ac estyn ei breichiau allan y tu ôl iddi i'w chynnal ei hun. Teimlodd Daniel ei lygaid yn cael eu tynnu ar hyd ei chorff. Y corff. Sylweddolodd, ac edrychodd i fyny'n syth, i weld a oedd hi wedi sylwi. Roedd ei llygaid hi yno yn barod, yn disgwyl amdano. Gwenodd. Gwên o dristwch ac anghrediniaeth, fel petai hi'n derbyn ei ffawd ac yn brwydro yn ei erbyn ar yr un pryd, gwên o garedigrwydd a diolchgarwch. A gwên hefyd o adnabyddiaeth efallai. Gwên hyderus, gwên oedd yn falch bod Daniel yn mwynhau ei chorff, nawr yn fwy nag erioed. A gwên hefyd oedd yn dweud beth bynnag a ddaw, sut bynnag y bydd hi'n ymateb, i'r sefyllfa, iddo fe yn bersonol, i bopeth, i'r màs, a'r mès, o orffennol cyfun sydd ganddyn nhw, ei bod hi'n falch i'w weld e.

Roedd ei llygaid hi'n serennu hefyd. Ynddyn nhw gallai Daniel weld adlewyrchiad y stafell, a'r persbectif yn dyfnhau nes ei bod yn edrych fel petai'r olygfa yn treiddio i'w hymennydd. Roedd hi'n bendant, a phob symudiad unigol – dim ots pa mor ddi-nod – yn rhoi'r argraff o fod wedi'i ddwys ystyried mewn rhyw graidd gofalus, gwyliadwrus.

Ond, wrth gwrs, roedd yna rywbeth yn eitha sylfaenol allan o'i le. Ac ma' 'na rai sefyllfaoedd pan fo hyd yn oed yr ystyriaeth fwya dwys yn cyfrif am ddim byd ond am ambell eiliad ychwanegol yn yr annherfynedd diamser o fethu â deall. Fuck all, hynny yw. Roedd yna olwg gellweirus ar ei gwefusau nawr, fel petai hi'n gwybod hynny hefyd, ac yn profi mil o deimladau mewn eiliad, a'i chorff yn gyfan yn gallu adlewyrchu hynny, ac yn gwybod nad oedd yr un o'r teimladau hynny'n fwy real neu'n fwy gwir neu'n fwy ystyrlon na'r dwetha. Arllwysodd y coffi ac fe deimlodd Daniel ei bod hi'n gwneud hynny gyda hyder, hunanfeddiant, ac awgrymusedd hyd yn oed, oedd yn anghydnaws â'r amgylchiadau. Ac roedd hi'n dal i wenu, hanner gwenu, iddi hi'i hun. Cododd ei phen eto i edrych arno.

[2.2]

Mae 'na rai pobl sydd yn sylfaenol anghymarus â'r byd hwn. Rhai pobl sydd, yn eu holl ymwneud, a hyd at eu creiddiau, fel petaen nhw wedi eu mowldio o glai gwahanol; yr arallfydedd sydd fel petai'n treiddio o'r croen, yn rhan gorfforol o'u gwead. Roedd Anna a Davies yn ddau fel hyn. Davies yn sicr, ac mewn ffordd, wel, amlycach, mae'n debyg, os oedd hynny'n mynegi'i hun weithiau mewn tymer ffrwydrol neu sioeau o iselder amrwd a mŵds plentynnaidd. Ond Anna hefyd, ac ma' hynny falle yn fwy o syndod, achos roedd hi wastad yn ymddangos fel tasai hi wedi'i gwreiddio'n gadarn yn ei bodolaeth. Yn ei swydd, yn ei chartref gyda Davies, ac yn ei chariad tuag ato. Roedd yr agweddau hynny i gyd ar ryw lefel yn ddiriaethau. Pob un yn cyfrannu at y llall, a'r diriaethau gyda'i gilydd at y cwbl.

Ond mwya i gyd y daw Daniel i feddwl amdani hi, mwya i gyd mae e'n sicr ei bod hi hefyd, yn ei ffordd dawel, wedi'i chyffwrdd o'r tu hwnt i'r sêr â'r un cyflwr amheuthun. Bod y cwbl yn fwy o lawer na chanlyniad syml y diriaethau i gyd gyda'i gilydd. Ei fod yn trawsffurfio'n haniaeth – rhywle rhwng drws ffrynt y tŷ a'r peg lle byddai'n hongian ei chot ar ôl dod adre o'r gwaith. Ac yn y cyflwr hwnnw roedd yr *uniad*. Hynny yw, os byddai'n rhaid i chi aros a dweud yn ddiamwys beth oedd atyniad sylfaenol y naill at y llall, dyna fyddai'r ateb agosaf ati, mae'n siŵr. Yr agosaf – sydd ddim yn dod yn agos at fod yn ddiriaethol ddisgrifiadol, oherwydd i Daniel, hyd yn oed pan oedd e'n teimlo mor agos atyn nhw â tasen nhw'n frawd a chwaer iddo, neu'n gariadon hyd yn oed, doedd e byth yn teimlo'i fod e'n gallu mesur y peth. (Doedd e ddim yn siŵr chwaith a fyddai'r ddau wedi dweud peth tebyg amdano fe, ei fod e'n rhannu'r cyflwr hwn, ond byddai'n hoffi meddwl, ar yr adegau gorau, y bydden nhw wedi ei ddweud ac y bydden nhw wedi credu hynny'n wirioneddol.)

Ac er diriaethu'i byd, roedd hi'n anodd meddwl am Anna wedi dod o unman yn benodol, wedi tyfu o le ac amser arbennig. Mor anodd ag y byddai hi wedi bod i feddwl am Davies fel yna, tasai Daniel heb fod yna, yn ystod y blynyddoedd ffurfiannol hynny, i brofi drosto'i hun yr anghydnawsedd. Roedd hi'n anochel, felly? Y bydden nhw'n cyfarfod ac yn treulio bywyd gyda'i gilydd? Oedd, mae'n debyg, yn gymaint ag y gallwch chi sôn am bethau sicr yng nghanol yr holl amrywiolion. Hynny yw, roedd y darnau i gyd yn eu lle, y cyfan roedd ei angen oedd iddyn nhw daro ar ei gilydd.

Sut i'w chyflwyno hi felly? Sut i'w gweld hi nawr y tu hwnt i'r trueni sy'n disgyn amdani fel llen? Cyfres o gwestiynau: oedd hyn wedi croesi'i meddwl, tybed? Y byddai hi erbyn ei bod hi'n dri deg, yn claddu cariad ei bywyd? Pan oedd hi'n ferch fach yng Nghwm Tawe, yn fenyw ifanc yn cerdded strydoedd tref ac yna dinas ar ei phen ei hun am y tro cynta, yn prynu dillad, yn arlunio, yn breuddwydio, yn gwisgo i fynd i gyfarfod â'i chariad cynta, yn gadael cartre'i rhieni i fynd i'r coleg? Tybed a fflachiodd unrhyw arlliw o hyn ar hyd ei hymennydd? A thybed nad oes yna *presque vue* o bob digwyddiad, pob sefyllfa, fel côd, yn ein meddyliau ni i gyd yn barod? Ac os ydyn ni'n cyrraedd rhyw bwynt o adnabyddiaeth, o'n hunain, efallai, mewn tawelwch, beth yw hynny ond rhag-weld? A'r rhag-weld hwnnw yn chwarae rôl?

Anna druan.

Y gerddoriaeth wedi stopio. Dim byd ond sŵn car yn achlysurol ar yr hewl tu allan. Y llenni trwm yn amsugno'r tonfeddau ac yn gadael i'r gweddillion dreiddio i'r ystafell fel dyheadau yn unig, fel cydnabyddiaeth mai yn y ceir hynny, ar eu teithiau i fewn i'r nos, y mae dihangfa. Cysur yr hewl fawr agored. Troi'r meddwl i ffwrdd a gadael i'r golau pŵl eich tywys.

''Wy ddim wedi dweud wrth Mam eto.'

Mae'r stafell yn dwym – gwres corff a gwres peidio agor y ffenest. Ma' Anna'n gwisgo top gwyn llewys hir, Daniel yn tynnu'i siwmper ac yn tacluso'i wallt.

''Wy ddim wedi siarad â unrhyw un . . . ers i fi ffonio ti.'

Mae hi'n pwyso 'nôl, i orwedd ar y llawr, yn rhoi'i dwylo tu ôl i'w phen ac yn syllu ar y to.

''Wy wedi bod yn trio meddwl ers hynny sut i siarad 'da ti, ti'n gwbod?'

Saib. Daniel yn edrych tuag ati, a hi wedi codi'i phen, i edrych arno rhwng ei phenliniau.

'Yr holl droeon yna pan o'n ni'n arfer siarad, trafod . . . 'Wy wedi bod yn trio ymarfer, heddi a ddoe. Trio meddwl sut i ddechre.'

Yna mae hi'n codi'n sydyn, i'w thraed yn syth, heb hyd yn oed ddefnyddio'i dwylo i wthio'i chorff i fyny.

'Gewn ni drink ife?'

Roedd hi'n ferch yr oeddech chi'n ei dychmygu yn cerdded i'r gwaith drwy'r glaw. A byddai'r glaw yn gweddu iddi. Ei gwallt du yn sgleinio a'i chorff, yn y got hir at ei phengliniau, yn symud yn benderfynol drwy'r tywydd. Ar ei hwyneb hefyd, diferion fel dagrau, a lle

114

byddai pawb arall yn cyrraedd â'u hwynebau fel calch, ar ei bochau hi fe fyddai yna'r mymryn lleia o wrid a'i llygaid yn dawnsio. Roedd Daniel yn ei dychmygu hi'n gyfuniad o'r synhwyrus a'r stoic ar yr achlysuron hyn. Byddai'n meddwl amdani'n dringo'r grisiau mawr llydan, dan y pileri crand a'r bensaernïaeth gain, fel petai'n perthyn i oes arall, neu i ffotograff mewn du a gwyn lle mai'i phresenoldeb hi, hanner y ffordd i fyny'r grisiau, fyddai'n gwneud y ddelwedd yn gyflawn.

Ond roedd hi'n bwrw glaw. A byddai'n teimlo'n euog am hynny, pan fyddai'n aros i feddwl. Fel petai e, am ba reswm bynnag, yn gwrthod caniatáu iddi fod yn ddiamwys o hapus, ac fel petai *e* wedyn wedi rhag-weld popeth, wedi cynnwys yn ei feddwl *e*, yn fwriadol neu yn ddiarwybod, bob dim a oedd nawr yn chwarae allan. Ac os dweud 'am ba reswm bynnag' am y ffaith fod Daniel yn meddwl amdani mewn glaw, ac mewn dŵr, y mae hynny yn sicr yn arwyddo rhywbeth arall, mwy penodol a phersonol, set o ymddygiadau corfforol sy'n dal i'w mynegi'u hunain yn y ddau ohonyn nhw – heno, y noson gynta iddyn nhw'u gweld ei gilydd ers misoedd, fel y tro dwetha a'r tro cyn hynny hyd yn oed. Roedd Anna wastad yn edrych ei gorau pan oedd hi newydd ddod allan o'r gawod. Ac nid pawb sy'n ddigon lwcus i allu dweud hynny am rywun. Mae hi'n foment gyfrin, ac roedd Daniel yn teimlo hynny, fel profiad i'w gydnabod a'i barchu. Bob tro y digwyddai fod ar y grisiau yr un pryd â hi, er enghraifft, neu pan fyddai'n agor drws y lolfa ac yn gweld cefn ei thywel, a'i choesau newydd-eu-heillio yn diflannu rownd y tro lan llofft. Byddai'n teimlo fel bachgen eto yn nhŷ ei rieni, pan fyddai'n rhedeg rownd y lle heb stopio, ym mhob man ar un waith, ei fam yn ei stafell ar ôl dod o'r stafell ymolchi yn trio gwisgo'n gyflym cyn iddo fe neidio drwy'r drws a'i dal hi heb ei dressing gown.

Roedd hi wedi mynd i weithio i'r amgueddfa yn syth ar ôl gadael y coleg. Fel swydd dros-dro i ddechre, tra oedd hi'n dal i sôn am gael stiwdio, a thrio gweithio o ddifri ar ei lluniau'i hun. Ond fel sy'n digwydd wastad, fe ddechreuodd hi sôn yn llai aml amdani'i hun, mwy am ei gwaith, fel petai hi wedi taro bargen, yn anfodlon mae'n siŵr, ond a oedd, gyda mwy a mwy o amser, yn fargen roedd hi'n fodlon ei harddel. Y lluniau hyn fydd fy lluniau i; y rhain fydd yn vistas eang fy nychymyg, yn fewnblygrwydd fy munudau tawel.

Ac Anna oedd yn gweithio, wrth gwrs. Hi oedd yn cadw'r ddau ohonyn nhw, a hynny reit o'r dechre fwy neu lai. Mae'n anodd gwybod a oedd hynny'n benderfyniad bwriadol – hynny yw, mae hi bron yn siŵr na fyddai wedi bod, oherwydd mae'n anodd ei dychmygu hi yn barod i *fodloni* ar hynny. Nid bod unrhyw beth yn bod ar hynny ynddo'i hun, wrth gwrs, jyst mwya i gyd r'ych chi'n meddwl am y peth, mwya i gyd mae'r berthynas honno, a'r llif pŵer sy'n gysylltiedig, fel tasai'n dod yn rhan fwy a mwy o'u hymwneud nhw. Roedd e'r gwrthwyneb i'r syniad arferol o waith a grym: roedd hi fel petai'r ddau ohonyn nhw'n cystadlu â'i gilydd i weld pwy na fyddai'n gorfod diodde gweithio. Ac mae'n anodd dweud ymhellach nad rhyw fath o siofinistiaeth ar ei ran e oedd hynny hefyd. Ac nid dim ond siofinistiaeth, ond rhyw hunan-dyb anhygoel, o fod rywsut uwchben yr amharch o orfod llungopïo, neu wneud te i'w gyd-weithwyr. Byddai e'n sôn yn ystod dyddiau coleg am sut roedd e'n mynd i symud i San Francisco i lofft fechan, ffeindio merch – artist hefyd – fyddai'n ei gadw e tra ei fod e jyst yn eistedd rownd, yn peintio ac yn yfed coffi a smygu. Ro'n ni'n chwerthin ar y pryd, ac yn gallu dychmygu'r olygfa'n iawn. Yn rhannol efallai am ein bod ni'n gwbod bod Davies y math yna o berson. Y math o berson oedd yn llwyddo i berswadio pobl, er gwaetha'u hunain. Nid mewn unrhyw ffordd manipulative – jyst nad oeddech chi'n gallu dychmygu y byddai e erioed yn gwneud unrhyw beth nad oedd e'n dewis ei wneud. Ac wrth gwrs dros y blynyddoedd, roedd y pethau roedd e wedi dewis eu gwneud wedi mynd yn llai ac yn llai. Chancer, fel ddwedes i o'r blaen, ond chancer nad oedd hi'n bosib meddwl am hynny fel unrhyw beth ond rhinwedd ynddo . . .

Ond i Anna, gafodd ei hun yn gweithio er gwaetha'i hun, mae'n rhaid bod hynny wedi bod yn beth hollol sylfaenol. Yn eu dadleuon nhw, er enghraifft. Roedden nhw'n hollol ffyrnig weithiau. Yn ddadleuon am bethau dibwys gan amlaf. Dadleuon diwylliannol – 'debates' yn hytrach nag unrhyw gwympo mas iawn. Ond yn y dadleuon hynny roeddech chi'n gweld rhywbeth a fyddai'n edrych yn beryglus o debyg i gasineb, i lygaid anghyfarwydd beth bynnag, yn brigo i'r wyneb bob hyn a hyn, neu yn aros jyst ar y ffin rhwng y meddwl a'r ffurfio geiriau. Y bachgen hwn, y layabout oedd yn ddigon hapus yn gwario'i ddiwrnodau yn *esgus* ac a fyddai wedyn yn cymryd y piss gyda hi am fod yn middle class ac am ddod â gwleidyddiaeth y swyddfa adre gyda hi. Neu yn dweud wrthi wastad y dylai hi droi'r teledu i ffwrdd a mynd i beintio, gwneud gwaith *iawn* er ei bod hi wedi treulio deg awr y diwrnod hwnnw mewn swyddfa boeth yn archebu papur neu yn ffonio suppliers.

Roedd e'n hollol infuriating. Ac roedd hi'n iawn iddo fe, wrth gwrs. Roedd e'n *arbennig*. A'r anfantais amlwg o fyw gyda phobl ddiddorol yn aml yw eu bod nhw yr un mor aml yn hollol hunanol. Dyna oedd e, mae'n debyg, yn hytrach nag unrhyw fath o siofinistiaeth, jyst hunanoldeb – ond eto, y math o hunanoldeb roedd hi'n anodd iawn peidio â'i faddau, a'i dderbyn hyd yn oed, os dim ond oherwydd bod 'na bwynt yn dod pan ei bod hi'n fater syml o angen bod yn hunanol. Nid nad oedd e'n meddwl nad oedd hi yr un mor arbennig â fe, yr un mor dalentog – roedd hi siŵr o fod lawn mor dalentog a mwy, jyst ei bod hi'n ymddangos hefyd yn fwy ymarferol, yn fwy trefnus, ac roedd hynny, wrth gwrs, yn tynnu oddi ar unrhyw athrylith bosib. Roedd Davies yn iawn: roedd e'n mess. Roedd hi jyst yn fater o adnabod a chydnabod. Rwy'n credu ei bod hi yn gwybod, er gwaetha'r ffaith taw hi oedd y cyfiawn, a hi oedd yn galluogi iddo fe fyw fel roedd e'n dewis – gadael llestri yn y sinc heb eu golchi drwy'r dydd, a hi wedyn yn eu golchi nhw i gyd ar ôl swper – ei fod e yn hollol iawn. Roedd hi'n genfigennus, yn amlwg. Achos dim ots pa mor agos oedden nhw, fe fyddai â'r llaw ucha wastad am gydnabod, ac am weithredu yn ôl yr egwyddor taw hunanol yw bywyd a dyna hi. Ar ôl cariad a brawdgarwch, a chyfeillgarwch a charedigrwydd, y fi sydd, a dim arall. A phan fydden nhw'n dadlau, roedd hi'n dadlau – yn ffyrnig a thanllyd, a gyda holl angerdd ei deng mlynedd ar hugain, a'i hwyth mlynedd yn gweithio swyddi cyffredin a'i miloedd o ddiwrnodau o gyrraedd adre mor shattered nes ei bod hi'n

118

methu gwneud dim ond eistedd yno – yn erbyn ei hun, felly.

Roedd Daniel yn gallu darllen patrymau eu caru. Ar ôl falle blwyddyn o fod yn byw gyda nhw, yn y swigen, a'r tri bywyd yn plethu drwy'i gilydd fel drama. Byddai'n synhwyro, mor glir â hen goel bugeiliaid am awyr goch, waedlyd wrth iddi nosi a thywydd braf i ddilyn. Yn y lolfa bydden nhw'n eistedd, yn gwrando ar gerddoriaeth, yn siarad, yn gwylio ffilm, neu jyst yn cael bwyd neu goffi, a byddai'n synhwyro'r peth. Heb fod yna ddim byd mor amlwg â thensiwn yn yr ystafell, neu gemeg amrwd nwyd yn ffrwtian yn nerthol dan yr wyneb. Jyst dychymyg. A byddai'n teimlo fel yr estyniad mwya naturiol o'u perthynas, a Daniel yn mwynhau bob munud. Fel tasai'r dychmygu, a'r disgwyl, mor gyflawn â'r profi ei hun. Mynd gyda'i gilydd. Troi golau'r lamp i ffwrdd yn y stafell fyw, y teledu, cerdded trwodd i droi swits y ffwrn off, cyn mynd lan llofft – y ddau ohonyn nhw'n gynta a Daniel yn dynn ar eu holau. Dweud nos da, gwrando am y synau yn yr ystafell ymolchi. Golchi, glanhau, brwsio dannedd. Yn ei stafell ei hun, byddai'n diffodd y golau ac yn cerdded i'r gwely ac yn trio gwneud ei symudiadau mor uchel â phosib, sŵn byrddau pren y llawr dan ei draed, a gwichian uchel ei wely sengl, gwely mam-gu, a'r matres yn suddo yn y canol. Er mwyn iddyn nhw wybod ei fod e yn y gwely ac yn mynd i gysgu. Clirio'r ffordd iddyn nhw, ond yn symud ar yr un pryd i fewn i'r nos. Ac yna byddai'n gorwedd yno ac yn aros.

Weithiau teimlai fel tasen nhw eisiau iddo fe glywed jyst fel rhan o'u pleser nhw, rhan o'r hyder yn eu byd oedd yn tynnu pawb a phopeth i mewn iddo. Fel tasen nhw'n chwarae eto i'w cynulleidfa ddychmygol. Ond yn yr hanner nos hon, y corff yn araf gael ei oddiweddyd gan reddf a breuddwyd, yn yr ildio i'r synhwyrau, y meddwl yn asio'n berffaith gyda'r clyw, roedd grym perswâd. Roedden nhw eisiau iddo *fwynhau* clywed. Ac mi *oedd* hi'n fater o berfformio. Y griddfan theatrig, y symud celfydd, y rhythmau yn curo'n ysgafn drwy'r wal fel dawns law. Cyfaredd fel sioe. Swyn fel gweld wyneb Duw, yn ofnadwy a mawreddog, y golau gwynias yn dallu, ond yn hoelio sylw o hyd. Y symud yn cynyddu, curiad y drwm, calonnau, a'r pellter, dwy stafell, yn lleihau i ddim. Ffydd. Dau wely bob ochr i un wal. Byddai Daniel yn gwrando am gliwiau: sut oedd hi'n ymateb i'w gyffyrddiad? sut oedd e'n gafael yn ei chorff? Dychmygu'r dwylo, fel dwylo gorila ar groen meddal tywysoges. Sut oedd hi'n mwynhau? Yn well y tro hwn? Neu a oedden nhw'n gafael yn nwylo'i gilydd, yn gwasgu, yn cwmpasu'i gilydd, yn ceisio cyfannu'i gilydd ond wedi'u rhwystro gan faint a siâp a lletchwithdod eu cyrff unigol, yno yn y gofod hwnnw, ar y gwely mawr, yn gorfod ildio i'w coesau a'u breichiau a'u cefnau a'u boliau, eisiau codi oddi ar y gwely, yn rhydd o ddisgyrchiant, yn rhydd o'u cyrff, yn rhydd o'r ddaear? A'r rhythmau o hyd, rhythm y ddaear ei hun nawr, a'i grombil tân, ac amser yn rhy araf i ddal mewn un ffrâm o fod, un ennyd ystyrlon, yr anterth hwn yn y gornel fechan hon o'r Cread Mawr. Un gwely mawr. Gwely dwbl i frenin, a'r wal ar hyd y canol yn dymchwel.

Ond ynghlwm yn yr holl beth roedd y plethiad o dri pherson. Dau ac un, yn sicr, ond tri er gwaetha hynny. A doedd hi byth ddim ond yn fater o ryw a phleser syml.

Weithiau byddai Daniel *yn* ceisio cau allan y sŵn, tynnu'r glustog dros ei ben neu suddo'n ddyfnach o dan y quilt. Weithiau, roedd e am i Anna a Davies fod jyst yn Anna a Davies, ac iddo fe fod yn Daniel yn yr ystafell nesa, yn cysgu'n braf, ac yn breuddwydio am drenau, tra bod y ddau hyn yn gwneud eu pethau oedolion. Weithiau byddai'n codi o'i wely ac yn mynd i droi'r gerddoriaeth ymlaen, neu'n mynd i'r stafell ymolchi, i adael iddyn nhw orffen – boed hynny'n naturiol, neu'n ddisymwth ac euog am eu bod nhw wedi ei ddeffro. Ac yn y bore byddai'n trio gadael y tŷ i osgoi gorfod edrych yn eu llygaid a chydnabod y gyfrinach agored. Ond hyd yn oed pan oedd Daniel yn bartner bodlon, ddywedwn ni, hyd yn oed pan oedd e'n ei gael ei hun yn daer eisiau i Anna deimlo'i gollyngdod, a theimlo pob cyhyr a gewyn yn ei chorff yn tynhau cyn llacio eto fel tegan weindio, roedd y byd arall, yn ei fanylion a'i ddyheadau mân a chudd, yn gwthio trwodd. Y tinc yn y llais, y gofal yn ei geiriau ac yn ei hynganu oedd yn awgrymu dyfnder ei chysur, ansawdd ei chydymdeimlad. Y tynnu i mewn, yr argyhoeddi hollol. A hynny gyda Davies hefyd. Y sicrwydd, oedd yn dechrau fel haniaeth, o gwmpas y tŷ, ond a oedd wedyn yn treiddio allan trwy bob sefyllfa gyffredin – prynu bwyd, cerdded o gwmpas y dre, mynd allan – nes taw nhw oedd y canol hunanhyderus i bob dim. A dyna oedd y pen draw felly, pan oedd Daniel yno yn ei wely, chwe throedfedd i ffwrdd ar ochr arall y wal. Eu byd cyfun.

Ond yna, ar amrantiad, fe fydden nhw'n dod, Anna'n gafael yn dynn, yn lleisio'r rhyddhad ond yn dawel, ddi-dynnu-sylw-ato'i-hun, a byddai fel agor y drws ar Gernyw: anfeidrol hapus, trist hyd y perfedd. A'r sŵn o'r ystafell nesa yn newid yn llwyr, yn troi yn sydyn i fod yn swn unigrwydd: dau lais, dyn a menyw, mewn sgwrs breifat y tu ôl i ddrws caeedig.

Y noson honno roedd hi fel bod mewn siambr ddi-awyr, wedi'i thorri ymaith o weddill y byd. Argraff sylfaenol eu cartre nhw, Davies ac Anna, ond wedi'i dwysáu, ei lluosi, i ben draw afresymegol. Fel tasai'r byd am y cwpwl o oriau hynny wedi torri'n rhydd o'i angor ac yn arnofio, fel llong ofod wedi torri o'r brif orsaf, yn cylchu'r ddaear mewn llonyddwch baletig, arswydus. Roedd y gin yn helpu, wrth gwrs. Yn gwneud iddyn nhw weld yn y llall yr union gymysgedd o benbleth a dyhead am gael bod yn rhywle arall yr oedden nhw'n ei phrofi yn eu cyrff eu hunain. Mwy o gin. Digon i dorri'r ddibyniaeth rhwng syllu a chwarae meddyliau.

'Rwy wedi bod yn cysgu lawr fan hyn.'

Daniel yn dweud dim.

'Ers nos Sul. O'n i ddim yn moyn mynd 'nôl i'r gwely yna tan bo' fi . . . sai'n gwbod. Tan bo' fi wedi cael cyfle i . . . O'n i ddim ishe mynd yn gyfarwydd gyda cael gwely dwbwl i fy hun . . .'

'A ti'n agosach at y iâ a'r lemwn lawr fan hyn, beth bynnag.'

Trio gwenu'n gam arni. Ceisio cadw pethau'n ysgafn.

'Ie. Ha. God, ti'n gweld sut ma' pobl yn gallu really dechre yfed . . . Dau neu dri a ti'n dechre cael y sheen yna dros bopeth. I can recommend it, Daniel. Gin bach a watsio *Neighbours* yn y prynhawn. Dylen i fod wedi dechre blynyddoedd yn ôl.'

'O ie?'

'Ie, ma' Daphne wedi marw ti'n gwbod? Damwain car.'

Ma' Daphne, wrth gwrs, yn y gyfres, wedi marw ers blynyddoedd maith, ond ma' hyn fel tasai'n ticlo Anna.

'Des druan. Fe 'wy'n teimlo drosto. A'r babi bach. Gorfod tyfu lan heb fam.'

'Ie.'

Ond cyn gynted ag y mae'r wên eironig yn cyrraedd ei llygaid, maen nhw'n dechre cochi a Daniel ddim yn gallu penderfynu a yw hynny'n ymateb pissed i stori opera sebon neu'n arwydd o rywbeth arall.

'Ond, ond, gwranda . . .' dechre cyffroi, a'i llais yn floesg yn y ffordd ma' lleisiau pobl sy wedi bod yn yfed yn weddol gyson ers oriau ond sydd heb fynd reit dros y dibyn i fod yn paraletic. Siarad heb unrhyw rwystredigaeth. 'O'n i jyst yn meddwl os o'n i'n mynd i fod yn shattered ac yn emosiynol, o'n i ddim ishe cwympo i gysgu yn y gwely, a cysgu reit trwyddo tan y bore, a teimlo'n well wedyn, wedi gorffwys yn dda, a'r pen ddim yn 'nafu rhagor, a wedyn bydden i'n dod i ddibynnu ar y gwely *yna*, y gwely mawr, fel rhywle i ddianc. Y gwely *yna*.' Mae hi'n troi i edrych ar Daniel i wneud yn siŵr nad yw e'n colli'r pwynt amlwg. 'Bydde fe fel tase fe heb erioed gicio fi yn ystod y nos, neu wasgu 'mraich i i'r matres gyda'i fucking bola diog . . . O'n i ddim ishe i hwnna ddigwydd tan bo' fi wedi cael cyfle i deimlo'n iawn beth oedd ar goll.'

Mae hi'n pwyso 'nôl, ac yn edrych fel tasai hi newydd arllwys ei henaid. Y rhesymeg balch, meddw, o fod wedi llwyddo i wneud pwynt cyflawn, unrhyw bwynt, o'r dechrau i'r diwedd.

'Falle well i ni fynd i'r gwely, ti ddim yn meddwl?'

'Cer di. 'Wy'n mynd i aros fan hyn.'

'Ddylet ti gysgu. Allwn ni siarad yn iawn fory.'

'Pam? Beth sy gyda ti i ddweud? . . . anyway, 'wy ddim wedi gorffen y drink 'ma.'

'Gad e . . . Do's dim pwynt.'

'Sut ti'n gwbod? 'Wy'n lico yfed.'

'Okay. Os ti moyn . . .'

'Ydw.'

'Iawn, 'te.'

'Ti'n gwbod y ffordd i dy stafell. Ma'r gwely wedi cael ei neud.'

'Diolch. Gad i fi dynnu'r soffa ar agor i ti fan hyn.'

'Na, alla i neud e fy hunan. 'Wy ddim yn pathetic eto.'

'Na, 'wy'n gwbod, o'n i jyst ishe . . .'

'Wel paid. Os ti ishe helpu, aros lawr fan hyn gyda fi. Beth ti'n mynd i neud fory sy mor bwysig anyway . . .? God, ti'n real fucking athro. 'Wy ddim wedi gweld ti ers 'wy ddim yn cofio pryd.'

'Iawn. Un drink arall 'te.'

Mae hi wedi arllwys yn barod, ac yn tynnu paced o sigaréts allan o'i phoced ôl.

'Ti ishe un o'i ffags e?'

'Na, dim diolch.'

'Go on. Smôc bach. Heddwch i'w lwch.'

Mae hi'n tanio'r sigarét ac yn sefyll yna fel rhyw fath o Jeanne Moreau ansicr. Ma'r mwg yn las yng ngolau'r lamp, yn ei hamgylchynu, a Daniel yn trio dilyn un o'r cylchoedd brau tan iddo ddatod a mynd ar goll yn erbyn y nenfwd.

Maen nhw'n dawel eto. Yn eistedd fel yr oedden nhw, ac yn syllu o'u blaenau fel tasai'r llall ddim yno. Ambell lais yn torri trwodd o'r stryd tu allan, lleisiau uchel, yn gyfarwydd ers oriau â gorfod siarad uwchben speakers y dre, cyn i'r tawelwch gwympo eto. Ma' Daniel yn symud yn ei gadair, yn aildrefnu'i goesau o dan ei gorff, fel tasai'n gwneud ei hun yn fwy cyffyrddus i lawnsio i fewn i ddehongliad, esboniad, barn. Anna'n symud ei llygaid a dim byd arall. Ond ma' Daniel yn cadw'n dawel, jyst yn sipian ei ddiod, tan i'r cynnwrf yn yr awyr, y disgwyliad, basio.

Ac yna mae hi'n cysgu. Ei phen yn pwyso ar ei hysgwydd, ei braich yn hongian dros ochr y gadair a'r ddiod yn ei llaw yn diferu'n araf ar y carped gyda phob anadl. Mae hi'n edrych yn dyner eto, fel na ddylai hi allu cynnal yn ei bochau, yn y gwefusau meddal a'r talcen, holl straeniau bod ar ddihun; y mwg sy'n crebachu ac yn tynhau'r croen o gwmpas ei cheg, gwrid annaturiol y gin, y gwaed yn dwym yn ei gwythiennau, a'r cysgodion, fel cleisiau, o dan ei llygaid. Mae hi fel pyped china, ar ôl y sioe, wedi'i rhoi i orwedd yn ôl yn y bocs. Ma' Daniel yn mynd i gornel yr ystafell ac yn codi'r quilt sydd wedi'i blygu a'i osod yno ar gyfer y nosweithiau hyn ar y soffa, ac yn ei osod yn ofalus drosti.

Wrth ddringo'r grisiau i'w hen ystafell, rownd y landing i gefn y tŷ, mae e'n meddwl am gysgu ac am ddoliau, ac am ddol arbennig allai gael ei farchnata i ferched bach, dol fyddai'n aros gyda nhw am byth, fel angel gwarcheidiol mewn plastig rhad, ac a fyddai'n amsugno eu holl bryderon, ac yn mynegi'r rhain yn yr wyneb croen-afal. Ac wrth i'r sudd gael ei dynnu allan o groen y ddol, gan gariadon twyllodrus, a merched bitchy ei dosbarth ysgol, teimlo'n unig a heb bwrpas yn y coleg, a chan ddrysfa y naw tan bump a'r penwythnos meddw, a chan farwolaethau y bobl yr oedd hi'n eu caru fwyaf yn y byd, byddai wyneb y ferch yn aros yr un peth, yn union fel yr oedd pan oedd hi'n wyth mlwydd oed, ar y nosweithiau hynny pan fyddai'i thad yn rhoi'i ben rownd drws ei hystafell, heb yn wybod iddi hi oherwydd ei bod hi'n cysgu'n barod, ac yn edrych ar ei phosteri o geffylau ac o gathod bach, ac yn sibrwd wrtho'i hun, ar lafar, nid jyst yn ei feddwl, 'Paid â tyfu lan, 'merch i, aros jyst fel wyt ti, yn ifanc, ac yn hyfryd.'

[2.3]

Rhywbryd yn ystod y nos fe ddechreuodd hi fwrw glaw, yn unswydd mae'n debyg er mwyn gwrthbrofi awyr glir y prynhawn cynt. Roedd pyllau wedi dechrau cronni yn barod ar do fflat yr estyniad ar gefn y tŷ erbyn i Daniel gael ei ddeffro. Roedd y gwter uwch ei ffenest yn dal heb gael ei gywiro a diferion mawr trwm yn taro fel bwledi yn erbyn gwaelod y gwydr a'r hen ffrâm bren. Roedd y glaw wedi dod trwy'r ffrâm un gaeaf, a'r pren wedi mynd yn llwyd i gyd. Uwch ei ben, gallai deimlo'r llif ar hyd y llechi, a dychmygodd ddilyn hynt un diferyn unigol o law, lawr y to, mewn i'r gwter ac i lawr drwy'r pibau i'r draen. Roedd e'n mwynhau bod yn dwym yn ei wely. Teimlai'r synau fel tasen nhw'n digwydd yn bell bell i ffwrdd. Meddyliodd amdano'i hun yn gorwedd yno, newydd ddeffro, ac am y waliau a'r to oedd yn ei amgylchynu. Ceisiodd ddychmygu y miloedd o bobl eraill yn y ddinas oedd ar ddihun hefyd y foment honno, a oedd bob un ohonyn nhw'n gorwedd fel y gorweddon nhw yn y groth ac yn teimlo'r glaw yn taro fel petai mewn ymwybod arall. Roedd blas y gin yn sych ar ei dafod. Ceisiodd symud y poer o gwmpas yn ei geg. Roedd e eisiau piso hefyd.

Doedd dim llenni dros y ffenest. Meddyliodd am y gwydr clir fel talp o iâ yng nghornel y stafell. Dechreuodd deimlo'r oerfel yn dod tuag ato, trwy'i draed, oedd yn gwthio allan o waelod y gwely. Noson o haf. Mis Awst. Tynnodd ei goesau yn agosach at ei ên. Cofiodd am y stori honno am athronydd enwog, Descartes o bosib ond doedd e ddim yn siŵr, oedd mor hoff o'i wely, ac o gysgu, fel y byddai nid yn unig yn cysgu tan ddeuddeg bob dydd ond yn cael ei dad i'w ddeffro am bedwar y bore, pan fyddai hwnnw'n mynd i'w waith neu lle bynnag, jyst er mwyn gallu mwynhau mynd yn ôl i gysgu. Roedd Daniel am fynd yn ôl i gysgu cyn i'w ymennydd ddal i fyny yn iawn â'i gorff effro.

Roedd Anna a Davies wedi clirio'r ystafell ers iddo fe fod yna ddwetha. Ei hen stafell e. Y stafell sbâr. Doedden nhw ddim really wedi gwneud unrhyw beth ond storio pethau yno ers iddo fe adael – stwff oedd yn dal heb gael ei ddadbacio'n iawn, neu heb gael ei ddabacio o gwbl ers gadael gartre, pethau roedden nhw wedi'u casglu, eu prynu rhywdro heb wybod yn iawn ble roedden nhw'n mynd i fynd ac a oedd nawr jyst yn byw yn eu bocsys. Hen lamp heb y plwg, gwresogydd trydan, llyfrau plant roedd Davies wedi mynd â nhw gyda fe o dŷ'i fam, fframiau gwag, cassettes. Ond doedd dim o hynny ar ôl. Tybed lle aeth y llyfrau? Roedden nhw wedi symud i'r tŷ ar ôl gorffen yn y coleg, i ffwrdd o ardal y myfyrwyr, ac i fewn i'r 'byd go-iawn' lle roedd pobl yn cael eu trywanu mewn tafarnau. Roedden nhw wedi treulio amser hir yn trefnu pethau; peintio'r waliau, ail-wneud y stafell ymolchi, prynu'r celfi iawn. Ond am ryw reswm doedden nhw ddim wedi gwneud llawer i'r stafell roedd Daniel wedi byw ynddi. Roedd yr un paent ar y waliau o hyd, yr un carped rhad ar y llawr, a'r un atsain y noson honno, pan gaeodd e ddrws y stafell, ag yr oedd pan wnaeth e hynny am y tro cynta. Ac mae hi'n beth rhyfedd cysgu mewn stafell wag: dim byd cyfarwydd o gwmpas, dim byd i fesur eich hun, eich personoliaeth neu'ch ymwybod, yn ei erbyn. A breuder eich hunaniaeth yn cael ei daflu'n syth 'nôl tuag atoch chi oddi ar y waliau noeth. Ond mae'r resonance yn fwy na hynny hefyd. Fel adlais eironig o'r cynfyd. Lle roedd dynion yn byw mewn ogofâu, yn hela, yn cynnau tanau i'w cynnal drwy'r nos; eu cysgu, fel eu byw, yn rhan annatod o'r byd roedden nhw yn ei greu. A dyma ni nawr, filoedd o flynyddoedd ar ôl hynny, wedi ildio'r tir, ac yn methu bron iawn â chysgu o gwbl. Cau llygaid, ie, gadael i'r meddwl gael awr neu ddwy i ffwrdd, ond heb *gysgu*. Heb y cysur o allu gorffwys heb gwestiynu natur y waliau sy'n ein cadw ni rhag y tywydd, heb y tân mawr yn y grât. Oes yr anghysgadur.

Trodd Daniel i orwedd ar ei ochr arall, i wynebu'r wal. Ac mae'n rhaid ei fod e wedi cwympo 'nôl i gysgu oherwydd pan ddeffrodd eto roedd e'n teimlo fel tasai'r cyfan o ran isa'i gorff yn mynd i ffrwydro mewn ton anferthol o biso. Gorweddodd ar ei gefn, a gadael i'w gorff lacio ychydig. Roedd hi'n dywyll o hyd. Mae'n rhaid ei fod wedi cysgu am ryw awr, dim mwy yn sicr. Ond roedd y glaw wedi stopio nawr, a'r unig sŵn y tu allan oedd diferion ola'r glaw, y dail ar y coed yn methu dal y pwysau ddim mwy, ac yn gadael iddyn nhw gwympo gyda chlec galed i'r pyllau ar y llawr. Roedd Daniel eisiau gallu gorwedd yno heb yr un pwysau ar ei gorff e, ond roedd ei feddwl wedi dweud wrth y cyhyrau yn barod am beidio symud modfedd ac y câi'i bledren chwyddo i faint pêl-droed cyn y byddai'r gorchymyn i godi'n dod. Byddai hi'n oer yn y toilet, a byddai'i lygaid yn gwrthod agor yn iawn, a byddai'n teimlo fel yr arferai deimlo pan fyddai e'n ei lusgo'i hun i wely'i rieni i gysgu am weddill y nos.

Roedd e wedi deffro heb ddim yn ei feddwl, fel tasai ei freuddwydion yn welw ac anemig. Gwely dieithr, waliau gwag, plaen. Y teimlad fod yr ystafell a'r meddwl fel ei gilydd yn cael eu trin, eu cyflyru gan yr un grym gorchmynnol . . . Teimlo'r gofod, y gwagle, y bwlch. Gweld yr wyneb yn dechrau dod i'r amlwg drwy'r paent gwyn brwnt. Yr amlygu drwy'r absenoldeb. Creu ar gynfas glân. Dalen newydd, ffres, a'r geiriau'n ymrithio o flaen y llygaid.

Cododd o'r diwedd, heb droi'r golau ymlaen. Teimlodd ei ffordd at y drws a throi'r ddolen. Safodd yn stond am eiliad, fel tasai'n gorfod meddwl pa ffordd i fynd i'r toiled. Arhosodd. Fe gymerodd hi eiliad neu ddwy, ond yna sylweddolodd fod yna olau pŵl yn treiddio i fyny'r grisiau, yn dianc trwy ddrws cil-agored lawr llawr. Roedd e'n dal i sefyll yno, yn llonydd, ac yn gwrando nawr. Roedd ei feddwl yn dal mewn tywyllwch, ond roedd synau'n dechrau taro ar ei ymwybod. Drws cwpwrdd yn cael ei gau'n ofalus, llestri'n bwrw yn erbyn ei gilydd. Tap yn cael ei redeg. Cerddodd yn araf at y grisiau. Gwyliodd bob cam unigol. Roedd e'n cofio'n iawn lle roedd y grisiau rhydd, ac yn canolbwyntio ar beidio pwyso'n rhy galed arnyn nhw. Déjà vu. Davies yn methu sefyll yn syth, wedi bod allan tan yn hwyr hwyr ac yn jyst pwyso yno yn erbyn y ffwrn. Neu'n cwympo ac yn trio dal gafael yn y sinc, neu'n trio llenwi gwydraid o ddŵr ac yn anghofio bod y tap yn rhedeg cyn cwympo i gysgu ar y llawr, ei gefn yn pwyso yn erbyn drws yr units a'i ben yn hongian yn llipa tua'r llawr. Roedd y pibau yn y gegin yn hen. Os oeddech chi'n rhedeg y dŵr am fwy na hanner munud roedd yr holl system yn dechrau sgrechian. Yn ysgwyd drwy'r waliau, a'r drone fel petai'n dod reit o grombil y tŷ. Ond doedd e ddim wastad wedi meddwi. Weithiau byddai e jyst yn codi. Yn sleifio allan o'r stafell wely tra bod Anna'n cysgu, ac yn troi'r holl olau ymlaen lawr llawr a

130

jyst yn cerdded o gwmpas, mae'n debyg. Neu'n eistedd wrth y bwrdd yn y rhan o'r lolfa oedd hefyd yn stafell fwyta, gwydraid o ddŵr wrth ei ochr, yn sgrifennu, tynnu lluniau, neu jyst yn sgriblo yn ei lyfr nodiadau. Byddai Daniel yn cael ei ddeffro yn aml. Ac ar y dechrau roedd e wedi mynd lawr ar ei ôl, a bydden nhw'n siarad am ychydig, yn mwynhau'r tawelwch, a'r teimlad arallfydol o fod ar ddihun. Ond weithiau byddai Davies yn mynd lawr y grisiau ac yn mynd yn syth am y drws ffrynt. Daniel yn ei wely, yn clywed y drws yn cael ei dynnu'n dynn ar ei ôl – heb ddim ymdrech i guddio'r sŵn – ac yn meddwl amdano'n cerdded o'r tŷ, yn meddwl tybed a oedd ganddo fwriad wrth gerdded, rhywle penodol i fynd iddo, neu a oedd e jyst yn cerdded am hanner awr, awr? A beth oedd e'n gallu'i wneud am dri, pedwar y bore, yn ei feddwl ei hun, oedd yn amlwg mor bwysig fel nad oedd e'n gallu'i wneud yn ystod golau dydd? Ond wrth gwrs, erbyn golau dydd, byddai Daniel wedi cysgu, a byddai codi'r teithiau canol-nos yma'n amhosib. Roedd y pethau hyn yn perthyn i'w hamser, wedi'r cyfan, ac wrth drio cofio y bore wedyn effaith clec y drws ar ei ymwybod y noson cynt doedd e byth yn gallu galw i'w feddwl yr union deimlad, yr union reswm pam fod y sŵn hwnnw, dan orchudd y nos, yn teimlo mor . . . wel, mor beryglus. A doedd Anna byth yn dweud dim byd am yr oriau hyn, ddim pan oedd Daniel o gwmpas beth bynnag. Rhain oedd yr oriau coll, felly – a'r cytundeb rhwng y tri oedd na fyddai Davies yn dweud ac na fydden nhw'n gofyn.

Cyrhaeddodd Daniel y gwaelod. Roedd drws y lolfa rhyw fodfedd neu ddwy ar agor, a golau'r lamp fel drafft drwy ffenest yn y gaeaf. Gwthiodd y drws yn ofalus, a cherdded yn dawel trwyddo. Edrychodd yn betrus ar hyd y stafell. Neb yno, dim ond y quilt wedi'i daflu ar y llawr, a'r gadair wedi'i symud fel tasai Anna wedi codi'n gyflym a'i wthio 'nôl. Roedd y gwydrau a'r botel gin yn dal yno. Trodd, a mynd trwy'r coridor tua'r gegin. Roedd y drws yna ar gau, ond yn y bwlch rhwng y gwaelod a'r llawr roedd yna stribed o olau, a'r synau'n dod o'r tu ôl iddo. Gafaelodd yn y ddolen a'i gwthio i lawr yn ofalus, fel lleidr yn torri i fewn. Gallai deimlo'r glicied wedi'i thynnu 'nôl ddigon i allu agor y drws. Roedd e'n crynu – cymysgedd o oerfel canol nos ac . . . Ofn, fel cysgod ar y wal, curiad ei galon yn ysgwyd ei asennau.

Roedd y gegin dan gwmwl o fwg, ac Anna ar goll yn ei ganol. Ar y sinc roedd gwydr a thua modfedd o ddŵr llwyd ynddo. Roedd y gwaelod yn llawn sigaréts, y bonion yn arnofio fel boncyffion ar yr wyneb. Roedd ei chefn tuag ato. Cerddodd Daniel i'r stafell a chau'r drws ar ei ôl mor ofalus ag yr oedd e wedi'i agor. Doedd hi ddim fel tasai hi wedi'i glywed. Roedd hi'n dal i wynebu'r wal bella ac yn tynnu'n wyllt ar ei sigaŕet ddiweddaraf, cyhyrau'r breichiau yn dynn fel elastig. Roedd hi'n gwisgo t-shirt gwyn, oedd yn cyrraedd lawr at ei chluniau. Rhedodd ei llaw arall drwy'i gwallt.

'Anna. Be ti'n neud? Ti'n okay?'

Trodd i edrych arno nawr, mewn syndod, panic bron. Roedd y croen o gwmpas ei llygaid yn goch ac yn wlyb, fel darn o gig amrwd, ond roedd y llygaid eu hunain yn llydan llydan, y gwyn yn antiseptic yng ngolau caled y bylb noeth yng nghanol y nenfwd. Roedd hi jyst yn syllu, heb glywed o hyd.

'Anna . . .'

132

Yna roedd hi wedi rhoi rhyw ysgytwad bach, falle wrth iddi deimlo'r teils oer ar groen ei thraed, ac wedi estyn draw at y sinc mewn fflach a gollwng y sigarét i'r dŵr. Hiss ffyrnig wrth i'r tân ddiffodd, fel petai'n arwyddo'i deffroad o'r freuddwyd. Ac ar wahân i hynny a'i lais e, doedd yna ddim sŵn wedi bod ers iddo ddod i'r stafell. Ond yn yr eiliad honno, teimlodd Daniel fel petai hi wedi mynd yn dawel. Fel tasai'r cyflwr uwch-synhwyraidd wedi ildio'n sydyn ac yn llwyr i gyffredinedd eto. Roedd ei hwyneb hi wedi colli pob diferyn o egni, ei chorff wedi llacio, ac am eiliad ofnadwy a hir – fel rhaeadr o adnabod – roedd hi jyst yn sefyll yno, yn edrych i'w lygaid, ac yn ymwybodol o'i choesau noeth.

Roedd y gegin yn hir a chul. Sinc ar hyd un ochr i'r wal, dan ffenest fach, a chypyrddau ar hyd yr ochr arall. Plygodd Anna i eistedd yn y sianel denau. Roedd cefnau'i choesau yn dangos, ac awgrym o'i knickers gwyn, ond roedd hi fel tasai hi'n rhy flinedig hyd yn oed i dynnu'r crys yn ôl dros ei phen-ôl a'i choesau. Pwysodd yn erbyn drws un o'r cypyrddau, ei choesau yn syth allan o'i blaen a bodiau ei thraed yn gwneud triongl â'r llawr.

'Beth ydw i i fod i neud?' Saib. 'Ti'n gwbod. Be fuck ydw i i fod i neud?'

Daeth Daniel i eistedd yn ei hyml. Roedd hi'n syllu ar ei thraed, yn disgwyl iddyn nhw ateb. Syllodd Daniel ar ei thraed hefyd, cyn symud ei olwg i'r cwpwrdd dan y sinc, y ffwrn, y calendr ar y wal. Gobeithio y byddai un o'r pethau hyn yn cynnig ffordd allan. Ond roedd y gegin mor bwrpasol, functional ag erioed. Y golau gwyn, y cyllyll a'u dolenni du, fel cleddyfau yn y wain, y llestri sych ar y rack wrth y sinc, y peiriant cymysgu bwyd. Pa straeon allai'r pethau hyn eu hadrodd i dorri'u mudandod metal a phlastig? I siarad am eu lle yn y gegin? Neu mewn bywyd?

Llithrodd ei gefn i'r ochr yn erbyn drws y cwpwrdd, er mwyn gallu estyn ei fraich o gwmpas ei hysgwyddau, ond roedd hi fel tasai hi yn ei byd ei hun eto. 'Dere 'ma,' ond doedd hi ddim yn clywed, neu yn clywed yn iawn ond yn benderfynol o beidio â chael ei chysuro. Tynnodd Daniel yn ôl, yn embarrassed.

Gweld pethau cyfarwydd o'r newydd. Edrychodd ar do'r gegin, ar hyd y llawr, rhwng y sinc a'r ffwrn. Yn y bwlch o ryw fodfedd o dan y ffwrn roedd darnau o basta sych, a phethau eraill hefyd, darnau o lysiau oedd mor sych fel na fyddai modd eu hadnabod nhw nawr. Wedi bod yno ers misoedd neu flynyddoedd, siŵr o fod. Fe allen nhw fod yno am byth. Roedd e'n gallu gweld rhan o'r skirting board y tu ôl i'r ffwrn. Roedd yna orchudd trwchus o lwch arno. Meddyliodd ei bod hi'n bosib na fyddai'n gweld yr olygfa honno fyth eto, hyd yn oed tasai'n treulio blynyddoedd yn rhagor yn y tŷ.

Roedd Anna'n crio. Roedd defnydd ei chrys-t yn rwbio'n ysgafn yn erbyn pren y cwpwrdd. Edrychodd Daniel draw ati eto. Roedd hi'n hollol dawel ond roedd ei hysgwyddau'n crynu a'i phen wedi plygu nes bod ei gên bron â bod yn pwyso ar waelod ei gwddf. Ddwedodd Daniel ddim byd, dim ond gadael iddi grio a meddwl eto beth mor rhyfedd oedd greddf a natur anifeiliaid. Mor rhyfedd y syniad o bryder. Ac i un endid dynol, mewn cegin wen, fod ar ddihun – pan ddylai corff blinedig fod yn cysgu – ac mewn poen corfforol oherwydd bodolaeth a phrofiad arall a oedd i raddau helaeth iawn yn gwbl allanol.

Cododd Daniel a rhedeg y tap dŵr oer. Llanwodd wydr, a'i gynnig iddi. Gafaelodd ynddo a'i godi i'w gwefusau, ei llygaid fel marblys. Cymerodd ddau neu dri llwnc cyn rhoi'r gwydr ar y llawr wrth ei hochr. Roedd ambell ddarn o'i gwallt wedi glynu yn y dagrau ar ei bochau. Ceisiodd gymryd anadl ddofn ac roedd y cryndod i'w glywed yn ei hysgyfaint. Roedd hi fel petai hi'n mynd i ddechrau dweud rhywbeth ond fe aeth y geiriau'n sownd yn ei llwnc. Daniel yn dal i'w thrin hi fel tasai hi wedi'i gwneud o'r porcelain mwyaf bregus.

'Gad i fi fynd â ti lan i'r gwely, come on . . .'

Ac roedd hi'n rhy flinedig i wrthod. Helpodd Daniel hi i godi o'r llawr a gafael yn ei llaw am eiliad ychwanegol pan oedd hi'n dechrau cerdded tua'r drws.

'Cysgu nawr. Fyddwn ni'n well yn y bore.'

Gwenodd Anna. Tynnodd ei llaw yn rhydd o'i law e a mynd tuag at y grisiau. Roedd hi'n cerdded fel merch fach sydd wedi cael hunllef ganol nos ac sydd wedi bod lawr i gael llaeth twym gyda'i mam cyn mynd 'nôl i'r gwely. Edrychodd Daniel arni'n mynd am eiliad, cyn ei dilyn a diffodd y golau yn y gegin.

Roedd hi wedi cyrraedd top y grisiau erbyn i Daniel blygu'r quilt yn y lolfa a diffodd y golau yn y fan honno hefyd. Cerddodd yn araf i fyny'r grisiau ar ei hôl, ac yn y waliau ac o'i gwmpas roedd y pibau'n griddfan eto, wrth i'r diferion ola o ddŵr wneud eu ffordd drwy'r sinc ac i'r draen – y tu allan i ddrws y cefn – oedd wedi bod yn sianeli'r glaw drwy'r nos.

[2.4]

Doedd e byth yn amlwg, ond roedd Anna'n arfer gwthio'i bronnau allan i Davies. Byddai hi'n sefyll ychydig bach yn fwy syth, ac roedd yna jyst awgrym ei bod hi'n tynnu'i hysgwyddau 'nôl yn fwriadol. Fyddech chi ddim yn sylwi. Roedd yn rhaid i chi fod wedi ei hastudio'n ofalus, cymryd sylw manwl o'i chorff ac o'i hymddygiad corfforol cyn hynny i wybod.

Roedd y tŷ'n dywyll eto, a Daniel yn methu aros i gyrraedd ei wely. Roedd e'n cerdded i fyny'r grisiau ac yn gallu teimlo'r cysur a'r gwres fyddai'n ei ddisgwyl wrth iddo dynnu'i hun yn drwsgwl dan y quilt eto. Teimlo'r afreal. Fel y gallai gysgu a deffro, a chael taw breuddwyd ryfedd oedd yr olygfa yn y gegin. Ffordd ei feddwl ei hun o ddiriaethu'r ansicrwydd mawr. Roedd e wedi breuddwydio diweddglo alternative i *King Lear* un noson. Aeth rownd y gornel ar dop y grisiau, ac roedd Anna'n sefyll yno, o flaen y drws i'w hystafell. Doedd e ddim yn gallu'i gweld yn iawn, ond gallai synhwyro ei bod hi bron iawn yn cysgu ar ei thraed. Roedd hi'n pwyso ymlaen, ei hysgwyddau wedi crymu. Fel taw dim ond cysgod o'i chorff, cysgod mewn cysgodion eraill, oedd ar ôl.

Stopiodd Daniel ar ochr draw'r landing a'i law yn gafael yn dynn yn y bwlyn ar ben y banister. Roedd hi fel tasai hi wedi bod yn cerdded yn ei chwsg. Doedd e ddim hyd yn oed yn siŵr ei bod hi'n gwybod ei fod e yno. Camodd yn araf tuag ati, ei draed yn llusgo yn erbyn y carped. Sibrydodd ei henw. Dim ymateb, fel yn y gegin. Roedd e'n sefyll yn ei hymyl ac ar fin estyn ei law at ei hysgwydd. Roedd ei llais yn syndod o glir a phendant.

'Pam, Dan?'

Roedd hi wedi troi i'w wynebu. Daliodd Daniel ei sylw am eiliad, cyn edrych ar y llawr, o'i amgylch, i fewn i'r tywyllwch. 'Pam?' eto a Daniel yn gorfod llanw'r tawelwch nawr.

'Wel . . . y . . . pam beth? . . . Falle bod 'na ddim pam? Jyst . . .'

'Na, na. Pam? Ma' 'na wastad pam. Wastad rheswm. Dyw pobl ddim jyst yn marw.'

'Ti'n meddwl? Come on, mae'n hwyr nawr, ma'r ddau ohonon ni wedi blino . . .'

'Na, alla' i ddim cysgu. Alla i ddim. Ti ddim yn gwbod. Do's dim syniad gyda ti. Ti ddim wedi bod yma. Ti ddim yn gwbod.'

'Gwbod beth?'

'Amdano fe. O't ti ddim yn nabod e fel fi. Ddim yn y diwedd.'

Eisiau cysgu. Eisiau peidio gorfod cymryd rhan.

''Wy'n teimlo mor grac gyda fe. Wir. Nawr, y funud hon. Alla i ddim credu bydde fe wedi bod mor hunanol. 'Wy'n 'i gasáu fe am wneud hyn. Mae e'n gymaint o beth shit. Mae e'n gymaint o shit bach. Ac 'wy'n gobeithio bod e'n gallu clywed fi nawr. Bod e yna'n rhywle yn gallu clywed fi . . . *Bastard.*' Roedd hi'n edrych o'i chwmpas yn sydyn, ei chorff yn dynn gan densiwn. 'Fel taw dim ond fe odd yn ddigon pwysig, fel taw dim ond fe odd yn teimlo . . . Ti'n gwbod fel odd e. Ti yn gwbod. Odd e mor fucking gyfiawn am bopeth, mor fucking deimladwy, ond o't ti jyst yn gwbod, nag o't ti, o't ti wastad yn gwbod sut odd e yn iawn . . .'

'Anna, wir i ti, allwn ni ddim neud hwn nawr. Gad e tan y bore.'

'Na, come on. Nest di dyfu lan gyda fe. Ti odd yn gorfod indulgeo'r bastard pan odd yr holl beth yn dechre. 'Wy wedi clywed y straeon. Sut odd popeth wastad amdano fe. God, mae e'n neud fi mor grac. Alla i ddim hyd yn oed meddwl sut i ddweud y pethe 'ma, heb swnio fel . . . A dyna beth mae e'n neud i fi nawr, o hyd. Mae e'n torri fi off o hyd! Aaaa!'

Roedden nhw'n sefyll wyneb yn wyneb, yn agos, ond yn methu cyffwrdd â'i gilydd, yn methu pwyso ymlaen i afael yn ei gilydd, neu hyd yn oed i weld yn iawn i lygaid ei gilydd i allu meddalu'r sefyllfa, i allu synhwyro'u hunain gyda rhywun arall, yn rhannu gofod. Roedd hi'n siarad â'r tywyllwch.

'Mae e jyst yn anhygoel. Ac ma' eiliadau, sgyrsiau, jyst yn cadw i ddod 'nôl ata i o hyd. A bob tro, 'wy jyst yn meddwl amdano *fe*, yn ei feddwl ei hun, yn *gwbod*, yn fucking *gwbod* ac odd e ddim hyd yn oed yn ymddwyn yn wahanol. Bore dydd Sul, iawn, nath e godi'n hwyr, no fucking surprise there, ac o'n i lawr yn y lolfa yn barod. Ti'n gwbod beth nath e? Jyst fucking eistedd yna. Es i mas i'r gegin i neud coffi iddo fe, a pan des i â fe mewn iddo fe nath e jyst gymryd e allan o'n llaw i heb edrych arna i. Ti'n gwbod, reit lan at y diwedd, amser cinio, odd e jyst fel oedd e. Trio bod yn moody ac yn . . . mysterious, fel odd e wastad. A taset ti wedi dweud wrtho fi pryd hynny beth bydde'n digwydd wedyn, bydden i jyst wedi chwerthin. Honestly, bydden i wedi chwerthin, achos odd e jyst yn ormod o fucking coc i ladd ei hunan. Ti'n gwbod. Bydde fe ddim wedi gallu dioddef meddwl am sut bydde'r byd hebddo fe. God, fydde ti o leia yn disgwyl iddo fe fod ychydig bach yn, beth? *agitated?* Ti'n gwbod, sawl gwaith wyt ti'n mynd i ddeffro yn y bore a gwbod taw dyna'r tro ola ti'n mynd i neud. Fucking hell.'

Saib i gymryd gwynt, a Daniel erbyn hynny wedi anghofio'n llwyr am ei wely. Ond yn oer, yn sydyn, fel tasai e hefyd yn gwisgo dim byd ond t-shirt gwyn at ei wast, a draffts y ffenestri yn ffeindio'u ffordd at ei gorff ac yn ymledu trwyddo.

'Anna!' Yn uchel ac yn benderfynol, ond yn ymbil hefyd. 'Damwain. Damwain!'

'Na, na, na. Ti *yn* gwbod, paid esgus bo' ti ddim.'

'O Anna. Plîs. Paid. Plîs paid meddwl hwnna.'

'Beth? . . . Pam? Pam ddylen i amddiffyn e nawr? Ti jyst yn dwp nawr. Ti jyst ddim ishe gweld e. Ti dal yn ei addoli e hyd yn oed nawr.'

'Wel sut wyt ti'n gwbod, 'te? Sut wyt ti mor siŵr?'

Gofyn dim ond er mwyn gofyn, er mwyn gohirio.

'O *plîs*,' ac roedd hi'n sarcastig, bron. ''Wy jyst yn gwbod. A ti yn hefyd . . . Beth ti ishe i fi ddweud? Bod ni wedi cael rhyw ar lawr y lolfa ac ar ôl i ni orffen bod e wedi edrych mewn i'n llyged i, tynnu fi'n agos ato fe a rhoi cusan i fi ar fy nhalcen? Cyn rhoi'i drowsus 'nôl 'mlaen a cerdded mas o'r byd? Neu bod e wedi dechre cymryd diddordeb mewn life insurance yn sydyn? Ond os ti ishe gwbod, odd e wedi bod yn weird cyn hynny, okay? Nid yn really ddiweddar, ond cyn hwnna. Odd e wedi bod yn, 'wy ddim yn gwbod sut i ddisgrifio fe, jyst yn rhyfedd. Cwpwl o wthnose, misoedd falle yn ôl. Odd e wedi bod yn codi'n gynnar yn un peth. Ha! Cyn un ar ddeg. Ond odd e ddim yn cysgu, ac odd e'n mynd allan yn hwyr. A ti'n gwbod fel odd e anyway, odd e wastad yn lico meddwl bod e'n rhyw fath o fucking artist, ddim yn byw yn ôl y cloc, mynd mas i gerdded, neu yn yfed wisgi yn y lolfa tan y bore. Odd y shit yna i gyd yr un peth – ond odd 'na *rywbeth* am ei ffordd e pryd hynny, rhywbeth . . . beth naf i weud? – ddim cweit yn iawn. Sai'n gwbod. A ti'n gwbod? Mae'n rhyfedd, achos o'n i wedi dychmygu hwn. Nid necessarily fel rhywbeth fydde'n digwydd yn iawn, ond jyst fel pen draw rhesymegol i'r ffordd oedd e.'

Mae hi'n siarad yn dawelach nawr, a Daniel yn ymwybodol o orfod pwyso tuag ati i glywed.

'Sai'n gwbod. Ti'n meddwl weithiau am sut fyddi di pan fyddi di'n wynebu marwolaeth. Sut wyt ti'n mynd i fod? Wyt ti'n mynd i fod mor sâl fel bod ti ddim yn gwbod beth sy'n mynd ymlaen? Wyt ti'n mynd i gyrraedd rhyw bwynt o dderbyn, gadael i bethau olchi drosto ti a gallu jyst rhoi pethau'r byd heibio ac aros, disgwyl, neu beth? Neu wyt ti'n dal at dy fywyd tan yr eiliad ola un? Ac wyt ti'n mynd i drio byw hyd yn oed pan wyt ti'n marw? Marw fel oeddet ti'n gobeithio o't ti wedi byw? Ar yr ymyl, gyda sialens? Ac wy'n cofio meddwl bydde fe byth yn gallu jyst troi popeth off a mynd. Neu o'n i'n meddwl hefyd bydde fe mor convinced ohono fe'i hunan, o'i bwysigrwydd e, fel y bydde fe'n trio marw, sai'n gwbod, i brofi'i hun. I brofi'i fywyd, i brofi'i lwyddiant . . . Bullshit . . .'

'Ond dyna i gyd sy gyda ti? Dyna pam ti'n meddwl . . .?'

Doedd hi ddim yn ei glywed.

'A ti'n gwbod, mwya i gyd 'wy'n meddwl am y peth, mwya i gyd 'wy'n gwbod, yn hollol convinced bod e'n gwbod yn iawn beth oedd e'n neud. Odd e wedi gweld hwn i gyd. Ac odd e'n fucking mwynhau. Dyna beth sy'n really cael fi nawr. Odd y bastard yn mwynhau. Alla i ddychmygu fe'n chwerthin i'w hun yn ei feddwl, yn meddwl pa mor *glefar* odd e. Odd e'n gwbod bydden ni'n chwarae'r holl beth 'nôl, a bydden i'n chwilio am yr exit, ti'n gwbod, yr out point. Ac y bydden i'n trio darllen, dehongli, dyfeisio hyd yn oed, y pwynt tyngedfennol lle fydden i, ni, yn gallu dweud, "Ah, dyna fe. Dyna lle mae'r esboniad. Dyna lle rodd e'n gwbod". Ond odd e wedi mynd mas o'i ffordd i wneud yn siŵr bod 'na ddim byd. Dim byd. Dim hyd yn oed brawddeg allan o le. A dyna beth alla i ddim deall. Pa fath o berson sy'n neud hwnna? Pa fath o berson, eh?'

Dyw'r nos ddim yn adeg am bersbectif clir a dadleuon croyw. Yn y nos r'yn ni ar ein pennau'n hunain. Rwy wedi meddwl sawl gwaith ers iddo fe ddigwydd am y noson hon. Sut ddylwn i fod wedi ymateb? A ddylwn i fod wedi bod yn fwy pendant gyda hi? Dadlau yn ei herbyn hi, er ei bod hi'n dweud yr union bethau ro'n i wedi bod yn meddwl amdanyn nhw fy hun? Ond ar y pryd, doedd yna ddim dewis. Ac mewn sawl ffordd, roedd y pwynt hwn, pan oedd hi wedi dechre arllwys ei henaid ac wedi aros, i ddisgwyl fy ymateb i, yn eitha tyngedfennol. Oherwydd pan ydw i'n cofio am beth gafodd ei ddweud pan oedden ni'n sefyll yna ar y landing ac wedi hynny hefyd, yn fy hen stafell i, yn y gwely, ein pennau ar glustogau oedd yn drewi o'u blynyddoedd yn y cwpwrdd, a fi'n trio peidio mwynhau cyffyrddiad cynnes ein coesau o dan y quilt sbâr, rwy'n cael fy hun yn meddwl nad oeddwn i wedi bod ac na fyddwn i eto mor agos at Anna, ac at Davies hefyd, ac at galon ofnadwy y sefyllfa, ag yr oeddwn i bryd hynny. Pan oeddwn i nid yn unig yn gwrando gyda chlustiau

141

anfodlon ar ei hangerdd hi, ond hefyd yn gallu'i gweld hi a'i theimlo hi'n torri reit yna, o fy mlaen. Ac yn gweld ac yn teimlo Davies, yn torri hefyd, reit yn yr un fan. Roedden nhw'n funudau arswydus, a'r hyn rwy'n ei gofio fwya yw meddwl pa mor debyg oedden ni i'r plant yr oedden ni wedi bod. Falle taw Anna'n cyfeirio at ein plentyndod ni, Davies a fi, oedd y sbardun. Neu falle bod y darlun ohoni yn cysgu yn y gadair ychydig oriau yn gynharach y noson honno, pan oeddwn i wedi tynnu'r blanced drosti, wedi aros yng nghefn fy meddwl a bod fy ymennydd nawr yn pentyrru delweddau, ac yn barddoni'r pathos yn fy mhen. A doeddwn i erioed wedi gweld mwy na cwpwl o luniau o Anna pan oedd hi'n fach, ond i fi, roedd ei thrueni y noson honno, ei ffyrnigrwydd, ei dicter, ei siom, yn hollol sylfaenol, yn anadferadwy, yn bur, yn ingol ac yn anobeithiol o syml. Y sylweddoliad taw plant ydyn ni wastad yn y munudau hyn. Amser Nadolig yn yr ysgol gynradd, yn chwarae â'r gêmau-o-gartre yn y dosbarth ar ddiwedd tymor, yn gwrthod gadael i'r plentyn nad yw e wedi dod ag unrhyw beth i ymuno yn yr hwyl. Anrhegion i'r athrawes, bocsys neis o siocledi, nicknacks o'r ffair grefftau leol, gweld y rhieni dosbarth canol yn y rhoddion, a hynny yn erbyn y cardiau rhad sydd ddim hyd yn oed yn sefyll i fyny'n iawn. Plant, yn gweld lluniau o newyn yn Ethiopia ar y newyddion, yn synhwyro'r byd yn rhuthro amdanyn nhw. Ac yn digwydd nawr fel o'r blaen: Davies ac Anna a fi, yn ein profiad ac yn awr anterth ein bywydau aeddfed, sydd i fod uwchben y math yna o 'weledigaeth', y profiad cyntaf hwnnw o annhegwch. Dyna oedd y noson honno, yn y tywyllwch. Sioc. Ar ôl i'r tri ohonon ni dreulio'n holl amser gyda'n gilydd yn ceisio goresgyn yr union sentimentaleiddiwch hwn, yn cael ein taro nawr, fel gyda bag o sement gwlyb yng nghefnau'n pennau, yn ein cael ein hunain yn methu siarad hyd yn oed, na deall, nac amgyffred ond fel y plant yr oedden ni unwaith, amser maith yn ôl.

Roedd Anna wedi tawelu, ei chorff yn llipa eto, ei gwddf yn methu â dal pwysau'i phen. Gwasgais heibio iddi, gwthio drws ei stafell ar agor a throi'r golau ymlaen ar y wal. Edrychai'r stafell yn oer a dieithr, fel tasai wedi'i lifoleuo. Doedd hi ddim wedi symud. Doedd hi ddim am ddod i'r stafell. Ac roeddwn i'n ymwybodol, wrth sefyll yno, nad oeddwn i wedi dweud llawer o ddim wrthi y noson honno ar wahân i drio'i pherswadio hi i fynd i'w gwely ei hun. Doedd 'na ddim gormod o bwynt gwneud hynny nawr. Es i allan o'r stafell a diffodd y golau. A rhwng hynny ac estyn fy llaw o gwmpas fy nrws i i roi'r golau ymlaen yn y fan honno, ro'n i wedi cynnig fy ngwely i iddi. ''Na i fynd lawr i'r soffa, mae'n iawn.' Ond roedd hi wedi dweud, â'r hyn oedd yn swnio fel y gallai fod wedi bod yn anadl olaf, 'Na, aros gyda fi. 'Wy ishe bod yn dwym heno'.

Un o gonfensiynau'r genre: 'y noson honno fe gysgon ni â dyn marw rhyngddon ni'. A bron nad oedd hynny'n llythrennol wir. Wrth i ni geisio'n lletchwith i osgoi bwrw mewn i'n gilydd wrth fynd i mewn i'r gwely, a phan oedd y stafell yn dywyll a fi wedi tynnu fy nhrowsus a fy siwmper a'u plygu nhw yn hanner gofalus a'u rhoi nhw rywle ar ganol y llawr, ac ar ôl i fi orwedd yn agos ati, a'i chefn hi tuag ata i, ro'n i'n siŵr 'mod i'n gallu gwynto Davies – yn ei gwallt, yn ei chrys-t, yng ngwres dau gorff yn yr un gwely, ac ar ei chroen.

143

Erbyn y bore roedd yr haul wedi ailymddangos a'r stafell olau yn awgrymu ffresni'r byd y tu allan. Bore i gerdded yn y parc, i wlychu esgidiau yn y gwlith a dod yn ôl i'r tŷ cyn brecwast i gael cawod a newid sanau. Deffrodd Daniel tua wyth neu naw a mwynhau'r awgrym o wres. Roedd ei feddwl yn glir, dim arlliw o ddigwyddiadau'r noson cynt. Meddyliodd am godi. Meddyliodd cymaint o beth neis fyddai iddo fe fynd allan i brynu croissants twym a dod â nhw ar hambwrdd bach pren gyda choffi ffres i Anna wrth iddi ddeffro. Byddai'n agor y ffenest, i adael awel ysgafn i fewn. Byddai hi'n eistedd i fyny yn y gwely, y cwsg yn dal yn ei llygaid ond yn ddigon effro i allu gwerthfawrogi blas chwerw'r coffi a'r ffrwydrad o egni cyflym. Dechreuodd Daniel ddychmygu texture y croissants, eu hysgafnder chwareus, ei fysedd yn rhwygo'r cnawd yn dyner a phenderfynol. Dychmygodd gwpan mawr, dwfn, a gosod y croissant yn ofalus yn y coffi. Dim digon i'w wneud yn rhy wlyb ac iddo suddo i'r gwaelod ond jyst digon i'r blasau gyfuno yn ei geg. Roedd hi'n dal i gysgu wrth ei ochr, ei chefn tuag ato o hyd, a'i chorff yn symud yn ysgafn i rythm ei hysgyfaint. Cofiodd wedyn nad oedd Adamsdown neu Splott yn enwog am eu boulangeries.

Aeth yn ôl i gysgu. Pan ddeffrodd eto, awr neu ddwy wedyn, roedd y gwely'n wag. Roedd Anna wedi dringo drosto ac allan o'r stafell heb iddo sylwi. Ac ar amrantiad, wedi'i ffurfio'n berffaith yn ei feddwl, roedd holl gynnwrf y noson cynt. Aeth drwy'r sgwrs yn ei feddwl, ac yn y golau organig teimlai'r peth nid yn gymaint fel breuddwyd ond fel ffilm hwyr roedd e wedi'i gweld mewn hen sinema ar gyrion dinas. Meddyliodd amdanyn nhw'n sefyll yno,

144

yn y coridor, y tu allan i amser. Cofiodd linell o nofel Albert Camus, *Y Pla*: 'Tomorrow real life would begin again, with all its restrictions'. Dyma'r fory hwnnw, a'r teimlad bron o resignation, fel ar ddechrau tymor ysgol newydd. Roedd ei ben yn dal ar y glustog. Sylweddolodd ei fod wedi bod yn edrych ar y wal, ond heb ei gweld, ers rhai munudau. Roedd e'n meddwl am Davies yn gadael y tro ola hwnnw, ac am ddicter Anna neithiwr wrth iddi sôn am y peth. Ceisiodd wneud synnwyr o'r sefyllfa. Meddwl am bethau'n rhesymegol. Ceisiodd ei roi'i hun yn sefyllfa Davies. *Os* oedd e'n gwybod, *os* oedd yna fwriad, yna mae'n rhaid y byddai hynny wedi ei fynegi'i hun mewn rhyw ffordd. Mae'n rhaid. Hynny yw, oni fyddai hi'n amhosib i berson o deimlad ac emosiwn guddio'r fath beth? Oni fyddai yna ryw arwydd, dim ots pa mor fychan a dibwys yr ymddangosai ar y pryd? Roedd Anna wedi mynnu nad oedd yna. Oedd hi felly yn anghywir? Neu yn methu cofio'n iawn? Roedd hi'n ofnadwy o emosiynol, wedi'r cyfan. Oedd hi'n dewis peidio cofio – neu yn cael ei chyflyru, yn isymwybodol, i beidio â chofio? Oedd hi, efallai, yn peidio â chofio yn fwriadol, allan o euogrwydd o ryw fath? – Teimlad bod bai arni hi, os nad mewn rhyw ffordd annelwig ac amhenodol am actual dirywiad Davies, yna bai am fethu â *darllen* ei chariad, a deall ei gyflwr yn reddfol, fel ail feddwl ac ysbryd iddo? (Ond sut oedd disgwyl iddi fod yn hynny, beth bynnag? Byw er ei fwyn e, i deimlo'i boen ac i roi massage bach i'w ego bywiog, ac i'w berswadio a'i ganmol a'i annog yn ôl yr angen? Roedd hynny'n syniad gwallgo, wrth gwrs.) Cwestiynau, ymchwiliadau. Esboniadau a gwrth-esboniadau – yn lluosi ac yn llygru fel bacteria. Ond roedd Anna, yn y pen draw, yn eilradd i'r digwydd. Ac yn y gwely y bore hwnnw, fel antidote i'r nos a'i hysbrydion, roedd yn rhaid brysio heibio heb deimlo, archwilio heb glymau personol . . . Fe allai hi fod wedi gweld neu glywed neu synhwyro rhywbeth – roedd hi'n sicr iawn o'i gallu i synhwyro, wedi'r cyfan – os oedd yna rywbeth i'w synhwyro, neu fe allai hi fod wedi â methu hynny, am ba reswm bynnag. Nid dyna oedd y ddadl (neu'r brif ddadl, beth bynnag) fel y gwelai Daniel hi. Yn y pen eithaf, roedd yn rhaid sôn am un dyn ar ei ben ei hun – un dyn yn ei ddylanwadau aneirif, yn sicr, ond un dyn er gwaetha hynny.

Lawr llawr roedd Anna'n eistedd ar y soffa yn y lolfa, ei choesau wedi plygu odani. Roedd cwpan coffi wrth ei hochr, wedi'i bwyso'n beryglus ar fraich y gadair. Roedd y papur newydd wedi'i agor ar hyd hanner arall y soffa ac roedd hi'n pwyso drosto, ei braich wedi'i hestyn ar hyd top y clustogau fel tasen nhw'n bâr o ysgwyddau llydan. Roedd ei phen hi'n hollol lonydd, a'i llygaid wedi'u hoelio ar ddarn pitw yng nghornel chwith y papur. Roedd hi wedi'i ddarllen a'i ailddarllen. Erbyn hynny, mae'n debyg ei bod hi jyst yn edrych ar y geiriau, ar eu ffurf ar y papur. Gadael i'w llygaid groesi, o ganolbwyntio i ymlacio, gadael i'r siapau du wahanu cyn dod at ei gilydd eto, i fewn ac allan o ffocws. Ceisio darllen mwy na'r geiriau a'u hystyron – edrych am arwydd y tu allan i'r bocs du plaen, y pennawd unffurf a'r groes ddu. Ceisio mesur eu heffaith fel darn o gelf. Y print plaen sans-serif, yn gofalu rhag bod yn anghydnaws â'i neges. Justification y llinellau. Taclus, ystyriol. 'Yn sydyn, ar ddydd Sul, y 25ain o Awst, Robert Geraint Davies, 4, Muriel Terrace, Dowlais, yn ddiweddar o Gaerdydd. Mab Annwyl, nai cariadus a ffrind ffyddlon.

"Yn nheyrnas diniweidrwydd Mae'r sêr yn fythol syn; Mae miwsig yn yr awel, A bro tu hwnt i'r bryn." Gwasanaeth yn y tŷ, i'w ddilyn gan angladd cyhoeddus yn Amlosgfa Llwydcoed, 2 o'r gloch, dydd Llun yr 2ail o Fedi. Blodau'r teulu yn unig. Ymholiadau pellach i DJ Thomas, Trefnwr Angladdau, Ffôn: 01685 _____.'

O'r diwedd fe gaeodd hi'r papur, o'r cefn i'r blaen, ac eistedd 'nôl yn erbyn braich y soffa. Cwympodd y cwpan coffi. Roedd e'n wag. Tarodd yn galed yn erbyn y carped ond wnaeth e ddim torri.

Plygodd ymlaen eto. Ac edrych ar y papur, fel tasai'n disgwyl i'r cyhoeddiad ymddangos drwy'r tudalennau caeedig, wedi llosgi trwy'r adran chwaraeon. Cafodd ei hun yn darllen stori am bêl-droediwr o Gaerdydd oedd wedi cael ei anafu yn ystod un o gêmau cynta'r tymor newydd ac a fyddai nawr allan am weddill y flwyddyn. Ymhen munud roedd hi wedi darllen pump neu chwech o baragraffau, ac yn teimlo dros y chwaraewr anffodus. Roedd e wedi gobeithio chwarae i Gymru dan-21 rywbryd yn ystod y tymor.

Pam nad oedd Mrs Davies wedi cysylltu â hi ers dydd Sul? 'Ffrind ffyddlon.' Roedd hynny i'w ddisgwyl, mae'n debyg. Fe allai hi ddioddef hynny. Ond beth oedd y dyfyniad yna? Roedd e'n gwneud iddo fe swnio fel plentyn wyth oed. Ceisiodd benderfynu ai'r trefnwr angladdau fyddai wedi dewis y llinellau. Doedd hi byth wedi meddwl am fam Davies fel person oedd yn darllen lot o farddoniaeth. Roedd hi'n crio nawr.

Cododd a cherdded i'r drws ffrynt. Agorodd y drws ac eistedd ar y stepen. Estynnodd i fewn i boced ei throwsus a thynnu sigarét. Eisteddodd yno'n smygu, ac yn edrych

147

ar gang o fechgyn yn chwarae pêl-droed ar yr iard dros yr hewl. Roedden nhw wedi dringo'r ffens i fynd mewn ac roedden nhw'n rhedeg o gwmpas fel pryfed bach. Clywodd nhw'n rhegi ar ei gilydd. Meddyliodd eto am fam Davies, yn hollol ar ei phen ei hun, fel yr oedd hi.

Ceisiodd Daniel rannu'r gwahanol linynnau a'u cadw ar wahân. Bwriad, a'r camsyniad bwriad. A Davies yno yn rhywle yn mwynhau, fel gêm epistemolegol, ontolegol – neu lenyddol – y goddrychedd roedd e wedi'i wthio ar y ddau ohonyn nhw. Beth oedd yn ei feddwl? Yr anatebadwy. A dyna oedd y jôc. Pan oeddech chi'n meddwl amdano, am y goblygiadau . . . Oedden ni'n ddigon? Oedden ni ein hunain, ei ffrindiau agosa, wedi cael ein mesur ac wedi ein cael yn brin o'r nod? Beth oedd e wedi'i weld dros y dibyn? Gwaelod y clogwyn, efallai, neu ddim byd ond düwch ei amrannau'i hun wrth i'r gwres y tu ôl i'w lygaid grynhoi fel tân fforest.

Lawr llawr aeth Anna i ôl dŵr o'r gegin. Arllwysodd weddill y dŵr o'r botel yn y fridge ac fe gyrhaeddodd yn union i dop y gwydr. Arwydd. Rhoddodd ei gwefusau i'r gwydr a sugno digon i'w cheg iddi allu cario'r dŵr heb ei golli yn ôl i'r drws ffrynt. Roedd hi hefyd yn meddwl am eiriau, meddyliau olaf. Roedd hi'n cofio sut y byddai Davies, bob tro roedd rhywun yn gadael, yn trio ffitio cymaint i fewn i'r eiliadau dwetha hynny ag oedd yn bosib. Fel tasai e'n gweld yn ddigon clir ynddo fe ei hun beirianwaith amrwd ymwneud dynol, ond ei fod e'n methu'n lan â'i anwybyddu, neu'i wrthod. Byddai e'n nerfus, fel tasai e ofn yr holl beth, fel tasai'r peth yn farwolaeth fechan. Ac felly roedd e'n cwympo 'nôl ar gysur patrymau: 'naf i ffonio canol yr wythnos . . .', 'gad i

fi wbod os alla i helpu unrhyw bryd . . .' ac yn y blaen ac
yn y blaen. Yn lle sefyll yno wrth y drws a jyst chwifio.
Ond nawr, o'r diwedd, roedd e wedi llwyddo: roedd e
wedi osgoi'r lletchwithdod – wedi cymryd bypass heibio
i'r holl beth. Ha ha.

Roedd Daniel yn eistedd ar ochr y gwely, yn pwyso
ymlaen yn ei bants a'i grys-t. Oedd Davies yn chwilio am
out-point addas? Ac ar ôl methu â'i ffeindio, oedd e wedi
jyst mynd? Osgoi'r olygfa dyngedfennol yn yr ysbyty –
ffrindiau o gwmpas yn trio tynnu geiriau o'r awyr, ac yn
methu, a hynny wrth wely angau o bob man. Methu hyd y
diwedd. Roedd Anna wedi bod yn gas neithiwr, yn hallt.
Digon dealladwy, wrth gwrs. Ond roedd yn rhaid rhoi
mantais yr amheuaeth iddo fe, on'd oedd? Parchu ei
reswm, a'i deimlad. Ac mae'n siŵr wedyn bod y ddau,
Dani ac Anna, yn annibynnol ar ei gilydd, ac efallai ar yr
union un eiliad, wedi dod i'r un casgliad: taw chwe
modfedd yw hyd a lled byd; bod dau ben gyda'i gilydd,
mewn cusan, neu ar glustog mewn gwely, neu yn sibrwd
geiriau caredig ac addfwyn mewn clust, yn dal yn ddim
byd ond dau ben.

[2.5]

Doedd Anna ddim wedi gweld ei rhieni ers i Davies farw, ond y bore hwnnw fe ffoniodd hi nhw. Roedden nhw wedi cynnig dod i Gaerdydd i aros gyda hi yn syth, neu iddi hi fynd adre tan yr angladd, ond roedd hi wedi gwrthod. Gormod i'w wneud, roedd hi wedi dweud. Trefniadau, angen iddi fod yn y tŷ rhag ofn y byddai pobl yn galw neu'n ffonio. Ac roedd Daniel yma nawr beth bynnag. Byddai hi'n iawn.

Roedd yr heddlu'n mynd i alw o gwmpas rywbryd hefyd. Roedden nhw wedi dweud hynny ddydd Sul, pan oedden nhw'n dod â hi 'nôl yn y car. Doedd e ddim yn unrhyw beth mawr – roedden nhw'n mynd i edrych o gwmpas, aros i'r bobl fforensic, a'r bobl sy'n darllen marciau teiars yn yr hewl – sêr-ddewiniaid trasiedi – i wneud adroddiad cyffredinol, wedyn penderfynu. Damwain, roedden nhw'n gwybod hynny, fwy neu lai. Doedden nhw ddim yn rhag-weld y byddai yna lot o werth mewn mynd â'r peth y tu hwnt i hynny, oni bai fod yna bethau yn bod ar y car cyn y ddamwain.

Rhwng marwolaeth ac angladd mae popeth, ar un olwg, yn cael ei atal. A hyd yn oed yn y dyddiau di-Dduw hyn, a heb yr arferion llwythol – y galarnadu uwch yr arch am ddyddiau, neu losgi cannwyll yn yr un ystafell, cadw'r golau ynghynn ger y corff, neu losgi arogldarth, neu hyd yn oed wisgo du a chadw'r llenni ar gau – dyw hi ddim yn bosib disodli'r inertia. Fel rhyw fath o ddialedd gan yr ysbrydol, neu'r crefyddol: ha! R'ych chi wedi trio gwadu'i fodolaeth ond dyma fe'n dod yn ôl i'ch meddiannu ac allwch chi ddim mo'i rwystro mwy nag y gallwch chi'i frysio, neu benderfynu ei hyd a'i led a'i ddyfnder! Yr hyn ydyw, mae'n debyg, yw'r hyn roddodd fod i arferion crefyddol o'r fath yn y lle cynta. Grym goresgynnol marwoldeb ar y bod corfforol – un corff yn teimlo'r clai fydd amdano ei hun rhyw ddydd. Ond yn fwy na hynny, teimlad hollol ddemocrataidd o gyfartal o ddiymadferthedd.

Pasio'r amser yw'r broblem fwya. Ac, mewn ffordd, hynny sy'n profi gonestrwydd yr anghrediniwr. Heb ei ddefodau, heb y cysur o batrwm. Mae'r teledu'n fwy o boen nag ydyw fel arfer, cerddoriaeth yn mynd i'r byw gyda rhwyddineb peryglus, darllen yn tywys y meddwl yn syth i'r mannau y mae'n ceisio'u hosgoi, cerdded yn eich tynnu chi lawr, a siopau, prysurdeb dinas, yn gwneud i chi ddyheu am lonydd gwlad. Sy'n eich gadael chi'n noeth – heb y gallu i ailgyfeirio'r meddwl. A beth sydd yna wedyn ond dewis? Ymwneud neu ymddatod. A dyna lle mae'r onestrwydd yn dod i fewn i'r holl beth. Rwy'n hoffi meddwl ein bod ni wedi bod mor onest ag y gallen ni fod, Anna a fi, yn y cyfnod hwnnw. Hyd yn oed pan oedden ni am y gorau yn trio anwybyddu, roedden ni'n onest. Roedden ni mor ddefosiynol yn ein ffyrdd, yn ein triniaeth hollol ddifrifol o'r sefyllfa, ag unrhyw Gristion. Ond rwy'n credu bod gan y ddau ohonon ni hefyd, yn ystod y cyfnod hwnnw, rywbeth wastad yng ngwaelod ein meddyliau, a'n heneidiau, os alla i fod yn ddigon sentimental i ddefnyddio'r gair. Ond os sentimental, nid sentiment oedd y gwaelod hwnnw. Ac er cydnabod daioni'r cyfnod, y dioddefaint ystyrlon, y gwir amdani yw bod hyn i gyd yn mynd heibio. Mae galar yn pallu, a'r mesur o'r hyn sydd yn aros yw'r peth: yr hyn sydd ar ôl o'r profiad mewn gwaed oer sy'n bwysig, mewn trefn-wedi'i-ailosod, ac mewn –

rwy'n gohirio'i ddweud e – 'bywyd bob dydd'. Beth wnewch chi pan nad yw calon eich byd, eich cariad, eich ffrind gorau, yn cael ei adlewyrchu ym mhob penderfyniad bach a dibwys; pa win i'w brynu, pa ffilm i'w gweld, pa orenau i'w codi mewn siop groser a pha rai i'w gwrthod? Rwy'n cael fy atgoffa nawr o flaenor yn ein capel ni, 'nôl adre. Byddai'n gweddïo gweddïau hir bob wythnos, byth yn ysgrifennu gair ar bapur, na gwneud nodiadau chwaith. Ond byddai'r geiriau'n llifo – trwy wahanol erchyllderau'r byd, ein hamrywiol bechodau fel hil ddynol, a'r sialens i ni bechaduriaid y llawr. Ond byddai'n dweud, bron bob wythnos, wrth ddod at y diwedd, 'Bydd gyda ni, O Arglwydd. Bydd gyda ni – oherwydd os nad wyt Ti gyda ni, Duw a'n helpo ni'. Ac yn y cyfnod rhwng marwolaeth ac angladd, yr un frawddeg abswrd honno, yr un frawddeg abswrd honno wedi'i gwreiddio mor hyfryd yn iaith a meddwl a ffydd de Cymru – a'i hiwmor hefyd – y frawddeg honno sy'n nodweddu'r profiad.

Y prynhawn hwnnw aethon ni i weld mam Davies. Roedd Anna wedi bod yn aros tan i fi gyrraedd cyn mynd i'w gweld hi. Wnaeth hi ddim dweud hynny ond ro'n i'n gallu'i synhwyro. Roedd mam Davies wastad yn fy hoffi i. Wrth i ni baratoi i fynd ro'n i'n trio cofio'r tro dwetha i mi'i gweld hi. Roedd hi'n bum mlynedd o leia. Roedd y tri ohonon ni'n arfer mynd lan i'w gweld hi weithiau, ar brynhawn dydd Sul, i gael te. Roedd Davies yn hoffi dweud ei bod hi'n haws mynd gyda ni. Roedd e'n hoffi esgus bod yr holl beth yn hassle mawr. Byddai e'n dweud ei bod hi'n hoffi gweld y tri ohonon ni – cael yr hanesion i gyd. Doedd Anna, wrth gwrs, ddim yn credu hynny. Roedd hi wedi cael yr argraff bod mam Davies wedi cymryd yn ei herbyn hi o'r dechre. Ddim mewn unrhyw ffordd amlwg – jyst rhyw fath o argraff ei bod hi'n difaru colli'i mab i gartref a bywyd arall. Doedd hynny byth yn wir, dwy' ddim yn credu. Roedd hi yn hoff o Anna, dim ond bod gyda fi hanes roedd hi'n ei nabod yn barod. Bob tro roeddwn i yna byddai hi'n gofyn i fi a oeddwn i'n caru ar y pryd. Doeddwn i ddim, fel rheol. Neu ddim mewn unrhyw ffordd y byddai hi'n werth sôn amdano dros de gwan a bara jam, beth bynnag. Ond roedd hi'n hoffi tynnu coes am hynny, a byddai hi'n troi at Anna ac yn gofyn iddi, fel taw hi oedd yr awdurdod, pam nad oedd merched ifanc Caerdydd yn ciwio rownd y gornel i fynd allan gyda fi. Roedd Anna'n arfer dweud fy mod i'n rhy choosy a bod yna ddigon o ferched o gwmpas tasen i ond yn fodlon edrych. A dyna fyddai'r unig amser pan oeddech chi'n gallu synhwyro awgrym o ysgafnder yn mam Davies. Nid ei bod hi'n galed, jyst nad oedd hi wedi cael lot o ymarfer yn y grefft o chwerthin dros y blynyddoedd, mae'n debyg. Roedd y gair choosy yn ei phlesio hi hefyd, fel tasai hi'n cofio gyda balchder adeg pan oedd hi ei hun wedi bod yn choosy.

Dydw i byth wedi bod yn dda iawn am weld tebygrwydd mewn wynebau, ond roeddech chi'n gallu gweld Davies ynddi hi yn syth. Rhywbeth yn siâp yr ên, a'r cyfuniad o lygaid a thrwyn. Roedd hi wedi heneiddio'n dda. Hynny yw, roedd hi'n gymharol hen, rwy'n credu, pan gafodd hi Davies yn y lle cynta, ac roedd hi'n hŷn o dipyn na fy mam i, er enghraifft. Ac mae'n debyg taw'r hyn y byddech chi'n dweud am ei hwyneb oedd nad oedd e wedi cael cyfle i feddalu. Fel yr oedd hi wedi gorfod gwneud popeth drosti'i hun ers pum mlynedd ar hugain, felly roedd ei thalcen, er enghraifft, a'i cheg a'i bochau, wastad fel tasen nhw wedi'u crychu gan ymdrech. A nawr, pan oedd hi'n gwneud llai o gwmpas y tŷ, neu wedi stopio trin yr ardd ei hun, doedd ei chroen ddim yn gwybod am unrhyw ffordd arall i fod ond yn dynn o gwmpas ei hesgyrn.

Pan oedden ni'n blant roedd mam Davies wastad yn ymddangos yn llym iawn i fi. Byddwn i'n cwympo ac yn cael cwt ar fy mhen-glin a byddai fy mam i yn fy nghymryd i yn ei breichiau, ac yn fy ngwasgu i mewn i'w bol nes 'mod i ddim hyd yn oed yn gallu anadlu heb sôn am grio. Wedyn byddai hi'n fy rhoi i eistedd mewn cadair yn y gegin, yn penlinio o fy mlaen ac yn codi fy nghoes yn ysgafn i'w harffed ac yn dweud wrtha i am ddychmygu rhywbeth neis, fel hufen iâ o'r fan oedd yn dod rownd y strydoedd, tra oedd hi'n rhwbio'r eli yn y cwt. Ond roedd mam Davies wastad yn fwy brusque. Os byddai e wedi cwympo, byddai hi'n gafael ynddo fel doctor diamynedd: yn byseddu'r briw heb ormod o ofal ac yn ei wlychu â TCP nes bod Davies yn teimlo y byddai'n well gyda fe gwympo eto na gorfod cael y cwt cynta wedi'i drin. Rwy'n cofio meddwl ar y pryd fy mod i'n falch taw Mam oedd fy mam i, ac nid mam Davies. Ond wrth gwrs dyw hynny ddim yn fesur o unrhyw beth. Ac efallai ei fod e'n beth banal i'w ddweud, ond mae'n debyg bod mam Davies jyst wedi gorfod bod yn galed, wedi gorfod bod yn ddi-nonsens am bethau – yn enwedig bethau mor fach ag ychydig bach o waed ar goes bachgen oedd yn hoffi chwarae mewn drain, neu yrru'i feic yn wyllt o gwmpas y strydoedd. Wrth gwrs ei bod hi'n caru Davies. Rwy'n trio dychmygu nawr sut oedd pethau iddi.

Tybed oedd hi'n gweld ei gŵr ynddo fe gyda phob dydd fyddai'n mynd heibio? Pob dydd y byddai Davies yn tyfu, yn datblygu, yn dysgu geiriau neu sefyllfaoedd newydd? Neu yn y ffordd roedd e'n cerdded, neu yn ei gario'i hun? Neu yn ei lais, a goslef ei lais? R'yn ni'n credu taw dim ond yn ein meddyliau ni y mae'r pethau hyn yn chwarae. Taw dim ond ni sy'n teimlo. Mae'r ysgytwad achlysurol, y sylweddoliad nad yw hynny'n wir fel iachawdwriaeth. Pwy allai feio mam Davies? Ac rwy'n meddwl nawr, jyst y ffaith o fod yn galw 'mam Davies' arni, yn lle Mrs Davies, neu ei henw cynta hyd yn oed. Mam. Ni sydd yn ifanc ac sydd yn credu mor ddiwyro yn ein braint ein hunain . . . Wrth gwrs ei bod hi'n caru Davies. Roedd hi'n ei garu fel caru dau. A phris hynny, yr unig ben draw posib mewn gwirionedd, oedd gorfod bod yn *ofalus*.

Doedd Anna ddim wedi dweud gair wrth i ni yrru trwy strydoedd Caerdydd. Roeddwn i wedi bod yn edrych draw arni, wrth i ni arafu tu ôl i gar o'n blaen, neu wrth oleuadau traffig, jyst i drio dal ei llygad, i ddarllen ei meddwl, i weld a oedd pwynt trio siarad â hi. Roedd hi'n syllu'n galed drwy'r ffenest ar y chwith, ei chorff wedi'i droi i'r cyfeiriad arall, gymaint ag y mae hynny'n bosib mewn sedd car, ac yn hollol lonydd. Roedd y prynhawn yn dechre teimlo fel artaith plentyn: roedden ni wedi gwisgo'n daclus ac yn mynd i rywle lle doedden ni ddim eisiau mynd. Pan fydden ni'n cyrraedd fydden ni ddim yn gwybod beth i'w ddweud. Bydden ni eisiau dod o'na yn syth. Ond roedden ni'n mynd am ein bod ni'n blant a doedd dim dewis gyda ni. Yr unig wahaniaeth y tro hwn oedd ein bod ni'n gyrru ein hunain ac nad oedd ein rhieni yna i ddweud wrthyn ni am gofio dweud 'plîs' a 'diolch'.

Roedd Anna'n gwisgo sgert hir, dywyll a blouse tywyll. Roedd hi wedi meddwl y byddai Mrs Davies yn siŵr o sylwi ar bethau fel yna. Roeddwn i'n gwisgo tei du.

Erbyn i ni gyrraedd y ffordd ddeuol allan o Gaerdydd roedd Anna'n symud eto. Roedd hi'n anghyffyrddus, ei sgert wedi'i phlygu rhwng y sedd a'i choes ac yn gwasgu'i chroen. Ceisiodd ei thynnu'n rhydd ond roedd y seat belt yn cadw'n dynn o'i hamgylch ac roedd hi'n mynd yn fwy a mwy diamynedd. Agorodd y ffenest fodfedd neu ddwy ac am eiliad teimlai sŵn y gwynt fel y gallai ein byddaru. Caeodd y ffenest eto ac roedd hi wedi newid yn llwyr nawr. Roedd hi'n nerfus, ar bigau'r drain. Tynnodd sigarét allan o baced yn ei bag cyn ei rhoi yn ôl eto. Edrychodd draw arna i. 'Nes i ddim edrych yn ôl, jyst cadw fy llygaid ar yr hewl.

Ac yn sydyn roedd ein cyrff yn iasau i gyd. Blaen pob bys yn teimlo popeth, sensitifrwydd wedi'i luosi'n aneirif, a'n meddyliau yn rhedeg gan milltir yr awr. Llygaid yn mynd i bobman, yn codi pob manylyn yn y tirwedd, ar yr heol, ar y dashboard o'n blaenau, yn gadael i bopeth wneud ei argraff ar ein meddyliau cyn iddo ffrwydro'n sbarc ac ildio'r lle i'r peth nesa. Roedden ni wedi pasio Pontypridd, a'r brifysgol ar y bryn, a'r stadau diwydiannol. Roedden ni'n dod at roundabout Abercynon. Y Little Chef a'r garej. Popeth yn cyrraedd uchafbwynt – yn gorfforol, fel petai. Fel tasen ni ar y waltzers mewn ffair ac yn aros i'r peiriant gyrraedd ei anterth cyn tawelu eto. Dim gair o hyd, y car yn grwgnach wrth drio cadw'r un cyflymder i fyny'r bryn. Arafu wedyn, wrth gyrraedd y cylchdro, a'r peiriant yn rasio. Disgwyl. Y geiriau mawr, y dagrau, y symudiad allan o'r arferol i'r teimladwy.

Ond cyn gynted ag yr oedden ni ar y ffordd osgoi eto, yr ochr draw i'r cylchdro, roedd yr holl beth fel petai wedi chwythu'i blwc, a'r egni'n lledu fel dŵr yn gorlifo dros ymyl sinc ac ar hyd y llawr odano. A lle roedd peiriant y car nawr yn cyfarwyddo eto â chyflymu, roedd ein meddyliau ni'n dadweindio, yn troi'n rhy gyflym i'r symudiad oedd yn cael ei gynnal. Free-wheelin'. A phan oedden ni wedi cyrraedd cydbwysedd eto, doedd dim i'w wneud ond trio manteisio ar y llonyddwch. Wrth i ni ddod at y fan, edrychais i draw ar Anna. Roedd ei llygaid yno'n aros am fy rhai i.

Wrth fynd heibio'r lle, a'i wyrddni amhenodol, normal, roedden ni'n trafod y noson cynt. Roedd Anna wedi dechrau ymddiheuro. Ac wrth feddwl am hynny nawr, falle taw'r ffaith ein bod ni mor excitable, mor noeth, mor ddiymatal oedd wrth wraidd y peth ond, yn barod, roedd digwyddiadau'n dechrau magu'u pwysigrwydd eu hunain.

'Ddylen i ddim bod wedi dod mewn atot ti neithiwr. Ddylen i jyst bod wedi mynd i'r gwely a deffro bore 'ma a gadael i bethau suddo mewn i'r nos. Sori.'

'Na, na. Mae'n iawn. Paid ymddiheuro. O't ti'n . . . o't ti angen . . .'

'Ie. Ond . . .'

Sgiwio'r sgwrs wedyn ychydig bach, a Davies nawr yn dod yn fodd i osgoi pethau.

'O't ti'n meddwl beth wedest ti neithiwr? Bod e mor fwriadol, mor ddideimlad . . .?'

'Wel, 'wy ddim yn siŵr. Falle, falle ddim. O'n i ddim yn gwbod beth i feddwl. 'Wy ddim yn gwbod beth i feddwl nawr . . .'

'Na. Na fi.'

'Ond diolch i ti. Beth bynnag. Diolch am roi lan gyda fi.'

'Ha.' Gwenu arni. 'Dim problem. Pwy sy'n mynd i os na wna i, eh?'

'Ie.'

Dweud pethau am fod disgwyl iddyn nhw gael eu dweud. Ond roedd lliw pethau, eu hansawdd, y cytundebau dieiriau, yn cael eu pennu gyda phob eiliad newydd. Pasio'r fan. Symud ymlaen?

Trio cadw pethau'n ysgafn, wedyn, ac ai brad yw hyn mewn rhyw ffordd? Pan fo'r ddyfais osgoi mor amlwg nes ei fod yno ym mhob chwerthiniad ffug? Roeddwn i'n dweud wrth Anna am ddarn yn *The New York Trilogy* Paul Auster, un o hoff lyfrau Davies a fi ar y pryd pan oedden ni'n ei ddarllen. Roedden ni'n mynd heibio i'r domen, ar fin troi lawr at y tŷ. Mae'r stori'n cael ei hadrodd gan ddyn sy'n chwilio am ffrind gorau ei blentyndod, sydd wedi diflannu, efallai wedi marw. Mae e'n mynd 'nôl i hen dŷ ei ffrind, i siarad â'i fam sy'n dal i fyw yno, i gael cliwiau am yr hyn allai fod wedi digwydd. Mae'r fam yn un o'r menywod bythol ganol oed yna sydd ddim yn fodlon gadael i'w hieuenctid i fynd. Mae hi'n gwisgo'n rhy ifanc i'w hoedran, ond mae hi'n provocative, ac mae'r syniad o'i phrofiad, a'i hyder rhywiol yn swyno. Mae'r adroddwr yn cysgu gyda'r fam. Roeddwn i'n ei dychmygu hi fel cymeriad Kim Basinger yn y ffilm *LA Confidential* – blonde, gosgeiddrwydd gostyngedig, wedi'i thrin fel baw gan ddynion di-ri ond yn dal i'w denu nhw, eu swyno nhw, fel taw hynny yw'r unig beth y mae hi'n gwybod sut i'w wneud yn iawn. Ail-lanw'r gwydr gyda vodka and tonics drwy'r prynhawn. Roeddwn i'n dweud hyn wrth Anna ac roedd hi'n chwerthin.

'Alli di ddychmygu mam Davies fel yna?'

'Ha ha.'

'Fyddet ti'n dweud "Beth am ddiod arall? Mae'r soffa yma'n fawr, lle i ddau . . . Ga i'ch galw chi'n Anne?" a bydde hi wedi cau'i chardigan reit lan i'r top, hyd yn oed cyn iddi ddechre twt-twtio a siarad dan ei hanadl am "nonsens".'

Fe chwerthon ni am y peth – a chwerthin hefyd ar y syniad o'r rôl oedd yn cynnig ei hun i fi nawr, ac i Anna. Chwerthin diniwed. Mae'n debyg. Hynny yw, roedden ni ym Merthyr a Dowlais.

Ond falle bod e ddim cweit y ddelwedd fwya addas i fod wedi'i chreu jyst cyn i ni'i gweld hi. Oherwydd pan agorodd hi'r drws, ar ôl i ni gnocio'n uchel ddwy waith, roedd hi'n edrych fel tasai hi wedi'i distrywio. Dyna'r unig ffordd i'w disgrifio hi. Roedd hi jyst yn ddelwedd o ddistryw. Doeddwn i ddim wedi'i gweld hi ers blynyddoedd, fel ro'n i'n dweud, ac roedden ni'n dod nawr yn yr amgylchiadau mwya ofnadwy, ond doedd hyd yn oed hynny ddim wedi fy mharatoi i ar gyfer hyn. Roedden ni wedi clywed sŵn ei thraed yn cerdded yn llafurus y tu ôl i'r drws, a dyma hi nawr yn sefyll yno fel tasai hi jyst wedi cael digon. Roedd yr egni wedi diflannu, y pendantrwydd gwydn, ac roedd hi'n edrych fel nad oedd ganddi unrhyw beth ar ôl i'w osod yn erbyn y creulondeb. Roedd ei chroen yn rhychiog ac yn llipa, a'i llygaid yn hollol farw, wedi cilio i rywle y tu ôl i fodfeddi o goch chwyddedig. Y llygaid oedd y giveaway. Roedden nhw fel marmor yn ei phen.

Roeddwn i'n ofni y byddai'r sioc o'i gweld hi fel hyn yn dangos ei hun yn fy nghorff, ac y byddai hi'n sylwi ar hynny. Ond erbyn meddwl dwy' ddim yn credu y byddai hi wedi sylwi erbyn hynny ar lawer o ddim. Aethon ni heibio iddi i fewn i'r tŷ, rhoi cusan yr un ar ei boch, ac roedd yr arogl fel siop hen ddillad, yn hen, wedi-bod-ym-mlodau'i-dyddiau. Aethon ni mewn i'r stafell ffrynt ar y dde ac aros iddi hi ein dilyn cyn eistedd. Roedd cardiau cydymdeimlad ar hyd y lle, gan gymdogion y rhan fwyaf, ffrindiau a phobl oedd yn gwybod amdani o'i gweld hi o gwmpas y pentre. Roedd un bar ar y tân trydan wedi'i oleuo. Ar ben y tân roedd souvenir o Ynys Wyth – model yn siâp yr ynys, plastig clir a stribedi o dywod amryliw o'r traethau yno y tu fewn iddo. Doedd y lle ddim wedi newid ers y tro dwetha i mi fod yno, wrth gwrs. Roedd hi'n sefyll yn y drws, yn cynnig mynd i wneud paned o de i ni.

'Na, na, wir. Dewch i eistedd, Mrs Davies. Gewn ni baned wedyn, ife? 'Steddwch chi.'

Wrth iddi hi gau'r drws yn drwsgwl roeddwn i'n trio meddwl sut beth fyddai hi i wybod bod eich corff yn dechrau ffaelu. Oeddech chi'n sylwi? Oedd hi'n broses lle roeddech chi'n gallu gwneud cymariaethau? Fe eisteddodd hi lawr, ac am dipyn wnaeth hi ddim byd ond edrych ar hyd ein hwynebau ni, un ar y tro, yn ofalus ac yn bwrpasol. Roedden ni'n trio gwenu a chydymdeimlo gyda'r un gwefusau.

'Shwd 'ych chi, Mrs Davies?' Roedd hi'n astudio wyneb Anna erbyn hynny. 'Mae'n ddrwg calon 'da fi . . .'

Popeth yn digwydd mewn slow motion. Fe edrychodd hi i lawr ar ei choesau, ac roedd hi'n ymddangos fel tasai

160

hi'n grac gyda'i hun, am nad oedd ei dwylo'n gallu estyn ei hances mewn digon o bryd iddi allu cuddio'i llygaid. Fe arhosodd hi fel yna am yr hyn a deimlai fel munudau cyfain. Roedd hi'n edrych heibio i'r ddau ohonon ni pan ddwedodd hi'n dawel, ac iddi hi ei hun yn bennaf oll, rwy'n credu, 'David gynta, nawr Robert'. A beth allwch chi'i ddweud? Mewn difri calon. Beth allwch chi'i ddweud? Roeddwn i'n ei dychmygu hi'n gosod plât o fara menyn ar fwrdd y gegin ac yn bwyta, mewn stafell dywyll.

Mae hi'n rhyfedd dweud hyn nawr, ond y prynhawn hwnnw – gyda mam Davies, fel yn y car hefyd i ryw raddau – roedd Davies yn bell i ffwrdd. Doedd e ddim yn bodoli, i ni nac i'w fam chwaith dwy' ddim yn credu, yn yr ystafell ffrynt honno, mewn tŷ teras yn Nowlais. Dau lun mewn fframau gilt rhad ar silff. Ein gwahanol atgofion ohono – a Davieses aneirif yn estyn allan fel llinyn diddiwedd, nes taw'r unig beth yr oedden ni'n gallu bod yn sicr ohono oedd ein bod ni yn galw *rhywbeth* i gof. Dim byd ond ein prosesau meddyliol ein hunain. A dyna oedd y peth mawr i Anna a fi, rwy'n credu, wrth i ni drafod y peth wedyn. Nawr, pan oedd ei fodolaeth mor ddibynnol ar ein gallu ni i gofio ac i ddehongli, sut allen ni fod yn siŵr nad ethereal oedd ei fodolaeth cyn hyn? Roedd *e* yn cuddio o hyd. Ac efallai wedyn taw'r farwolaeth gorfforol oedd y catalydd. Dim ond yn ei farwolaeth yr oedden ni'n cael awgrym o'r 'gwir' Davies, y Davies nad oedd posib ei nabod yn fyw mwy nag yr oedd hi nawr yn bosib ei nabod yn farw. Ac roedd crychau'r dŵr yn dechrau ymledu ymhellach ac ymhellach, nes y bydden nhw, o fewn wythnos, mis, blwyddyn efallai, wedi gwasgaru'u hegni fel bod yr wyneb mor llyfn â tasai'r ymyrraeth heb fod erioed. Roedden ni'n ticio'r achlysuron oddi ar y rhestr: ymweld â mam Davies, trefniadau ymarferol, angladd. Beth oedd yn dod ar ôl hynny ond anghofio?

Ac mewn ffordd roedd hyd yn oed y cwpwl o oriau torcalonnus hynny gyda mam Davies yn cyfrannu i'r teimlad hwn, yn ogystal â dadlau yn ei erbyn. Yn y foment, roedd hi'n ddaear lawr. Roedd popeth yn teimlo fel petai wedi'i wreiddio mewn profiad diogel, trefnus hyd yn oed. Gadael i arfer a chonfensiwn ddal y pwysau – a chael eu bod nhw'n gallu gwneud yn rhyfeddol o dda. A hynny, mae'n debyg, am fod bwlch cenhedlaeth rhyngddon ni, ac Anna a fi ddim yn hollol siŵr o un funud i'r llall beth i'w wneud neu'i ddweud, a Mrs Davies yn teimlo'r un peth gyda ni. Am y prynhawn hwnnw, mae'n rhyfedd, roedd hi fel petai Anna a fi wedi cael ein tynnu allan o'r holl beth. Jyst o ran dynamic y sefyllfa – ni oedd yn cydymdeimlo â hi. Roedd hynny'n hollol naturiol, wrth gwrs. Ond hyd yn oed bryd hynny roedd e'n gip ar sut y gallai pethau fod mewn amser, ac er ein bod ni'n falch, rwy'n credu, i gael gorffwys o fath am gwpwl o oriau, rhoi rest i'n meddyliau oedd wedi bod yn gweithio overtime ers dydd Sul, roedd e'n brofiad brawychus hefyd. Cwestiynau pen-agored yn ddigon ynddyn nhw'u hunain, heb yr angen am geisio'u hateb.

Roedd y sioc o'i gweld hi fel yr oedd hi yn rhan fawr o'r peth. Roedd hi ar ei phen ei hun. Roedd ambell ffrind yn dod rownd i wneud yn siŵr ei bod hi'n iawn, ac i eistedd gyda hi am hanner awr, ond roedd hi'n hen, ac yn stuck. Cyn hynny, roedd e wedi bod yn rhywbeth jyst i ni

– a doedden ni jyst ddim wedi ystyried y gallai'r effaith fod yn debyg ar fywyd unrhyw un arall ar wahân i ni. Roeddech chi'n edrych arni ac yn ei dychmygu hi – mewn iechyd, mewn patrwm, mewn bywyd lle nad oeddech chi'n gofyn 'pam?' – yn rhoi ei phen rownd drws ystafell wely, ac yn rhegi'r nos am y byddai'n dod â bore pan fyddai hi'n gorfod deffro'i mab i *esbonio* marwolaeth ei dad. Fyddai hi ddim hyd yn oed wedi cael y pleser hunanol o allu cwympo'n ddarnau.

Ychydig yn nes ymlaen, pan oedden ni'n cael te a darn o deisen, roedd hi wedi dweud, yn hollol ddirybudd, 'Wel i feddwl bod e ar ei ffordd adre hefyd . . . 'Sen i'n gwbod bod e'n dod bydden i wedi neud cino. Lwcus na 'nes i, ife?' Ond doedd hi ddim yn ei ddweud e fel jôc, na chwaith fel tasai hi'n meddwl am y gwastraff o gig fyddai yna tasai hi wedi coginio. Roedd hi'n ei ddweud allan o angen syml i ddweud rhywbeth fyddai'n cysylltu marwolaeth Davies â'i phrofiad hi; jyst i'w osod e, a'i gosod hi ei hun hefyd, mewn byd lle roedd hi'n dal yn fam iddo fe, fe yn dal yn fab iddi hi, a'r gyd-ddibyniaeth wedi bod yn llinell wastad ar hyd y blynyddoedd. Doeddech chi byth yn galw ar fam Davies heb ffonio gynta. Byddai hi'n mynd yn upset, bron. Byddai'r peth yn gymaint o ofid iddi fel na fyddai hi'n gallu canolbwyntio'n iawn ar sgwrs, er enghraifft, ac yn dweud yn ystod unrhyw eiliad o dawelwch, 'Ddylech chi fod wedi ffôno . . . allen i fod wedi *paratoi*'. Beth oedd yn digwydd iddi nawr, felly? Ble oedd yr eirfa – o brofiad neu o feddwl neu o wneud – fyddai'n ei chario hi nawr?

A doedd hi ddim yn ei ddisgwyl e y dydd Sul hwnnw. Dyna oedd y peth arall, ac fe edrychodd Anna a fi ar ein gilydd yn syth, gyda rhywbeth fel arswyd yn ein llygaid. Trwy gydol yr amser yno roeddwn i'n trio dychmygu beth oedd yn mynd trwy'i meddwl, yn dawel wrth fy ochr ar y soffa. Os oeddwn i wedi teimlo y tu allan i bopeth, faint yn fwy 'sgwn i oedd Anna'n teimlo'r peth? Nid fy mod i yn 'agosach' at unrhyw beth mewn gwirionedd – eto jyst y cyd-ddigwyddiad o hanes cyfun oedd e – ond mae'n rhaid ei bod hi wedi teimlo odrwydd y sefyllfa, a'r reversal hollol rhyngddi hi a Mrs Davies. Roedd hi wedi dweud ar ôl hynny ei bod hi'n iawn – yn deall, ac yn hapus i eistedd 'nôl. Ond faint o'n hymwneud ni, faint o'r perthnasau r'yn ni'n eu ffurfio sy'n gallu bodoli yn llwyr ar eu pennau'u hunain, heb unrhyw fath o gymeradwyaeth o'r tu allan? Ac os nad oedd Mrs Davies wedi cyfeirio mwy na dwy neu dair o frawddegau'n uniongyrchol at Anna, oedd hynny rywsut yn gwanhau pethau, os dim ond yn ei meddwl ei hun – a hynny pan oedden nhw'n llithrig yn y dwylo beth bynnag? R'yn ni'n bethau brau.

Mae yna rai adegau pan taw dim ond mynd yn hollol shitfaced sy'n gwneud y tro. Ac ar ôl i ni gyrraedd adre roedd e jyst yn neis i gael nod penodol. Es i i'r gegin i wneud ychydig o fwyd i ni, aeth Anna i wneud y diodydd. Roedd hi wedi arllwys dau gin mawr gyda dim ond diferyn o tonic ar eu pennau ac fe yfon ni ddau yr un wrth i'r pasta ferwi. On a mission. Beth ddylen ni fod wedi'i wneud oedd trefnu bwrdd mewn bwyty neis-ond-rhad, cael steak mawr a lot o win a threulio'r noson yn yfed a bwyta, a gadael i fodlondeb boliau llawn a thafodau llac ein goresgyn. Ond byddai hynny wedi bod yn gyfrifol, a doedden ni ddim yn teimlo fel bod yn gyfrifol. Roedden ni wedi cyrraedd pwynt, ar wahân a gyda'n gilydd, pan taw dim ond y rush o fod yn gweithio at ben draw amhenodol a gwych oedd yn bwysig. Y delfryd hwnnw pan fyddwch chi'n yfed y daw yna amser yn y noson pan fydd popeth yn dod at ei gilydd mewn gogoniant: cwmni mawr, chi yn y canol, holding court, fel Hemingway yn adrodd straeon am bysgota marlin ac ymladd teirw.

Fe gerddon ni draw i hen dafarn y tu ôl i City Road a mynd i eistedd mewn cornel yn y bar. Dyma lle roedden ni'n arfer dod drwy'r amser. Roedd gyda nhw luniau o boxers lleol ar y waliau ac un poster yn hysbysebu fight rhwng 'Whites and Blacks'. Ro'n i'n syndod o siaradus y noson honno. Roedd e fel y noson gynta 'nôl yn y coleg ar ôl gwyliau: ras wyllt i feddwi ac i *gymryd rhan*. Roedden ni jyst yn falch i fod wedi cael mam Davies 'allan o'r ffordd', os nad yw hwnna'n swnio'n rhy galon-galed. Roedd Anna hefyd i'w gweld mewn hwyl dda. A fydden ni ddim eisiau dweud ein bod ni, ar ôl y prynhawn, wedi cael rhyw olwg newydd a phell-gyrhaeddol ar bethau, a'n bod ni wedi dod 'nôl gyda brwdfrydedd newydd a bwriad i gofleidio'n bywydau a'r llawenydd syml jyst o 'fod yn fyw', ond roedd yna ysbryd eitha tebyg yn yr awyr, ar ryw olwg, beth bynnag. Ac rwy'n cofio, pan oedd ein Guinness cynta dri-chwarter y ffordd lawr, edrych o gwmpas – falle bod Anna wedi mynd i'r toilet ar y pryd – a meddwl nad oeddwn i'n teimlo cweit mor wael erbyn hynny. Fe ddaeth Anna â dau beint arall 'nôl gyda hi ac roedden ni'n gosod y patrwm ar gyfer y noson.

Doedden ni ddim wedi penderfynu'n fwriadol na fydden ni'n siarad am Davies. Falle'n bod ni wedi dechre off yn meddwl hynny ond ymhen deng munud roedden ni jyst yn siarad, yn methu cofio sut roedden ni wedi dechrau sôn am y pethau dibwys, ansylweddol yma ond yn falch iawn ein bod ni'n gwneud. Rwy'n cofio i ni siarad tipyn am gariad a rhyw – ddim mewn unrhyw ffordd serious, ac nid am y math o ryw oedd yn berthynas agos i farwolaeth, mwy fel siarad plant ysgol. Rhannu straeon, carwriaethau, cyfarfodydd. Cwestiynau, sialensau, dares.

Ar ôl y dafarn fe gawson ni dacsi mewn i'r dre. Aethon ni i glwb ar St Mary's Street lle roedd yna soffas a funk. Ac wrth i ni ddawnsio'n ffordd at y bar mae'n rhaid ein bod ni'n edrych fel tase rhywun wedi bod yn bwrw'n traed gyda darn o bren, fel yn y ffilm *Misery*, a'n bod ni'n stryglo i gael y teimlad 'nôl yn ein coesau. Ond doedd dim ots erbyn hynny. Yn un peth roedd pawb arall yn symud i'r gerddoriaeth gyda'r un graddau amrywiol o lwyddiant ac ar ben hynny roedden ni'n pissed ac yn hapus. Hyd yn oed pan oedden ni'n eistedd ar un o'r soffas yn y ffenest, yn edrych drwy'r stêm ar y ffenestri ar y carnage oedd yn prysur ddatblygu ar y stryd tu allan, roedden ni'n dal i symud ein coesau, nodio'n pennau, clicio'n bysedd, ac yn edrych yn gyffredinol fel tasen ni ar day release ond wedi methu â gadael y lleisiau yn ein pennau ar ôl yn yr ysbyty. Ro'n i, erbyn hynny, wedi cyrraedd cyflwr o fod yn eitha hands-on. Doedd hynny ddim – dyw e ddim – yn digwydd yn aml. Ond doedd Anna ddim i'w gweld fel tasai hi'n meindio: roedd hi'n edrych yn fy llygaid i mwy y noson honno, ac yn cadw fy sylw am eiliad neu ddwy yn hirach nag arfer, er enghraifft. Noson pan oedd y ddau ohonon ni yn ymddwyn 'allan o gymeriad', felly. Ond dyna sy'n ddiddorol ac yn frawychus am yr holl beth: diddorol, hynny yw, os 'ych chi'n gwylio o'r tu allan, brawychus os taw chi sydd yno'n gwylio'ch hun. (Ond ddylwn i ddim synnu chwaith, taw'r eiliadau *an*arferol sy'n diffinio ac yn penderfynu. Mae e i gyd yn compromise yn y pen draw, rhwng ein rheswm a'r ni nad oes ganddon ni unrhyw reolaeth arno.)

Dwy' ddim yn gallu cofio nawr pwy gusanodd pwy yn y lle cynta. Alla i ddim cofio beth oedd wedi arwain at y foment, neu a oedd yna ennyd o arswyd pan edrychon ni yn llygaid ein gilydd, ein pennau ar eu ffordd yn barod, a meddwl bod y llall yn mynd i dynnu 'nôl yn disgusted. Ac am y cwpwl o eiliadau cynta doedd yna ddim byd ond y teimlad rhyfedd hwnnw o gael eich cario yn anymwybodol i fewn i'r ffaith o fod yn cusanu rhywun, bod eich gwefusau a'ch ceg wedi'u plethu mewn ceg arall. Hynny yw, fe allech chi fod yn cusanu unrhyw un. A dim ond ar ôl hynny y dechreuais i feddwl am y ffaith taw ceg Anna oedd y geg arall. Ac yn sydyn roeddwn i dipyn mwy sobor. Roedd fy llygaid ar gau ond roedd fy

167

nghlustiau yn llydan agored. Roeddwn i'n gwrando'n ofalus am unrhyw sŵn o'n cwmpas: y bobl wrth y bwrdd drws nesa yn troi at ei gilydd i chwerthin wrth ein gweld ni, neu bobl yn cario diodydd ac yn trio camu dros ein traed. A doedd unrhyw syniad o fwynhad ddim wedi dod yn agos at y peth tan i ni dynnu 'nôl oddi wrth ein gilydd, cymryd anadl, aros, â'n hwynebau fodfedd neu ddwy ar wahân, agor ein llygaid a ffeindio'r ffocws yn llygaid ein gilydd yn araf araf. Fe gusanais i hi eto, gyda mwy o deimlad y tro hwn, a rhywbeth yr oeddwn i'n gobeithio'n fawr a fyddai'n debyg i dynerwch.

Wrth i ni gerdded adre wedyn allwn i ddim helpu teimlo ychydig bach yn inhibited. Ddylwn i afael yn ei llaw hi? Neu roi fy mraich o'i chwmpas hi? Ddylwn i ei stopio hi dan bont y rheilffordd i'w chusanu hi eto? Ma' comedians wastad yn dweud nad yw cael laugh allan o berson stoned yn cyfri achos eu bod nhw'n chwerthin beth bynnag r'ych chi'n ei ddweud. A rhywbeth fel yna oedd hi y noson honno. Beth oedd i'w ddarllen yn nigwyddiadau'r noson? Gormod o bosibiliadau. Os oedd hi eisiau fy nghusanu i ar y pryd, doedd hynny ddim yn meddwl y byddai hi wedyn. Hyd yn oed os oedd hi'n *meddwl* ei bod hi eisiau fy nghusanu i ar y pryd, doedd hynny chwaith ddim yn meddwl o angenrheidrwydd ei bod hi. Oedd hi mewn gwirionedd wedi cusanu Davies y noson honno? Neu'r petha agosa iddo fe oedd ar ôl ar y ddaear hon? Oedd hi jyst yn feddw ac yn methu peidio? Neu oedd hi'n hollol hunanol ac yn fy nghusanu i 'nôl am ei bod hi'n gallu yr eiliad honno? Cysur? Defiance? Dicter amhenodol, bloody-minded? Roedden ni'n dawel eto, fel yn ystod cymaint o'r diwrnod a hanner dwetha. Ac fe darodd hynny fi fel rhywbeth pwysig ar y pryd, ond rhywbeth oedd rhywsut wedi cael ei ddiddymu, neu wedi ei anghofio beth bynnag: y syniad arferol o amser. Dim ond ers neithiwr roeddwn i wedi bod yng Nghaerdydd eto. Dim ond ers tri diwrnod roedd Davies wedi marw. Ond falle hefyd, yn ddwfn yn ei hisymwybod, neu mewn rhyw eglurder sydyn, ysbeidiol, bod Anna wedi gweld rhywbeth – wedi *teimlo* rhywbeth hyd yn oed, rhywbeth oedd yn bodoli yn annibynnol ar y sefyllfa ryfedd a phoenus yr oedden ni ynddi. Pwy a ŵyr. Dwy' ddim am ddelfrydu o gwbl. Dwy' ddim yn credu am eiliad y byddai hi wedi jyst sylweddoli, mewn fflach, y gallai hi fy ngharu i, nid dyna beth rwy'n meddwl. Fydde fe jyst ddim wedi digwydd, os oedden ni yng nghanol llanast o wythnos neu beidio. Falle bod hwnna'n gallu digwydd, falle bo' chi'n gallu nabod rhywun am flynyddoedd cyn eu gweld nhw unwaith ac, yn dyngedfennol, mewn golau sy'n eu gweddnewid nhw ac yn eich gweddnewid chi hefyd, dwy' ddim yn gwbod. Ond rwy'n siŵr, mor siŵr ag y gallech chi yn rhesymegol fod, nad dyna oedd yn digwydd fan hyn. Na, byddai unrhyw sylweddoliad wedi bod lot yn fwy rhesymol. Byddai wedi dechrau fel awgrym o ddihangfa, ffordd allan o bethau am un noson cyn iddi gael ei llusgo 'nôl yn y bore. Neu byddai wedi bod yn ddelwedd feddw, delwedd i wneud iddi grio, o gyfnod rhai misoedd yn ddiweddarach efallai, a phresenoldeb cysurus wrth ei hochr, yn gwmni ar fore dydd Sadwrn. A fydde fe ddim yn incendiary, ond fe fydde fe'n neis. Disgwyliadau, gobeithion, delfrydau – cartrefol, ymarferol, unsensational.

Ond yn yr un ffordd â dyw laugh gan berson stoned ddim yn cyfri i ddigrifwr, falle bod melancholia ddim yn cyfri i berson sy wedi meddwi ar gin (a Guinness a tequila). Oeddwn i really wedi'i darllen hi? Oeddwn i mor glyfar, ac mor sylwgar ag yr oeddwn i wedi dadlau i fy hun? Dwy' ddim yn gwbod wrth feddwl am y peth nawr. A phan ddangosodd hi i fi y gallwn i fod yn anghywir, fy ngreddf gyntaf oedd teimlo ychydig bach yn siomedig. Roeddwn i'n falch i fod yn anghywir, yn amlwg, ac yn hapus, ond yn siomedig gynta i gyd. Oherwydd os oeddwn i'n wrong fan hyn, os nad oeddwn i'n gallu bod yn siŵr ohoni hi nawr, am faint mwy o bethau oeddwn i wedi bod yr un mor anghywir? *Hi* afaelodd yn fy llaw *i*, wrth i ni gerdded heibio i waliau'r carchar. Fe lithrodd hi'i bysedd yn araf rhwng fy rhai i a'u gwasgu'n ysgafn. Ac roeddwn i mor shocked, roedd e mor annisgwyl, nes i fi droi i'w hwynebu hi mor gyflym â tasai hi wedi rhoi ei llaw yn fy mhants. Daniel yn slow eto. Daniel yn methu darllen arwyddion eto. Daniel yn creu deongliadau i siwtio'i hun. Roedd hi o leia un cam ar y blaen iddo fe. Roedd ei llygaid, a'r wên chwareus ar ei gwefusau, fel petaen nhw'n gwybod yn iawn am beth roedd e wedi bod yn meddwl, ond ei bod hi hefyd wedi gallu mynd y tu hwnt i hynny, ac edrych lawr ar ei ddiniweidrwydd gyda chymysgedd o dosturi a chwerthin diniwed ar ei ben. Ei thro hi nawr i feddwl ei fod e'n sweet, yn ei ddealltwriaeth blentynnaidd o'r ffordd y mae oedolion yn gweithio.

Yr eiliad honno fe ymddangosodd hofrennydd yr heddlu uwch eu pennau. Doedden nhw ddim wedi clywed ei sŵn yn nesáu; roedd waliau'r carchar wedi'u cysgodi nhw. Ond dyma fe nawr, dim mwy na chan troedfedd uwch eu pennau, yn cylchu'n araf a bygythiol, ac yn ddigon agos iddyn nhw deimlo dirgryniadau'r peiriannau a'r blades, ac i deimlo'r rhyfeddod fod peth mor fawr a thrwm yn gallu aros yn yr awyr, mor ddidrafferth ag aderyn yn gwylio prae. Roedd y searchlight mawr wedi'i droi ymlaen, yn sganio'r strydoedd lle roedden nhw. Fe'u daliwyd nhw yn y golau am hanner eiliad, a achosodd iddyn nhw rewi yn y fan a gwylio, wedi'u syfrdanu, fel tasen nhw'n bobl gyntefig yn gweld Duw yn dod i'r byd o'r nef. Symudodd wedyn, yn araf, a'r gyrrwr yn dal y peiriant pwerus yn ôl, tuag at Adamsdown a'r strydoedd tywyll.

Roedd e fel arwydd. Negesydd. Ceffyl dur o'r deyrnas nesa. Yn sydyn teimlodd Daniel y gin a'r tequila yn ailafael, fel petai'r hud yn disgyn amdano. Roedd rhywbeth yn digwydd. Roedd yr hofrennydd wedi stopio eto, a'r pelydr ar ei flaen fel petai'n mynd i sugno'r strydoedd i fyny i'w berfedd. Roedd y lleuad tu ôl i gymylau ac yn goleuo cornel o'r awyr fel tasai mewn lantern papur. Dechreuodd Daniel ac Anna gerdded eto. Roedd gafael eu dwylo yn ei gilydd wedi tynhau heb iddyn nhw sylwi.

'Dychmyga tase'r hofrennydd yna'n sydyn yn cwympo allan o'r awyr. Tasai'r llinyn yn torri, a bydde fe jyst yn cwympo a'r metal yn rhwygo yn erbyn y stryd.'

Stopiodd Daniel eto, ymhen pump neu chwech o gamau. Ceisiodd Anna'i dynnu ar ei hôl.

'Ti'n meddwl bydde teulu'r peilot yn perswadio'u hunain bod e wedi tynnu'r hofrennydd lawr yn fwriadol?'

Daeth cysgod dros wyneb Anna.

Ac wrth ysgrifennu hyn o bellter, mae'n anodd cyfleu cyfriniaeth yr olygfa. Ac rwy'n cael fy hun yn meddwl hefyd am fy sefyllfa i, fel yr un sy'n ysgrifennu'r atgofion hyn, yr un sy'n eu cofnodi a'u siapio. Y gyffes ddiamser. Hynny yw, r'yn ni'n sgrifennu wrth fynd, yn creu naratifau o'n bywydau i geisio deall, ond hefyd er mwyn rhyw bwynt amhenodol yn y dyfodol pan fydd y naratifau yma yn cael eu cyfrif, a'u hystyried. Felly o ble ydw i'n ysgrifennu nawr? O stafell yn nhŷ Anna, cadair a desg a phaned o de arno, ddiwrnod neu ddau ar ôl y digwydd? Wythnos? Mis? Mwy hyd yn oed? Ydw i'n gorwedd yn y gwely, y bore wedyn, yn ailfreuddwydio popeth? Neu ydw i yn yr hofrennydd, yn edrych nid ar y kids drwg yn trio dwyn ceir rownd y rheilffordd yn Splott, ond ar y ddau berson ifanc, sy'n cerdded tu ôl i lwybr y pelydr golau? Faint sy'n ddyfais felly? Faint o'r naratif sydd wedi cael ei bennu eisoes? Os ydy Daniel yn gweld ei hun fel rhywun ar drywydd rhywbeth, yna ar drywydd beth? Pa drywydd? Y trywydd iawn?

Byddai Daniel yn cofio llawer o bethau o'r noson honno. Mwy nag y gallai fod wedi disgwyl, falle, gan ei fod fel arfer yn ofnadwy am gofio pethau pan mae e wedi bod yn yfed. Ond byddai'n cofio cyffroadau yn hytrach na sefyllfaoedd. Y sylweddoliad cynta ei fod e'n cusanu Anna, er enghraifft, cryndod yr awyr dan yr hofrennydd, a'r golau arallfydol. A byddai'n cofio hefyd, ei fod e wedi cael golwg y noson honno ar y Gwirionedd.

Wrth iddyn nhw agosáu at Howard Gardens eto, daeth teimlad drosto o fod yn hollol gyffyrddus. Byddai'n dweud wrth Anna y bore wedyn am deimlad annelwig o fod wedi taro ar y Gwir Am Davies A'r Holl Beth, a bod y Gwirionedd hwnnw yn hunanamlwg, a'i fod wedi taro ar ei holl synhwyrau, a'i holl alluoedd i amgyffred, fel

Gwirionedd. Byddai'n dweud yn fras, a dim ond bras fyddai'r atgof, fod yr holl beth yn rhedeg fel hyn: Bod Davies wedi cynllunio'r holl beth, wedi cynllunio'i farwolaeth ei hun, ac wedi gadael cliwiau i ni. Roedd e'n gwybod y byddai Daniel yn dod 'nôl i'w dŷ, ac i'w ystafell, ac roedd e wedi gadael llyfrau penodol o gwmpas i awgrymu'i bwrpas, ond hefyd i awgrymu'r amwysedd. Roedd e wedi gadael cliwiau o'i amgylch gan wybod y byddai Daniel yn eu codi. Roedd e'n gwybod, er enghraifft, ei fod e wedi darllen am yr esboniad honedig i 'ddiweddglo' *Picnic at Hanging Rock* – lle ma' nhw'n honni taw craig rydd sydd wedi cwympo ar ben y merched sy ar goll. Roedd e'n gwybod nad oedd yr ateb hwnnw erioed wedi bodloni, hyd yn oed os oedd e'n cyfateb â'r ffeithiau. Felly roedd e wedi paratoi'r holl beth – a doedd Daniel nawr ddim ond yn datod clymau roedd Davies wedi'u creu yn y lle cynta. A'r sôn am ei 'ddirywiad' tua'r diwedd . . . On'd oedd Anna wedi dweud nad oedd Daniel yn ei nabod e fel yr oedd hi yn y misoedd olaf? Yr awgrym ei fod e rhywust, er nad yn blatant, wedi dechrau colli ei feddwl. Ond contrivance oedd hynny hefyd. (Fe alle fe fod wedi bod yn contrivance oedd yn cynnwys *peth* gwirionedd, ond doedd Davies byth yn wallgo. Y teimlad anesboniadwy fod *rheswm* y tu ôl i bopeth. ('Rheswm' y cysyniad, yn hytrach nag un neu fwy o resymau penodol.)) Ac roedd Davies fel petai'n *siarad*, yn dweud wrth Daniel, 'Yn yr ysgrifennu hyn, yn dy nodiadau di y mae'r ateb. Y straeon rwyt ti'n eu hadrodd i dy hun, y ffordd rwyt ti'n *ymdrechu*. Rwyt ti'n gwybod.'

Ac roedd e wedi gyrru i ffwrdd ac wedi marw . . . Y

173

piéce de resistance i Daniel, yn ei feddwdod, oedd bod Davies wedi gyrru ar hyd yr hewl gan lwyr fwriadu lladd ei hun, gyrru'r car oddi ar ochr yr hewl, neu mewn i wal neu gar arall, ond ei fod e wedi cael damwain – wedi colli'i ganolbwyntio rownd cornel gyflym, a'r car wedi llithro o'i afael, drwy'r bwlch cul yn y barriers a dros yr ochr, a'i fod e wedi cael ei ladd. Byddai Daniel yn cofio chwerthin, a siarad fel petai â'r stryd i gyd: 'Damwain! Fucking damwain!' yn uchel dros y lle, y tu allan i Lys y Sir. Roedd y cyfan yn un jôc fawr.

Angylion gwarcheidiol, arweiniol. Eisteddodd Daniel
mewn gorfoledd, gwên lydan ar ei wyneb a gwydryn
mawr yn ei law. Diod ola'r noson, i gymell y cwymp
mewn i gwsg hir a llonydd. Rhoddion prin. Ha, Davies . . .
Chwerthodd – iddo fe'i hun, ond gyda'r teimlad cysurus o
gael ei wylio, o fod yn gwneud y peth iawn yng ngolwg y
rhai hynny yr oedd eu barn yn bwysig. Daft bastard . . .
Eto, hanner gwên, a'r ymadrodd yn cwmpasu llawer: y
ffordd y bydden nhw'n ymateb pan oedden nhw'n blant –
gydag edmygedd a chenfigen – i blant eraill, hŷn, oedd yn
gwneud y pethau yr hoffen nhw allu'u gwneud eu hunain:
sefyll i fyny yn erbyn athrawon, ateb yn ôl, tynnu shorts,
allan ar y cae, a gwneud gwers ymarfer corff gyda dim
byd ond crys rygbi i guddio'i goc a'i din fel y gwnaeth un
bachgen yn yr ysgol un tro. 'Yeah, 'e's a daft bastard i'n'
'e?' Tony oedd ei enw e. Meddyliodd Daniel mor rhyfedd
yr oedd hynny'n swnio nawr. Doedd yr enw ddim fel
tasai'n ffitio mewn i unrhyw rhan o'i fyd e erbyn hyn, a
phan fyddai'n gweld Tonys eraill o gwmpas, ar y teledu
neu beth bynnag, fyddai e ddim nawr yn gwneud y
cysylltiad â'r Tony gwalltgoch gwallgo hwnnw, oedd yn
gymaint rhan o'u bywydau ar y pryd. Cofiodd am fachgen
tebyg oedd yn yr ysgol gyda'i dad, Ralph. Roedden
nhw'n mynd i'r ysgol ar drên ar y pryd, lawr ym Merthyr.
Cymaint o drueni nad oedd Davies a fe wedi gallu mynd
i'r ysgol ar drên. Roedd y golled yn enfawr. Roedd Ralph,
er enghraifft, wedi tanio firecrackers ar y ffordd adre
unwaith. Hefyd, roedd y bechgyn eraill wedi tynnu'i
drowsus a'u taflu nhw drwy'r ffenest dro arall a gwneud
iddo fe gerdded y strydoedd adre yn ei bants. Ond roedd

tŷ Ralph ar bwys y trac beth bynnag, ac roedd ei drowsus wedi glanio yn yr ardd gefn. Felly o leia naeth e ddim colli'i drowsus. Tybed ble roedd Tony erbyn hyn? A Ralph? Tybed oedden nhw wedi dod ar draws ei gilydd erioed? A thybed pam bod cymaint o jôcs ymarferol bechgyn yn ymwneud â throwsus a'u cynnwys anhraethol ddiddorol?

Ond roedd Daniel yn ei ddifyrru'i hun, beth bynnag, ac yn mwynhau'r cyfosodiad rhwng ei blentyndod e a phlentyndod ei dad. Roedd hynny hefyd yn rhywbeth yr oedd e'n meddwl y byddai Davies yn ei werthfawrogi. Roedd tad Davies wedi marw pan oedd e'n fachgen ifanc. Roedd e yn ei bumdegau – oedd yn ifanc, wrth gwrs, ond yn fywyd cyfan, yn yr ystyr nad oedd 'bywyd' Davies. Neu ddim yn ôl yr un diffiniad, beth bynnag. Graddau o fywyd. Davies, y daft bastard. Pan oedden nhw'n pissed iawn, Daniel a Davies, byddai Daniel yn dweud, yn emosiynol i gyd ond dan gysgod jôcaidd, gwrywaidd, 'I love you, man'. Byddai'n cofio y bore wedyn ac yn teimlo'n embarrassed ond yn chwerthin wrth ymddiheuro. A byddai Davies yn dweud, 'Hey, don't apologise, it's a beautiful sentiment, man'. Roedd y peth yn running joke am sbel. Roedd tad Davies yn gwybod ei fod e'n marw ac er na thrafodon nhw lawer ar y peth erioed roedd Daniel wedi meddwl yn aml am effaith hyn. Yn gymaint ar ei dad ag ar Davies ei hun. Sut oedd e wedi mynd o gwmpas pethau? Oedd e wedi paratoi araith i blentyn fyddai wedi bod yn rhy ifanc beth bynnag i ddeall? Neu wedi gadael cyfarwyddiadau gyda'i wraig i'w pasio ymlaen i'r mab mewn amlen dan sêl pan fyddai'n cyrraedd deunaw oed? Neu oedden nhw wedi osgoi'r peth yn gyfan gwbl? Meddyliodd am ei dad ei hun, a'r croen caled y byddai'n rhaid i chi'i fagu. Teimlad a gallu i deimlo yr oedd hi'n anodd eu dychmygu yn perthyn i unrhyw dad, neu i dadau yn gyffredinol. Y gallu i roi pethau o'r neilltu. Cofiodd am un pen blwydd pan oedd ei dad ei hun – a'i dad yn unig, nid ei dad a'i fam gyda'i gilydd – wedi rhoi pen iddo, pen inc neis, da, wedi'i wneud o fetel trwm, a photel o inc du i gyd-fynd. Falle bod hyn cyn iddo fe ddechrau yn yr ysgol uwchradd. Anrheg i'w annog ond hefyd i ddangos ei falchder ynddo, anrheg i'w gysylltu mewn unrhyw beth a gyflawnai wedyn, a'i gyflawni gyda'r pen hwnnw, gyda fe. Cwlwm. Ond nid cwlwm chwaith – oherwydd roedd hynny'n awgrymu caethiwed. A fyddai'i dad ddim wedi eisiau'r math yna o gwlwm, fyddai'n gwneud y peth yn orfodaeth. Byddai wedi eisiau i'r peth fod yn mutual, na fyddai, ac i'r pen arwyddo hynny? A sut wedyn fyddai e wedi teimlo pan gollodd ei fab y pen hwnnw, mewn labordy cemeg neu ar y bws adre? Os oedd e Daniel nawr yn ystyried pob eiliad yn *foment*, beth am ei dad? Oedd hi jyst yn fater o orfod derbyn y byddai'ch gwaith gorau fel arweinydd neu esiampl neu athro, neu ffrind hyd yn oed, yn dwyn ffrwyth y tu hwnt a thu allan i chi? A dyna oedd y peth mawr nawr, wrth feddwl am Davies a'i dad e. Roedd hi'n anodd gwneud cyfrif am y berthynas honno – neu'r diffyg perthynas, y bwlch – a'r modd y byddai'r addasu, a'r newid, a'r datblygu, a'r aeddfedu hyd yn oed yn eu perthynas, sut y byddai hynny wedi *effeithio* ar Davies. Wrth gwrs, dyw hi ddim yn dilyn o gwbl y byddai pethau wedi bod hyd yn oed fymryn yn wahanol. Doedd e ddim yn fater o gyplysu. Ond mae'n rhaid bod yna bwyntiau bychain, pitw hyd yn oed, ar hyd y ffordd, pan fyddai geiriau, safbwyntiau, syniadau eraill wedi newid y peiriant a'i reolau yn eitha sylweddol. Ac yn yr interstices hynny rhwng penderfyniad a phenderfyniad, fel cynifer o ffactorau eraill nad oedden nhw'n ddigon *amlwg* erbyn hynny i fod reit ar flaen y meddwl, yr oedd tad Davies wedi bod yr holl amser.

Ond roedd Davies wastad yn hoffi tad Daniel, ac roedd e wastad yn amddiffynnol iawn ohono, ar unrhyw adeg pan fyddai Daniel yn cwyno ei fod e'n dechrau siarad yn yr un ffordd, neu yn gweld ei dad mewn adlewyrchiad ohono'i hun, neu yn y ffordd yr oedd e'n tynnu'i sgidiau ar ôl dod mewn i'r tŷ. Efallai bod Davies wedi rhag-weld y crux hwnnw'n barod, hyd yn oed heb yr empiriaeth bersonol, agos. Neu efallai oherwydd hynny.

Daeth Anna i'r ystafell. Roedd hi wedi dod 'nôl i'r tŷ cwpwl o funudau ar ôl Daniel. Rhywsut roedden nhw wedi llwyddo i gerdded y cwpwl o gannoedd o lathenni olaf ar eu pennau'u hunain. Ond roedd hi wedi aros allan am ychydig cyn dod mewn. Tasai Daniel wedi meddwl byddai wedi gofyn iddi beth yr oedd hi wedi bod yn ei wneud, am beth roedd hi wedi bod yn meddwl. Ond fel yr oedd hi, mae'n bosib ei bod hi'n well na wnaeth. Fe ddywedodd hi wedyn, sbel ar ôl hynny, misoedd efallai, ei bod hi wedi gweld Davies ar gornel y stryd y noson honno, ar y tro sydd yn arwain o'r hewl fawr i dawelwch cymharol Howard Gardens. Byddai'n dweud am y profiad ei bod hi wedi'i ddychmygu e mewn cysgod, fel dyn yn y cysgodion, a bod hynny, y noson honno ac yn yr amgylchiadau hynny, yn ddigon iddi. Yn ddigon o ateb, ac yn ddigon o gyfiawnhad. Doedd Daniel ddim yn gwybod am hyn ar y pryd, ond hyd yn oed heb hynny roedd y teimlad o gael eu harwain yn ddigon clir, fel tasai'r byd o'u cwmpas wedi cwympo allan o'r golau a dim ond yr un llwybr, penodol am y noson honno, wedi aros, fel sianel ym mhelydr yr hofrennydd tu allan.

Daeth hi i eistedd ar fraich ei gadair ac roedden nhw'n dawel am ychydig. Pwysodd 'nôl, nes bod ei phen yn gorffwys yn erbyn ei ben e. Roedd Anna'n gallu teimlo curiad ei galon yn y wythïen drwchus yn ei wddf. Roedd yn gyson ac yn gyffyrddus. Estynnodd ddau fys i'w deimlo, heb feddwl. Neidiodd Daniel, a thrio troi'i ben i edrych arni. Neidiodd hi hefyd, colli'i chydbwysedd nes ei bod hi bron â chwympo oddi ar y gadair. Gafaelodd Daniel yn ei choes, yr un agosaf ato, i'w harbed rhag cwympo. Cadwodd ei law yno. Roedd e'n gafael yn ei chlun, ei fysedd yn dynn ac yn gwasgu'r croen dan ddefnydd ei throwsus. Roedd hi'n dwym neis.

Roedd y tro cyntaf hwnnw yn ystafell Daniel eto, yn gyfuniad rhyfedd o eisiau ac ofn. Un eiliad roedden nhw'n cusanu fel anifeiliaid, cegau, tafodau ymhobman, a'r croen o gwmpas eu gwefusau'n wlyb fel tasen nhw'n cusanu am y tro cyntaf yn eu bywydau. Ar yr un pryd roedd hi fel tasen nhw'n trio copïo syniad, delwedd o gant a mil o barau tebyg o wefusau, ar sgrîn bach a mawr, mewn lluniau cylchgrawn du a gwyn, a bod y peth yn efelychiad o'r hyn roedden nhw'n meddwl yr oedd chwant i fod. Roedden nhw'n tynnu ar ddillad ei gilydd fel tasen nhw mewn ras i orffen. Eiliad arall roedden nhw'n tynnu 'nôl oddi wrth ei gilydd, yn edrych y naill yn llygaid y llall, er nad oedden nhw'n gweld trwy'r tywyllwch, ac yn nesu at ei gilydd gyda thynerwch, a pharch i'r munudau newydd a brawychus hyn. Eiliad arall eto ac roedden nhw'n gafael yn ei gilydd, yn noeth nawr fwy neu lai, yn sefyll ar bwys y gwely, yn rhedeg eu dwylo ar hyd cefnau'i gilydd ac yn trio cwmpasu'r profiad . . . cyn i'r ymwybyddiaeth o'u corfforoledd, y syniad ohonyn nhw'u hunain yn sefyll yno yn yr ystafell dywyll yn estyn allan i gyffwrdd, wneud iddyn nhw stopio'n sydyn, ac aros, a syllu ar y waliau oedd yn eu hwynebu. Ond yna roedden nhw yn ôl yn y foment, a'u cyrff yn gytûn nawr eu bod nhw'n oedolion ac nid yn blant, eu tafodau'n chwareus â'i gilydd, wedi'u hymarfer ar gegau eraill ar gyfer yr un foment hon. Momentwm, rhythmau, dannedd yn arw yn erbyn ei gilydd fel cyfaddefiad sydyn o nerfusrwydd neu amheuaeth, fel tasai'r corff byth yn twyllo, cyn i'r tafodau gyfarfod, rhywle rhwng dwy geg, ac mor agos ag y gall dau berson fod heb i un agor ei geg fel neidr yn yr anialwch a llyncu'r llall yn gyfan. Deg eiliad, hanner munud, munud. Cynnwys pob eiliad. Mewn eiliadau y mae cariad yn dechrau. Mae cariad, efallai, yn *fater* o eiliadau.

Yn y gwely roedd pethau'n wahanol. Roedd y tywyllwch nawr yn teimlo fel mur. Os oedd yr awgrym o ddau fod ar wahân yno yn eu cusanau, nawr roedd e'n eu diffinio nhw. Roedden nhw yno nid yn gymaint er mwyn y noson honno ond er mwyn nosweithiau eraill yn nes ymlaen. Roedden nhw'n ceisio goresgyn y rhwystr mawr cynta heno, yn hanner meddw, ar ôl diwrnod caled, fel na fyddai'n rhaid iddyn nhw wneud y tro nesa, neu'r tro ar ôl hynny. Ac roedd y ddau ohonyn nhw'n falch eu bod nhw wedi meddwi. Esgus parod fel safety net oddi tanyn nhw – yn rhag-weld sôn annelwig y bore wedyn am 'angen' a 'chysur', neu ymddiheuriadau swta cyn cysgu am 'flinder' a 'gormod o tequila'. Doedd Daniel ddim wedi cau'i lygaid wrth ei chusanu hi yn y gwely. A phan oedd hi wedi gafael ynddo fe, a rhedeg ei hewinedd ar hyd ei gefn, teimlai fel gweithred ddiog, gweithred wag nad oedd yn disgwyl ymateb. Doedd e wrth gwrs ddim yn gallu bod yn siŵr o hynny. Arhosodd yn llonydd am eiliad ac wrth deimlo hynny trodd Anna i wynebu'r ffordd arall. Trodd Daniel ei ben, wedi synhwyro'i bod hi'n grac neu'n siomedig neu'n flin yn sydyn ei bod hi wedi gadael i'w hun gael ei thynnu i mewn i'r fath sefyllfa o gwbl. Synhwyro'i fod e'n ei siomi hi. Teimlo pob ansicrwydd fel tasai rhywun yn eu crafu mewn inc ar hyd ei gorff di-siâp. Tasen nhw ond yn gallu rhoi'r golau ymlaen a siarad. Teimlo y dylai fod yn fwy parod, ei rheoli hi, cynnig y ddihangfa-dros-dro iddi. Ceisiodd ailafael yn ei egni. Llithrodd ei fraich am ei chanol a thynnu'i hun y tu ôl iddi. Cusanodd gefn ei gwddf, yn ysgafn i ddechrau, yna gyda mwy o awch, cusanu dan asgwrn ei gên, ei boch, a chwilio am ei gwefusau. Tynnodd ei fysedd ar hyd ei chorff nes bod cledr ei law yn gwasgu'n ysgafn dan waelod ei bron. Caeodd ei fysedd am y cnawd a theimlo'r meddalwch gwydn. Meddyliodd gymaint yr hoffai wybod beth oedd yn ei meddwl hi yr union eiliad honno. Oherwydd er ei bod hi erbyn hynny yn ei gusanu e yn ôl, ac wedi symud i orwedd ar ei chefn a'i breichiau nawr yn trio'i dynnu ar ei phen, eto, y charade . . . Symudodd Daniel, yn araf a thrwm. Ceisiodd gynnal pwysau'i gorff gyda'i law rydd.

Pan laciodd e'r pwysau a gorwedd 'nôl ar ei gefn bron yn syth, roedd y ddau ohonyn nhw'n falch. Yn gwybod yn reddfol na fyddai'n rhaid iddyn nhw *ymdrechu* eto y noson honno ac y gallen nhw gysgu nawr . . . Fe ymlacion nhw oherwydd hynny. Estynnodd Anna, rhoi'i braich o'i gwmpas a gorffwys ei phen arno. Roedd Daniel yn falch. Rhoddodd ei fraich e o gwmpas ei chefn a'i thynnu'n dynnach tuag ato. Fe arhoson nhw fel yna am funudau cyfain, eu llygaid ar agor, a llwyddo nawr i fwynhau'r agosatrwydd, gwres eu cyrff a'r llyfnder addfwyn. O'r diwedd trodd hi ar ei hochr. Teimlodd e ei chorff yn llacio'n araf, a'i hanadlu'n araf ddwysáu. Rhedodd ei fysedd yn ofalus ar hyd ei chroen – mor ofalus ag y gallai – fel tasai'n ofni gadael ei ôl arni. Anwesodd ei hysgwyddau, tynnu'i fys ar hyd yr asgwrn, cyn disgyn, mewn parabolas llydan a chylchog ar hyd ei chesail i lawr at ymyl ei chefn, ar hyd amlinell ei hasennau cyn cyrraedd ymchwydd ysgafn ei bronnau. Roedd Anna'n cysgu erbyn hynny. Gobeithiodd Daniel y byddai hi'n dal i synhwyro'i gyffyrddiad. Y byddai'r teimlad yn lledu drwy'i chorff a'i breuddwydion. Ac na fyddai'r breuddwydion yn rhoi i'r dedwyddwch cynnes ffurf a wyneb Davies.

Ddywedon nhw ddim byd am y noson cynt pan ddaeth y bore. Roedden nhw wedi cysgu am oesoedd, tan yn agos i hanner dydd. Fe gawson nhw eu deffro gan sŵn curo dwylo trwm wrth y drws ffrynt, a rhyw syniad annelwig, mewn cwsg, bod yna leisiau ar y stryd oedd rhywsut yn ymwneud â nhw. Brysiodd Daniel i lawr y grisiau, wedi tynnu crys-t a throwsus ymlaen yn gyflym. Anghofiodd am y bollt ar y gwaelod ac fe dynnodd ar y drws ddwy waith neu dair, yn methu deall pam nad oedd yn agor, cyn sylwi. O'i flaen roedd dau ddyn heddlu mewn uniform. Edrychon nhw arno fe am eiliad neu ddwy. Roedd ei wallt yn flêr wedi'i wthio yn anhrefnus i un ochr o'i ben. Roedd llinell yn y croen ar hyd ei foch lle roedd e wedi cysgu'n lletchwith ar ymyl y glustog.

'O helo. Erm . . . dewch mewn.'

Roedd y ddau ddyn heddlu yn clones o'i gilydd. Tri deg-rhywbeth, cyrff sgwâr, mawr, a'u hwynebau bron yn union yr un peth, yn onglog a phwrpasol. Doedd eu croen ddim yn edrych fel croen rywsut. Roedd e'n debycach i blastig – dim gwrid, dim lliw, dim ond wynebau wedi'u hyfforddi, yn swyddogol ac yn answyddogol hefyd, yn eu gemau-pŵer eu hunain gyda'u teuluoedd eu hunain, i fod yn deadpan wastad. Ond doedd deadpan ddim cweit yn iawn chwaith. Roedd hynny'n awgrymu dewis, fel comedian sy'n gallu gwneud punchlines ond yn dewis peidio. Rhain oedd y math o ddynion heddlu sy'n gwirioneddol gredu'r hen linell, 'Just doin' our job', am eu bod nhw wedi'i ddweud yn ddigon aml. Roedd eu hwynebau, a'u dwylo trwchus a'r ffordd yr oedden nhw wedi cael eu dysgu i dynnu'u hetiau yn y coridor, i gyd yn arddangos y mantra hwnnw wedi'i gario i fewn i bob agwedd ar eu bywydau – hyd yn oed, fe allech chi ddychmygu, y ffordd roedden nhw'n cysgu gyda'u gwragedd heddlu.

Roedd Daniel yn hoffi siarad fel hyn am ddynion heddlu. Byth ers yr ysgol, pan oedd y bechgyn mwya twp, mwya tebygol i fod mewn fights ar y cae rygbi neu yn y dre ar nos Sadwrn wedi gadael yr ysgol y diwrnod cynta gallen nhw, ac wedi pasio'r arholiad (y tâp mesur), a chael eu hunain nawr yn gweinyddu cyfreithiau yr oedden nhw ddim ond yn ymwybodol ohonyn nhw yn y lle cynta am eu bod nhw wedi'u torri eu hunain. Byddai'n dweud wrth bob dosbarth newydd yn yr ysgol, pan oedden nhw'n astudio dyfeisiau ieithyddol a llenyddol, taw'r enghraifft orau o oxymoron yr oedd e'n gwybod amdani oedd 'police intelligence'.

Roedden nhw wedi dod i weld Anna, wrth gwrs, ac roedden nhw'n ddrwgdybus yn syth o'r boi yma oedd yn amlwg wedi bod yn cysgu trwy dri-chwarter eu shifft cynnar nhw. Aeth Daniel â nhw i eistedd yn y lolfa. Roedd gwydrau a photeli yn dal ar hyd y lle. Ceisiodd gario dau neu dri allan gydag e. Ymddiheurodd am y mès a hanner baglu dros y bwrdd coffi. Ar ôl rhoi'r poteli yn y bin yn y gegin, rhedodd lan llofft i'r stafell wely i ôl Anna. Roedd hi'n eistedd lan yn y gwely, yn gwisgo siwmper Daniel. Roedd drws y stafell wedi bod yn gil-agored. Roedd hi'n amlwg wedi clywed. Dechreuodd Daniel sibrwd.

'Ma' nhw moyn siarad 'da ti.'

'No shit.'

'Ma' dau ohonyn nhw.'

Roedd Daniel wedi cynhyrfu. Fel tasai ganddyn nhw rywbeth i'w guddio.

'Dere lawr, naf i ddweud byddi di lawr mewn eiliad.'

Roedd Anna ar y llaw arall yn hollol hunanfeddiannol.

'Ie. Okay. Dim problem.'

Roedd hi'n swnio ychydig bach yn annoyed hyd yn oed.

'Nôl lawr llawr ceisiodd Daniel egluro. Roedden nhw wedi bod lan yn hwyr neithiwr. Wedi bod yn yfed. Straen yr amgylchiadau. Roedd Anna yn dal yn y gwely. Yn ei stafell hi. Byddai hi lawr mewn eiliad. Edrychodd y ddau ddyn heddlu arno, ac ar ei gilydd, gyda rhyw olwg oedd yn gymysgedd o ddiflastod a rhywbeth ychydig bach mwy quizzical, fel tasen nhw wedi dod yma ar alwad routine ond eu bod nhw nawr yn defnyddio'u intuition heddluaidd chwedlonol i 'ddarllen rhwng y llinellau'. Eisteddodd y tri mewn tawelwch. Doedden nhw ddim hyd yn oed wedi gofyn pwy oedd e, na beth oedd ei berthynas ag Anna.

O'r diwedd cerddodd Anna i lawr y grisiau, a dod trwy'r drws yn bwyllog ac yn hyderus. Gofynnodd iddyn nhw oedden nhw eisiau coffi neu rywbeth. Doedden nhw ddim.

'Chi wedi cwrdd â Daniel? Ffrind i ni . . . Ffrind i fi.'

Nodiodd y ddau. Dechreuodd yr un mwyaf, a'r mwyaf sgwâr o'r ddau, siarad. Tynnodd lyfr nodiadau allan o'i boced a'i agor i dudalen benodol ond wnaeth e ddim edrych ar y nodiadau oedd yno o gwbl. Dechreuodd gyda'i spiel arferol – mor flin yr oedden nhw, fel tasen nhw'n ymddiheuro ar ran yr heddlu'n gyfan am garcharu rhywun ar gam am ddeunaw mlynedd. Diolchodd Anna'n gwrtais iddo. Yna roedden nhw wedi mynd trwy'r peth gam wrth gam. Roedden nhw wedi gwneud eu hymchwiliadau, ac wedi derbyn gwahanol adroddiadau oddi wrth wahanol dimau archwilio, a hyd a lled y peth oedd eu bod nhw'n hapus, ond nid yn hapus chwaith, taw damwain oedd y, wel, y ddamwain. Roeddech chi'n gwybod lle oeddech chi gyda fforensics, meddai. Dechreuodd restru rhai o'r manylion – dim byd anarferol yn y prawf gwaed, dim alcohol, dim cyffuriau. Dim byd i awgrymu trawiad ar y galon neu rywbeth fel yna. Dim byd yn bod ar y car fel y cyfryw, y brêcs yn iawn, y gwahanol systemau eraill yn gweithio, os ychydig bach yn hen, ond dim byd i awgrymu taw dyna oedd wedi achosi unrhyw beth. Roedd hi'n syndod bod y car wedi mynd oddi ar yr hewl yn yr union ffordd a wnaeth – roedd e wedi mynd trwy fwlch yn y barriers ar ganol yr hewl ac wedi codi dros y rhai ar yr ochr arall. Mae'n rhaid bod hynny'n anarferol, oherwydd roedd tôn ei lais wrth iddo ddweud hyn yn awgrymu nad oedd e, yn ei holl flynyddoedd o brofiad, wedi gweld unrhyw beth tebyg. Ond doedd hynny ddim yn ddigon ynddo'i hun i awgrymu unrhyw beth ond damwain. Hynny yw, roedden nhw'n ddigon parod i dderbyn bod damweiniau, yn ôl eu natur, yn bethau annisgwyl, anesboniadwy. A dyna ni. Mewn chwarter awr roedden nhw wedi bod ac wedi mynd.

Roedd Anna a Daniel wedi gwrando mewn tawelwch wrth i'r dyn heddlu siarad. Wnaethon nhw ddim gofyn cwestiynau, na'i stopio o gwbl, na gofyn iddo fe ail-adrodd unrhyw beth. Roedd Anna wedi eistedd yn dawel heb symud o gwbl. Roedd hi wedi chwarae'r rôl yn berffaith: digon o reolaeth drosti'i hun i alluogi i'r heddwas ddweud ei ddweud heb deimlo'i fod e'n rhoi cyllell yn ei briwiau ond â digon o feddalwch hefyd iddo fod *eisiau* troedio'n ofalus, a thaflu hanner-cip bob hyn a hyn, i wneud yn siŵr ei bod hi'n dal yn OK. Roedd Daniel yn fwy excitable. Roedd e'n fidgety, yn methu eistedd yn llonydd, ac yn edrych 'nôl a mlaen ar hyd wynebau'r ddau heddwas am y cliw lleiaf am eu gwir bwrpas, y pwrpas cudd oedd wedi dod â nhw yno.

Pan oedden nhw ar eu pennau'u hunain eto dwedodd Anna ei bod hi am fynd yn ôl i'r gwely, ac aeth lan llofft i stafell Daniel eto, a thynnu'i hun dan y sheets yn barod i fynd yn ôl i gysgu. Dilynodd Daniel hi. Roedd hi wedi rhoi'i phen ar y glustog yn barod.

'Gad e, Dan.'

Ei thro hi nawr i'w stopio fe.

'Be ti'n meddwl?'

'Wel, glywest ti beth wedon nhw. Damwain odd e.'

'A pwy 'yn nhw i ddweud hwnna 'te? D'yn nhw ddim yn gwbod unrhyw beth . . . Ti'n hapus gyda hwnna wyt ti?'

''Wy ddim yn gwbod beth wy'n gwbod. 'Wy ddim yn credu bo' ti chwaith. Gad e. Gad i fi fynd 'nôl i gysgu, plîs.'

Cafodd Daniel ei hun yn grac yn sydyn, ond heb wybod yn iawn pam. Roedd e wedi'i synnu'i hun.

'So beth ti'n dweud? Ti'n hapus i gredu Policeman fucking Plod a'i ffrind? Ti'n credu bod nhw actually yn becso shit am unrhyw beth? Nest ti weld sut o'n nhw'n edrych arna i. Fel tasen i'n fucking simple. Ti'n mynd i gredu nhw, wyt ti? Cyn fi?'

Caeodd Anna'i llygaid am eiliad, i feddwl. Pan agorodd hi nhw eto roedd hi'n edrych yn syth ato. Roedd hi'n siarad yn dawel.

'Gwranda. 'Wy'n gwbod taw dim ond heddlu 'yn nhw. 'Wy'n gwbod bod dim syniad gyda nhw really, ond honestly, nawr, am y tro, 'wy'n hollol hapus i wrando ar beth ma'r plisman bach neis yn dweud.'

'Anna, come on. Fi, fi, ni sy'n sorto pethe mas fan hyn. Ni . . .'

'Ti?'

Edrychodd Anna'n galed arno, â'r un olwg quizzical ag oedd yno yn llygaid y plismyn. Roedd e'n methu credu'r

187

newid. Fflachiodd syniad yn sydyn ar draws ei feddwl, argraff o ofnadwyaeth, ond wedi'i fframio mewn cyffredinedd. Ceisiodd ei dawelu'i hun, i adael iddo ffurfio'n gyfan. Gweld â llygaid newydd, Anna'n newid o'i flaen . . . Ond roedd hi'n dal i siarad ac roedd yr olygfa'n cymylu.

'Ti yw'r fucking ditectif?'

Doedd hi ddim yn codi i'r abwyd, jyst yn gofyn yn bendant.

'A beth wyt ti'n gwbod 'te, Raymond Chandler? Eh?'

Safodd Daniel yn stond, yn teimlo'i fod wedi'i wthio 'nôl mewn i gornel dywyll. Roedd ei feddyliau'n chwyrlïo i bob cyfeiriad. Tasai e ond yn gallu'u rheoli, neu'u harafu nhw hyd yn oed. Roedd Anna'n dal i syllu arno. Ond roedd y chwyrlïo'n cynyddu, nes y teimlai y byddai'r grym centrifugal yn ddigon i dynnu popeth oddi ar yr echel.

Yna, mor sydyn ag y daeth, roedd y dicter wedi cilio, ac roedd e wedi gallu cnoi'i dafod, cadw'n dawel. Aeth allan o'r stafell, dweud 'OK', dan ei anadl, wrtho'i hun, 'OK', ac fe gaeodd y drws y tu ôl iddo a gadael iddi gysgu.

Y prynhawn hwnnw cerddodd Daniel o gwmpas y dre mewn daze. Teimlai wedi blino'n llwyr. Doedd e ddim yn clywed synau'r traffig, ddim yn gwrando ar dameidiau o sgwrs pobl wrth iddyn nhw basio, fel y byddai'n gwneud fel arfer. Gadawodd i bobl wthio heibio iddo heb wneud llawer o ymdrech i fynd allan o'u ffordd. Os oedden nhw wedi edrych yn ôl arno, fel petai i ofyn beth oedd ei broblem, doedd e ddim wedi cymryd sylw, jyst wedi dal i gerdded. Cerddodd i lawr St Mary's Street, ac edrych yn

188

ffenestri'r siopau, ei feddwl nid yn gymaint yn bell ond yn fyddar neu'n fud. Aeth i mewn i'r Oxfam Bookshop ac edrych o gwmpas ond heb lawer o bwrpas. Edrychodd ar hyd y rhesi o nofelau rhamant am amser hir tan i hen fenyw ofyn iddo symud er mwyn iddi allu estyn llyfr o'r silff o'i flaen. Doedd e ddim hyd yn oed wedi teimlo'i phresenoldeb wrth ei ochr. Treuliodd hanner awr neu awr wedyn jyst yn cerdded ar hyd y gwahanol arcades. Roedd yna rywbeth arbennig o ddeniadol amdanyn nhw y prynhawn hwnnw. Nid dim ond y ffaith bod y siopau yno i gyd yn *neis*, ac yn gwerthu celfi deniadol, di-enaid, neu eu bod nhw'n cynnal gwahanol arogleuon y siopau gymaint yn well na tasai'r rheiny yn yr awyr agored – lledr y siop gotiau, gwynt musty perlysiau wedi sychu yn y siop fwyd ddrud, neu'r caffis bach fyddai'n agor eu drysau ac yn gadael chwa o awyr dwym, neu stêm coffi allan i'r coridorau – ond y golau, a'r teimlad cysurus o fod tu fas ac eto dan do, o fod yn y byd, ac yng nghanol yr holl ddewisiadau – llyfrau, camerâu, dillad, y pethau oedd yn cyffroi ac yn newid bywydau yn eu ffyrdd tawel eu hunain, a'r profiad o'u prynu hefyd, yn troi'n gelfyddyd yn sydyn – ond o fod hefyd, yn ogystal â hynny, mewn *stafell*. Ffrâm. Cyfaddawd rhwng cyfyngder a gofod. Byddai wedi hoffi tasai hi'n bwrw glaw.

Aeth i mewn i un o'r caffis bach. Daeth ei goffi mewn cwpan gwydr gyda ffrâm a dolen fetal. Doedd e ddim yn hoffi'r cwpanau hynny. Roedd e wedi gofyn am Chelsea bun hefyd. Eisteddodd am gwpwl o funudau jyst yn syllu ar y bwrdd. Ceisiodd ddychmygu sut y byddai'n eistedd, sut y byddai'n archebu ac yn yfed coffi tasai e newydd glywed am ddigwyddiad oedd wedi chwalu'i fyd. Tasai e'n rhy shocked i ymwneud â'r byd. Sut y byddai'n trin y ferch ifanc fyddai wedi dod â'i goffi iddo. A fyddai'n diolch iddi, neu wedi ymgolli cymaint fel na fyddai'n sylwi arni hyd yn oed. Cofiodd wedyn am ei sefyllfa'i hun. Sylweddolodd na fyddai sefyllfa fel yr oedd e wedi'i dychmygu yn gallu bodoli mewn gwirionedd. Bod mechanics byw yn gwrtais mor ddwfn eu gwreiddiau – dyfnach hyd yn oed na'r mwya spontaneous o ymatebion dynol. Bod cwympo'n ddarnau yn act, yn ddewis i ryw raddau, ond bod dweud diolch yn dod o flaen popeth.

Roedd Daniel wedi cerdded a cherdded. Pan gyrhaeddodd e'r tŷ eto roedd e wedi gwneud cylch o'r ddinas. Trwy Riverside i Canton, lan i'r caeau yn Pontcanna, lawr Cathedral Road, torri drwy'r parc ac allan ar bwys y Coleg Cerdd a Drama. Trwy'r ganolfan ddinesig wedyn, ac eistedd ar risiau mawr yr amgueddfa, fel tasai'n aros i gyfarfod Anna ar ôl gwaith. Aros am eiliad ar gornel pob stryd. Gohirio meddwl am fynd 'nôl tan y gornel nesa. Lan trwy adeiladau'r brifysgol, dros bont y rheilffordd, lan y strydoedd cyfarwydd, Cathays Terrace, heibio'r Flora, a blwyddyn newydd o fyfyrwyr wedi hawlio'r lle iddyn nhw'u hunain, achos eu bod nhw'n byw dau ddrws lawr, lan wedyn i'r goleuadau traffig, yr haul wedi dod allan erbyn hynny ac yn ei atgoffa o gyfnodau nad oedden nhw cweit mor felys mewn gwirionedd ag yr oedden nhw yn ei gof. Wrth gerdded roedd Daniel wedi bod yn meddwl am ffotograffau ac am brosiect arbennig. Byddai'n tynnu dau lun bob dydd am flwyddyn, heb un person byw yn yr un: slabs y pafin, close ups, llythrennau unigol ar bosteri mewn siopau, olwynion ceir, graffiti gwael ar waliau, gatiau tai, railings, gwifrau'r system ffôn neu'r system drydan, cigoedd yn ffenest siop bwtsiwr, y gwythiennau mewn cawsiau glas hefyd, ond dim byd fyddai'n rhoi unrhyw awgrym o gyd-destun neu o adnabyddiaeth syml. Siapau a lliwiau. A byddai'n dod yn 'ffrindiau' gyda rhai o'r siapau, a rhai o'r lliwiau, a rhai rhannau o rai o'r lluniau. Byddai'n eu hongian nhw heb ormod o ffwdan, pob un ar fachyn bach o'r to. Roedd e'n genfigennus o Anna. Doedd hi ddim yn gorfod trio. Roedd e ar waelod Crwys Road, yn trio croesi'r hewl. Roedd e wedi pasio'i hen dai coleg heb feddwl. Roedd City Road mor frwnt ag arfer. Canolbwyntiodd ar ei draed yn estyn allan o'i flaen.

[2.8]

Roedd y tŷ, pan gyrhaeddodd 'nôl â'i goesau'n wan, yn drewi o ymddiheuriad. Winwns wedi'u carameleiddio, gwin coch ac ymddiheuriad. Roedd Daniel ar fin anghofio. Ond yna rhoddodd Anna'i phen rownd drws y gegin, gwenu arno, ac roedd e'n cofio'n iawn.

'Sosejys, Dan!'

Tynnodd Daniel ei got a'i hongian yn y cyntedd.

'Es i mas prynhawn 'ma, lawr i'r lle newydd yna ar Splott Road.'

Cerddodd mewn i'r gegin. Roedd y stêm yn goch a chyfoethog.

'Mash hefyd.'

Roedd hi'n edrych yn falch â hi'i hun. Roedd ganddi wydraid o win coch ar bwys y ffwrn ac wrth iddi ychwanegu peth at y saws yn y sosban oedd yn ffrwtian yn braf, roedd hi'n ail-lanw'r gwydr hefyd.

'Cer i eistedd mewn fan'na. Dwy funud a gallwn ni fwyta.'

Cymerodd Daniel ei gyllell a fforc a mynd mewn i'r lolfa. Ceisiodd feddwl eto am beth oedd wedi cael ei ddweud y bore hwnnw. Dim gormod, meddyliodd. Dim byd na allai gael ei esbonio'n ddigon rhwydd gan yr amgylchiadau. Ceisio'i berswadio'i hun. Pam, felly, ei fod e'n teimlo fel petai yna seismic shift wedi bod?

Cafodd fflach sydyn o gofio. Argraff o'r argraff oedd wedi diflannu o'i feddwl cyn iddo gael cyfle i'w ddeor. A'r eiliad honno, fel tasai e wedi consurio drychiolaeth, daeth Anna mewn i'r ystafell yn cario dau blât anferth.

Os oedd yna fwriad cudd yn y gwin, felly, neu wedi'i stwnsho yn y tatws, wrth gwrs fe weithiodd hynny i'r

192

dim. Roedd Daniel yn starfo ac am bum munud cyfan fe ganolbwyntiodd yn llwyr ar y bwyd o'i flaen ac ar lanw'i fol. Roedd e'n gwybod yn iawn – neu fe gredai ei fod yn gwybod yn iawn – ei fod e'n cael ei dwyllo. Ond wrth i'r selsig ddiflannu, roedd e bron â bod yn falch i gael ei dwyllo, ac i ildio i'r twyll. Does yna ddim byd fel cael eich prynu â bwyd da. A gyda phob llond ceg roedd e'n fwyfwy hapus i gredu bod rhesymau Anna yn onest wedi'r cyfan, ac os oedd yna ymgais i ddylanwadu'n fwriadol arno bod hynny'n cael ei wneud am resymau syml, anghymhleth: doedd hi ddim eisiau i neithiwr effeithio ar y gyd-ddibyniaeth oedd rhyngddyn nhw; doedd hi ddim eisiau pellhau oddi wrtho ar yr adeg pan oedd arnyn nhw angen ei gilydd fwyaf. Canlyniad yr ildio hwnnw yn y pen draw, y bodlonrwydd i wthio pethau i gefn ei feddwl, fyddai ansicrwydd mwy, wrth gwrs. Roedd e'n gwybod hynny hefyd. Ond ansicrwydd mwy, oherwydd er trio gwneud 'y peth aeddfed', 'y peth iawn', 'no hard feelings', y gwir amdani yw bod Daniel eisiau'r teimladau anodd hynny. Mae e eisiau Anna. A nawr, hi sydd â'r grym. Hi sy'n rheoli pethau. Gall hi alw, gall hi wrthod. Rheolau'r gêm. Ond pryd ddaeth hi'n fater o chwarae gêm? Pryd ddaeth hi'n fater o gynllwynio ac o feddwl ymlaen llaw? Dyw hi ddim yn hawdd ateb y cwestiwn hwnnw. Dim mwy hawdd nag yw hi i ofyn ac ateb a oes yna sail i'r cyhuddo annelwig hwn yn y lle cynta. Pa un ai yw popeth yn greadigaeth yn ei feddwl ei hun. Hynny yw, mae e'n hoffi meddwl ei fod e'n ddigon synhwyrol i gadw popeth dan gaead. Na allan nhw jyst (jyst!) paratoi ar gyfer yr angladd? Ac os oes rhaid meddwl am bethau, meddwl amdanyn nhw ar ôl hynny?

Ac os oedd Daniel yn meddwl ei bod hi am ymddiheuro, felly, yna doedd tôn ei llais hi ddim yn awgrymu hynny. Doedd ei body language hi ddim yn awgrymu hynny. A doedd ei geiriau yn sicr ddim yn awgrymu hynny. Roedd hi'n ymddangos yn hollol relaxed erbyn hynny. Yn ddigon relaxed i allu chwarae'r sefyllfa fel act merch fach.

'Anghofiwn ni am bore 'ma, ife Dan? Dyw e ddim yn bwysig . . .'

Mae hi'n gwneud iddo fe swnio fel gosodiad sydd mor wir fel nad oes angen ei ddweud e'n uchel.

'Gad i ni fod fel o'n ni eto, beth ti'n gweud?'

Ie, iawn, wrth gwrs. Ond y cwestiwn hwnnw eto: fel oedden ni pryd? Cyn bore 'ma neu cyn neithiwr? Neu cyn gweld mam Davies neu cyn i Daniel gyrraedd? Neu cyn dydd Sul dwetha hyd yn oed?

Roedd e'n barod i gysgu, ar stumog lawn, gyffyrddus. Roedden nhw'n mynd i'r gwely yn eitha cynnar, wedi cael digon o win ond yn fodlon gwrthod y demtasiwn i estyn am y gin heno. Gwrandawodd Daniel yn ofalus arni yn yr ystafell nesa. Roedd hi wedi mynd i'r ystafell ymolchi ar ei ôl e. Roedd hi wedi aros lawr llawr i roi'r dwetha o'r platiau a'r gwydrau sych 'nôl yn y cypyrddau. Roedd hi'n plygu'i dillad yn ofalus ar y gadair ar ôl eu tynnu. Roedd hi'n edrych drwy'r silffoedd am rywbeth i'w ddarllen. Roedd hi'n cerdded 'nôl a 'mlaen. Roedd hi'n gwneud unrhyw beth i osgoi mynd mewn i'r gwely hwnnw, ac i gysgu, neu fethu cysgu, ar ei phen ei hun. Roedd pren y llawr yn gwichian dan bwysau'i thraed. Roedd hi'n cerdded allan o'i stafell hi ac yn agor ei ddrws e. Roedd hi'n sefyll yno yn noeth o'i flaen.

Meddyliodd Daniel am y ferch roedd e wedi cwrdd â hi

am y tro cynta, rownd y coleg, wedi'i gweld hi o bell ac wedi sylwi arni a'r hyder gosgeiddig wrth iddi gerdded. Cofiodd un tro pan oedd e wedi'i gweld hi'n cerdded reit ar draws ffrâm ei olwg, a sut y byddai wedi hoffi'i gweld hi'n cerdded fel yna yn noeth, fel petai yn un o astudiaethau enwog y ffotograffydd Eadweard Muybridge. Gwelodd hi nawr yn y fan hon. On'd oedd y ddau fyd yn hollol anghymarus â'i gilydd? Ond roedd hi'n edrych yn hollol gyffyrddus yn ei chroen ei hun ac roedd hynny'n gyffredin rhwng y ddau. Doedd e ddim yn gorff 'perffaith', fel perffeithrwydd cylchgrawn, ond roedd e'n gyflawn ynddo'i hun, pob siâp a phob tro yn cyflenwi'r cyfanwaith. Tasai e'n gofyn iddi droi i wynebu'r ochr a cherdded, meddyliodd Daniel na fyddai'n gallu torri'i symudiadau i lawr i'w rhannau bychain, fel y gwnaeth Muybridge, ac y byddai'r peth yn llifo, heb un rhan o'i chorff i'w weld yn gyrru'r gweddill ymlaen.

Doedd e ddim yn rhy siŵr beth i'w wneud, lle i edrych. Ond roedd hi'n dal i sefyll yno, ei breichiau wrth ei hochr, heb drio cuddio'i hun o gwbl. Roedd hi'n ferch yn sefyll o'i flaen – ddim yn esgus bod yn ferch nawr, neu'n trio actio rôl fel yr oedd hi gynnau, jyst yn sefyll yno. Roedd e'n ofnus yn sydyn. Yng ngolau pŵl y lamp roedd y cysgod rhwng ei choesau yn awgrymu grymoedd tywyll. Ond roedd hi'n dawel a thyner pan ofynnodd hi a allai hi ddod mewn ato fe eto. Ac wrth gwrs fe ddaeth hi, ac fe dynnodd Daniel ei ddillad hefyd, jyst er mwyn bod yr un peth â hi. Fe ddiffoddodd hi'r golau ar ei ffordd i'r gwely.

Beth i'w wneud? Meddyliodd Daniel y bydden nhw'n cysgu, fel yr oedden nhw wedi'i wneud y noson gynta, eu coesau'n cyffwrdd bob hyn a hyn, ond mewn dau wely i bob pwrpas, dau fod yn digwydd rhannu gofod. Ond fe drodd hi ato'n syth, ac roedd hi'n rhedeg ei dwylo ar hyd ei gorff. Roedd hi'n gafael yn y cnawd ar waelod ei gefn, llond llaw a'i bysedd yn dynn, ac roedd hi'n ei gusanu. Cusanodd e hi yn ôl. Yna roedd hi ar frys gwyllt. Gwthiodd Daniel ar ei gefn, ac roedd ei dwylo'n benodol, yn gweithio fel tasai hi'n trin peirianwaith. Direct, to the point. Helo? Shw' mae? Sut wyt ti heno? Dim pleasantries, ac roedd hi'n trio'i lleoli'i hun yn ofalus ar ei ben. Ond roedd Daniel wedi blino, wrth gwrs. Roedd e'n shellshocked. Roedd yr ofn bum munud ynghynt wedi troi'n rhyw fath o arswyd elfennol. Meddyliodd tasai e'n gallu gweld ei llygaid y byddai'r metamorphosis ynddyn nhw yn hollol amlwg, ac y byddai gemau drudfawr ei henaid wedi troi'n ddwy garreg, wedi oeri a chaledi – ond yn cofio er hynny y tân ffurfiannol a roddodd fodolaeth iddyn nhw filiynau o flynyddoedd yn ôl.

Pan ddaeth hi'n amlwg ei bod hi'n brwydro yn erbyn grym mwy nerthol hyd yn oed na'i swyn amrwd a'i rhywioldeb corfforol ei hun, fe dawelodd hi, ac unwaith eto roedd y newid yn syfrdanol. Roedd hi wedi ail-ddarganfod ei llais, a'r tôn o faddeuant tyner. Roedd hi fel tasai hi mor agos ati hi ei hun – yr Anna hyfryd ac earnest – ag yr oedd hi wedi bod yn y cyfnod ers i Daniel gyrraedd pan ddywedodd hi'n syml, 'Mor rhyfedd. Mor rhyfedd'. Nid yn gymaint yr hyn ddwedodd hi ond y ffordd o'i ddweud. Roedd hi'n sôn am bopeth, yr holl fanylion anodd a'r holl effeithiau anweladwy, ond am un peth yn y bôn: y rhyfeddod o fod yn gorff a meddwl sy'n teimlo.

Yng ngolau ffres y bore, cyn i amser ar gloc fynegi'i hun, fe ddeffrodd Daniel ac Anna gyda'i gilydd, yr un pryd. Roedd ei lygaid ar agor, yn edrych yn llygaid Anna oedd wedi deffro i'w wynebu. Roedd ei gweld hi heb grys, gweld croen ei gwddf, er enghraifft, a'i hysgwyddau, yn rhoi gwedd hollol newydd iddi. Y math o brydferthwch na allwch chi wybod amdano cyn deffro fel hyn wrth ochr rhywun. Gwenodd arni, ac fe wenodd hi yn ôl. Gwenau o deimlad gwirioneddol, gwenau bore. Symudodd Anna'i phen tuag ato, pob syniad o ofod personol, neu o bellter 'saff', wedi'i golli. Roedden nhw mewn gwely, wedi'r cyfan. Y tro hwn roedd Anna'n llai ffyrnig nag yr oedd hi wedi bod y noson cynt a Daniel yn ddigon effro yn ei gorff ond yn ddigon cysglyd ei feddwl i allu gohirio poeni am y peth tan ar ôl iddo ddigwydd, tan ar ôl iddyn nhw gwympo oddi ar ei gilydd, allan o wynt ond yn falch, fel tasen nhw wedi bod allan am jog cyn brecwast. Roedd e'n fater o ryddhad yn gymaint â phleser. Roedden nhw'n falch â'u hunain – ar eu pennau'u hunain a gyda'i gilydd. Yn teimlo eu bod nhw'n dechrau diwrnod y ffordd y dylai pob diwrnod da ddechrau. A'u bod nhw'n barod am frecwast da. Fel pan oeddech chi'n mynd i westy pan oeddech chi'n blentyn ac yn edrych ymlaen yn benodol at y brecwast mawr. Roedden nhw wedi siarad am fwyd gyda brwdfrydedd plant bach. Ac mae hi'n bosib, yn fwy na phosib, bod 'na fwy o sex yn y sgwrs honno, yn y thrill o fod yn siarad fel yna, yn noeth, ac o adael i flasau oddiweddyd eu dychymyg, a bod yna fwy o texture, a mwy o gyffwrdd nag a oedd wedi bod ym methiannau'r noson cynt a llwyddiannau'r bore bach gyda'i gilydd. A'r peth gorau oedd bod yna ddim arlliw o amheuaeth. Roedden nhw wedi dod at bethau o chwith: rhyw gynta cyn y preamble synhwyrus. Ond yn barod roedden nhw'n gweithio tuag at y tro nesa.

Roedd Daniel wedi codi i fynd i'r toilet. Pan ddaeth e

'nôl i'r ystafell roedd Anna'n gorwedd ar ei chefn, ac wedi symud i ochr bella'r gwely, nesaf at y wal. Roedd ei breichiau wedi'u croesi a'r quilt yn dynn dros ei chorff. Ceisiodd Daniel ddringo i'r gwely heb ddangos gormod o'i gorff ei hun a heb wneud iddi hi lacio'i gafael ar y quilt. Gorweddodd i lawr, trio rhoi'i fraich o gwmpas ei chanol. Wnaeth hi ddim symud i wneud lle iddo, jyst gorwedd fel yr oedd hi. Fe drodd hi o'r diwedd i'w wynebu, ac eto nid yr hyn roedd hi'n ei ddweud . . .

'Ti'n gwbod? 'Wy ddim wedi teimlo mor dda â hynny ers misoedd.'

Gadawodd Daniel i'r compliment ei blesio, yn fwy nag y dylai fod wedi gwneud. Roedd hi'n hunanymwybodol. Roedd hi'n wistful. Yr adlewyrchiad gwan. Gadawodd Daniel i'w synnwyr a'i feddwl, ei reswm, ildio i'r syniad hollol flattering o fod wedi darparu . . . Ac yn y fan hon fyddai e ddim wedi bod yn beth anodd iddo fod wedi gweld ac adnabod. Ddeuddeg awr yn ôl roedd y peth yn arswyd, ond nawr? Roedd e'n barod i gael ei feddiannu, ac i drio meddiannu yn ôl. A doedd e ddim yn ddigon twp, neu ddall, i ddychmygu taw dim ond ei alluoedd anhygoel e yn y gwely oedd ym meddwl Anna wrth iddi ddweud hynny – byddai hynny wedi bod yn wyrth o hunan-dwyll hyd yn oed yn ôl ei safonau e – ond doedd e ddim yn fodlon dychmygu hefyd nad oedd y datganiad hwnnw yn unrhyw beth ond gwir hollol. Gadawodd i'w feddwl redeg. Ond pa mor wir hefyd? Oedd e'n llythrennol wir? Oedd Davies ac Anna yn cysgu gyda'i gilydd yn yr wythnosau cyn y ddamwain? Ac os nad oedden nhw, pam nad oedden nhw? A pham fod hynny'n bwysig? Roedd e'n bwysig, wrth gwrs, am fod Daniel wedi gadael iddo fod yn bwysig.

Tasai e wedi meddwl fel y gwnaeth wedyn byddai wedi gadael i'r holl beth fod. Ond roedd hi'n rhy hwyr, ac yn y gwely, pan oedd hi reit fan yna ar ei bwys e, cafodd deimlad rhyfedd y byddai'r cwestiwn hwnnw'n ei boeni am sbel i ddod, blynyddoedd efallai. Ac nid jyst o ran y cenfigen fyddai'n gallu codi o wybod yr ateb ... Ond roedd e'n gwybod hefyd na fyddai byth yn gofyn i Anna am ateb. A nawr roedd Anna'n chwarae rôl eto. Strong female lead? Sy'n gallu gwthio teimladau i'r naill ochr? Bod fel dyn ym myd dynion? Efallai. Ac fel yna, roedd yr hud awr, respite y bore newydd, wedi diflannu.

Gwelodd Daniel y ffigyrau ar ei gloc digidol yn newid, 0959 i 1000. Yn ddiweddarach y bore hwnnw, tua hanner dydd, fe ffoniodd e ei brifathro. Aeth trwy'r holl beth, esbonio'r sefyllfa. Roedd Anna ar ei phen ei hun, byddai angen iddo aros yng Nghaerdydd am ychydig, cwpwl o wythnosau o leia. Roedd y prifathro'n llawn cydymdeimlad wrth gwrs. Doedd dim brys. Fe allen nhw gael athro llenwi yn iawn. Diolchodd Daniel iddo ac fe drefnon nhw i siarad eto gwpwl o wythnosau i fewn i'r tymor newydd. Wnaeth e ddim sôn llawer am ei deimladau'i hun, dim ond dweud bod y tri ohonyn nhw wedi bod yn agos iawn, ers blynyddoedd. Wrth roi'r ffôn i lawr, ar ôl sgwrs fer, dwy funud, meddyliodd Daniel am yr hyn oedd yn digwydd nawr. Doedd e ddim wedi ystyried cyn hynny ond roedd y peth wedi bod yn hollol amlwg o'r dechrau. Fyddai e ddim yn mynd yn ôl o gwbl. Byddai'n gohirio ac yn gohirio, nes i'r prifathro golli amynedd a gorfodi'r penderfyniad. Y penderfyniad yr oedd e'n gwybod hyd yn oed nawr beth fyddai. Roedd gormod wedi digwydd, gormod yn mynd i ddigwydd eto.

'Jyst meddwl, oni bai am Davies fydden ni ddim yma nawr.'

Roedden nhw'n meddwl codi, jyst yn mwynhau pum munud ola o wres y gwely ond yn gwybod na fyddai'n gallu para. Roedd pethau wedi mynd yn fuzzy iawn. Beth oedd hi'n ei olygu wrth hynny? Roedd e'n fwy na bodlon gwneud allowances, cymryd amgylchiadau i ystyriaeth. Ond mae yna bwynt yn dod pan fo pethau sy'n cael eu dweud mewn cyfnod anodd, neu yng ngwres moment, o'u dweud yn ddigon aml – neu o ailadrodd tôn ac awgrym y pethau hynny – sy'n aros ac yn dod yn rhan o fywyd. Roedd bygythiad yma. Ond roedd e'n gwybod na fyddai'n hapus i fynd yn ôl i'r ysgol nawr, ac i weithio bob dydd a dod adre i fflat wag a'r radio. Ond roedd popeth, yn y byd roedd e'n ei ddewis yn lle hynny, yn teimlo fel straen. Bron fel nad oedd ganddo hawl i fod yno hyd yn oed. Pam dewis hynny felly? Roedd e wedi dewis unwaith, wrth gwrs, a dewis y gwrthwyneb. Doedd hynny ddim yn iawn. Ond pa mor iawn fyddai hi i fyw gyda chariad ei ffrind gorau marw? Nid o safbwynt moesol, o angenrheidrwydd, nid hynny oedd y prif beth, ond o ran eu hunain. On'd oedd hi'n wir bod gormod wedi digwydd? Roedden nhw'n gwybod gormod am ei gilydd cyn dechrau. Os oedd symud i ffwrdd wedi gwneud dim byd ond chwyddo'r pethau hynny, beth oedd yn gwneud iddo feddwl nawr y byddai perthynas â rhywun oedd wedi gweld hynny i gyd ynddo'n gallu'i droi e'n sydyn i fewn i'r dyn roedd e wastad wedi bwriadu bod? Angen yr egni, mae'n debyg. Egni'r posibilrwydd. Ac er mor frawychus oedd y teimlad hwn nawr, bod Davies ac Anna yn gweithio 'gyda'i gilydd', hyd yn oed â fe tu hwnt i'r byd, a hyd yn oed os

oedd Daniel yn meddwl ar foment wan y gallai Anna *fod*
wedi chwarae rhan fwy na'r cariad passive yn y
farwolaeth, *fod* wedi bod yn rhan o gynllwyn penodol ond
cosmig, metaffisegol, anfeidrol hefyd, neu fod wedi bod
yn cynllwynio ar ei phen ei hun at ba bwrpas bynnag, pa
reswm bynnag oedd gan Davies dros farw, beth bynnag
oedd y tu ôl i bopeth, roedd hi'n braf gwybod ei fod e,
Daniel, yno yn yr holl beth yn rhywle. Hyd yn oed os taw
dim ond dychmygu yr oedd e bod Anna o'r diwedd, ddeng
mlynedd wedyn, ei eisiau *e* nid Davies, a'i bod hi'n falch
ei fod *e* yno, a'i bod hi'n ailasesu'n llwyr ei bywyd fel
oedolyn; hyd yn oed os taw dim ond cynnyrch meddwl
delfrydol a diniwed oedd hyn i gyd, yna roedd hi'n dal yn
werth bod yno. Ac roedd hi'n dal yn werth rhoi cynnig.
'Be yourself only better', fel roedd hysbysebion am
glybiau ffitrwydd yn dweud. A beth oedd rôl Davies yn
hyn i gyd? Pwy, a beth, oedd e? Roedd hynny'n
ddirgelwch o hyd.

Ac Anna. Roedd hi'n ddirgelwch, hefyd. Ond yn
ddirgelwch mwy atebadwy, wrth gwrs. Roedd hi'n bodoli.
Ac roedd hi'n tantalising. Oedd, roedd hi'n gwybod tipyn
mwy nag yr oedd hi'n ei gynnig iddo o'i gwirfodd. Roedd
hi'n 'big deal' o ddioddefaint, ond hyd yn oed pan oedd hi
ar ei mwya elusive, roedd hi'n dal yn Anna. Oedd gallu
dweud fel yna yn ddigon erbyn hynny? A'r holl amser
roedd y peth yn datblygu, datblygu, datblygu, datblygu.
Byddai hi yn ei wely eto y noson honno. Bore fory
bydden nhw'n cael eu bore Sadwrn cyntaf yn y gwely
gyda'i gilydd. Y bore wedyn, eu bore Sul cyntaf. Ar
ddydd Llun byddai'r angladd, a hwnnw fyddai'r dydd
Llun cyntaf . . .

Erbyn y dydd Sul roedd hi'n wythnos, wrth gwrs. Ac er eu
bod nhw'n gwybod na fydden nhw'n cysgu'n hwyr, er
enghraifft, neu'n ei anwybyddu'n fwriadol, eto roedd
y cyfnod hwnnw ddiwedd y bore pan oedden nhw'n
dychmygu Davies a'i funudau olaf – yn y pethau cyffredin
yr oedden nhw'n eu gwneud, sychu'r llestri neu dacluso'r
lolfa, yn ogystal â chofio'u bywydau eu hunain y bore
hwnnw, mor bell yn ôl erbyn hynny, fel rhoi eu hunain yn
fodlon i gael eu harteithio gyda phryfed a nadredd. Amser
yn llusgo. Ond arafach hyd yn oed na hynny. Roedd hi fel
petai'r bys eiliad yn stopio *bob* eiliad, i gyhoeddi diwedd y
byd. Ar ôl pum munud roedd Anna wedi cael digon ac fe
aeth hi allan i gerdded rownd am ychydig, jyst er mwyn
gallu meddwl am bethau eraill. Roedd y ddau ohonyn
nhw'n teimlo'n benysgafn, wedi'u goresgyn yn llwyr. Fel
sefyll yn erbyn y wal ar waelod adeilad tal iawn, a
theimlo'ch gwddf yn straenio mwy a mwy i chi allu gweld
y top. Ffenestri uchel tua'r byd, a'u gwydr sy'n darllen
meddyliau.

Trwy'r prynhawn, wel cwpwl o weithiau, fe ganodd y
ffôn. Ffrindiau i Anna oedd yna y rhan fwyaf. Ffrindiau
gwaith, ambell ffrind benywaidd yr oedd hi'n dal mewn
cysylltiad â nhw ers y coleg, neu o adre. Ond doedd yna
ddim gormod. A doedd hi ddim yn gallu cuddio'r ffaith ei
bod hi'n annoyed gan y galwadau yma'n torri ar ei
thraws. Lleisiau nad oedd hi'n gyfarwydd â'u clywed ar y
ffôn, lleisiau rhy feddal, rhy dosturiol, lleisiau â'u
cydymdeimlad yn bradychu'r ffaith nad oedden nhw wedi
siarad ers amser. Roedd hi'n gorfod rhoi gwerth eu harian
i bob un hefyd – bod yn drist, torri'i chalon 'on demand'

fel petai. Ond roedd hi hefyd efallai yn annoyed oherwydd y rhesymau pam eu bod nhw'n lleisiau anghyfarwydd-ar-y-ffôn. Roedden nhw'n ei hatgoffa hi o faint yr oedd hi wedi byw gyda Davies, ac er ei fwyn e hefyd. Falle nad oedd hi cweit yn grac am hynny, nac yn cysylltu hynny â cholled, neu wastraff yn ei hamser, ond roedd ei hymateb yn tueddu at hynny. Ac felly mewn ffordd roedd hi'n falch pan ddaeth dydd Llun. Fe ddeffrodd hi gyda phendantrwydd, yn ei llais ac yn ei chorff.

Doedden nhw ddim wedi dweud rhyw lawer o gwbl yn ystod y dyddiau am bethau'r nos. Mae yna hen ddywediad doeth gan rai llwythau yn Affrica, 'Peidiwch â galw neidr yn neidr yn y nos, oherwydd fe fydd hi'n siŵr o'ch clywed chi'. Roedden nhw'n hapus, roedd Anna yn bennaf, yn hapus i gadw'r ddau gyflwr ar wahân, ac i adael popeth tan y dyfodol annelwig hwnnw. Y trafodaethau, yr erydu graddol ar y cyferbyniad, yr ildio fel gwawr, o dywyllwch i ddydd. Nid y byddai, pan ddeuai, mor organig â hynny. Byddai yna 'drafod', 'siarad', yn yr ystyr 'Ma' angen i ni siarad', a doedd hi ddim yn edrych ymlaen at hynny. Doedd hi ddim eisiau gorfod meddwl amdano eiliad cyn y byddai'n rhaid, ac roedd y rhaid hwnnw ar y pryd wythnosau neu fisoedd i ffwrdd. Digon teg.

Deffrodd Daniel yn gynnar eto ar fore'r angladd. Roedd e wedi cael breuddwyd ryfedd. Nid hunllef, wrth gwrs. Plant sy'n cael hunllefau. Ond roedd hi'n freuddwyd oedd wedi'i ysgwyd, a'i ddeffro. Roedd e wedi aros yn y freuddwyd hyd yn oed ar ôl iddo agor ei lygaid, tan i'r bore dreiddio i'w isymwybod o'r diwedd a'i ryddhau. Roedd hi'n fore braf. Yn y freuddwyd, roedd e wedi cael ei erlid gan rym dienw trwy strydoedd hen ddinas gothig. Ychydig bach fel y ffilm *Don't Look Now*, ond bod yna ddim cot goch yn ymddangos rownd pob cornel ac roedd e'n fwy annelwig na hynny beth bynnag. Teimlai'r bygythiad yn dod yn nes ac yn nes, tan ei fod o'i gwmpas ymhobman. Roedd e wedi rhedeg lawr rhyw stryd gefn ac wedi dod wyneb yn wyneb â wal. Doedd yna ddim ffordd heibio iddo. Yn araf wrth iddo ddeffro, roedd wyneb wedi dechrau ymddangos ar y wal. Doedd e ddim yn credu ei fod e'n nabod y wyneb, ond roedd yr effaith yn arswydus. Cododd yn syth a mynd i'r gawod.

Trwy'r bore roedden nhw wedi cael teimlad pendant o bethau'n newid. Roedden nhw wedi codi ar wahân, ac wedi llwyddo i fethu'i gilydd am ran fwyaf y bore. Roedden nhw wedi codi'n rhy gynnar hefyd. Lot gwell tasen nhw wedi bod ar frys i fod yn barod. Ond o leia doedden nhw ddim wedi gorfod meddwl am ddatblygiadau eraill ac roedd hynny'n rhyddhad. Fe allen nhw fod yn ddau ar wahân eto, am ddiwrnod beth bynnag. Ac yn yr angladd byddai'r ffiniau wedi'u haildynnu. Bydden nhw'n agos ac yn edrych ar ei gilydd am gefnogaeth neu i weld tristwch y llall, ond fyddai yna ddim cymhlethu pellach. Ac fe fyddai hi'n rhyddhad iddyn nhw allu cael diwrnod off. Rhyfedd taw'r diwrnod hwn oedd y diwrnod hwnnw.

Roedd hi'n hyfryd o braf tu allan. Y diwrnod gorau posib i gladdu'r meirw. Byddai hi wedi bod yn neis i feddwl y gallen nhw fod wedi mynd lawr i'r traeth yn rhywle, jyst fel yna, tasai'r diwrnod yn rhydd gyda nhw. Mynd â phicnic, falle. Ac fe fydden nhw'n bwyta a cherdded, cerdded a bwyta. A chwerthin. Y tri ohonyn nhw. Cyfle olaf i wneud hynny. Dim ond nad yw cyfleon olaf byth yn dangos eu hunain fel yna. Run bach lan i Llwydcoed, felly, yn lle hynny. Ond byddai hi'n neis yn y fan honno hefyd; fyddai'r trip yn y car ddim yn amhleserus ynddo'i hun. O'r top, ar bwys y Baverstock, byddai'r wlad odanyn nhw'n agor allan, fel, wel, fel yr hyn a oedd. Daear lawr. Ond wedi'i weld o'r uchelfannau. A dyna oedd y peth pwysig.

Aeth Anna i'r ystafell ymolchi rhyw awr cyn yr amser yr oedden nhw wedi bwriadu gadael. Roedd hi yno am ran fwyaf yr awr. Pan oedd hi wedi'i chloi'i hun i mewn ac yn rhedeg dŵr y bath daeth Daniel yn dawel i'r drws. Arhosodd yno am funud neu ddwy, ar ei bengliniau, a gwrando. Clywodd Anna'n tynnu'i dillad a'u rhoi nhw ar sedd y toilet. Clywodd hi'n estyn am ei photeli – shampoo, conditioner, swigod i ddŵr y bath. Clywodd hi'n dringo'n ofalus i fewn a'r dŵr yn cael ei wthio allan o'r ffordd i wneud lle iddi cyn cau eto am ei chorff. Clywodd hi'n gorwedd yn ôl ac yna roedd y lle'n hollol dawel, ar wahân i ambell don ysgafn yn y bath, wrth i'r dŵr lapio'n gynnes yn erbyn ei chluniau. Y pastoral dinesig. Arhosodd yno am funud neu ddwy, cyn symud i ffwrdd eto'n ofalus. Ceisiodd wneud yn siŵr ei fod e'n codi'n ofalus, er mwyn stopio'r esgyrn yn ei bengliniau rhag clicio yn erbyn ei gilydd. Tu ôl i'r drws, roedd Anna'n gwybod yn iawn. Roedd hi wedi synhwyro'i bresenoldeb, wrth gwrs. Trodd y tapiau ymlaen i wneud y llif dŵr yn fwy ac i wneud mwy o sŵn. Cyn mynd mewn i'r bath roedd hi wedi edrych yn y drych uwchben y sinc. Roedd e wedi'i guddio gan stêm erbyn hynny. Wnaeth hi ddim trio'i glirio. Roedd ei llygaid hi'n bloodshot ac roedd hi'n gallu teimlo'r dagrau yn casglu yno heb orfod eu gweld. Byddai'n gwneud inspection iawn ymhen rhyw hanner awr, ar ôl iddi gael cyfle i ymolchi.

Roedden nhw wedi mynd ati'n fwriadol i osgoi unrhyw bethau seremonïol y bore hwnnw, unrhyw bethau fyddai rhywsut yn 'artiffisial', sut bynnag y gellid fod wedi diffinio hynny yn yr amgylchiadau, neu unrhyw bethau eraill a fyddai wedi tynnu sylw at hynodrwydd y sefyllfa. Nid nad oedden nhw wedi storio pethau o'r fath: delweddau, snapshots o deimladau, fel cerddi, fyddai'n dod yn ôl iddyn nhw'n gyfan mewn blynyddoedd i ddod fel tasen nhw'n cael eu tynnu o ffeil. Arogleuon hyd yn oed, neu ymatebion synhwyrus eraill, 'coffi chwerw, oer, fel yr oedd ar fore'r angladd . . .' – fe allen nhw eu dychmygu'u hunain yn dweud pethau fel hynny. Ond pan oedden nhw gyda'i gilydd roedden nhw wedi trio gwneud popeth allen nhw i osgoi'r gydnabyddiaeth fyddai'n gorfod dilyn. Bydden nhw wedi gorfod edrych ar ei gilydd fel petai i ddweud, 'Dyma ni nawr yn gwneud, neu'n sylwi, neu'n rhoi ar gof a chadw bethau y byddwn ni'n eu galw yn ôl mewn amser i ddod'. Eu cadw nhw iddyn nhw'u hunain oedd y peth pwysig, beth bynnag a ddeuai wedyn. Ac mae'n debyg bod ofn arnyn nhw hefyd. Ofn yr atgof diffygiol. Yr atgof ystrydebol. Ofn y rhannu â'r llall. Fel petaen nhw ddim eisiau gosod y llall hwnnw ar brawf. Y llall hwnnw a oedd yr unig berson yn y byd erbyn hynny a allai, efallai, ddeall. Ar brawf.

Roedd yna un foment, fodd bynnag, ac fe allwch chi faddau iddyn nhw yn y fan hon, rwy'n siŵr. Roedden nhw'n llythrennol ar eu ffordd allan drwy'r drws pan ddigwyddon nhw daro i fewn i'w gilydd. Gafaelodd

Daniel ym mreichiau Anna yn reddfol, i'w harbed rhag cwympo. Roedd yna stop am eiliad, pan oedden nhw'n wynebu'i gilydd. Yna, ar yr union un amrantiad, fel petai'u meddyliau wedi croesi, fe bwyson nhw ymlaen a chusanu gwefusau'i gilydd, yn ysgafn ond yn bendant. Eiliad hir arall. A gyda hynny fe droeon nhw tua'r dydd, tua'r awyr glir a'r haul uchel, cerdded o'r tŷ a thynnu'r drws yn galed y tu ôl iddyn nhw.

[tri : y swigen]

[3.1]

Straeon yw'r gorffennol i gyd. Mae yna wastad bethau yn digwydd. Dyw'r gorffennol byth jyst yn bobl yn eistedd rownd ac yn siarad. Ond fel yna oedd ein gorffennol ni ac wrth feddwl amdano nawr rwy'n gwybod yn iawn y bydd y munudau hynny, y sgyrsiau neu'r boreau diog, yn aros, o leia yn rhannol, allan o'r golwg. Hyd yn oed i fi, oedd yno, mae'n amheus a fydda i'n gallu nabod y cymeriadau a'r sefyllfaoedd o'u cofio fel hyn. Oherwydd hyd at nawr rwy wedi trio bod yn y digwydd ac ar wahân iddo hefyd, o ryw bellter cymharol beth bynnag. A dyw creu ar dudalennau, hyd yn oed yn fras mewn llyfr nodiadau, gymeriadau r'ych chi'n eu nabod ddim fel eu consurio nhw o flodau neu o le neu o ddim byd hyd yn oed. Mae'r holl beth fel argae mawr, a phwysedd y dŵr yn casglu y tu ôl iddo. Pan ddaw twll yn yr argae wedyn, y dŵr sydd agosaf at y wal sy'n mynd trwodd gynta. Mae'n rhaid i chi aros i'r twll yn y wal adael y dŵr trwodd ar ei raddfa ei hun. Neu tan i'r twll, oherwydd yr egni a'r pwysau sydd arno, gael ei wneud yn fwy.

Dyna fy ffordd i, mae'n debyg, o roi disclaimer dros yr holl beth. Dim ond nad yw e'r disclaimer sydd fel arfer ar ddechrau llyfrau. 'Identification with actual persons *is* intended' yw hi yn y fan hon. A taswn i yn rhoi rhywbeth fel yna ar ddechre'r llyfr hwn byddwn i eisiau'i ehangu, a chynnwys ymddiheuriad am nad yw'r 'identification' yn gliriach, ac yn well, a hefyd i bwysleisio'r 'inferred'. Byddwn i eisiau gofyn i unrhyw un fyddai'n darllen i weithio *gyda* fi. I dderbyn testun sydd yn anghyflawn, ie, ond i gredu yn y bwriad y tu ôl iddo, ac i fod yn fodlon *gweithio pob gair unigol*, a'u gweithio nhw'n galed, yn

211

galetach hyd yn oed nag y byddwn i wedi gallu'i rag-weld a'i fwriadu.

Ac mae'r ffordd y *bydda* i'n adrodd pethau – o hyn ymlaen, yn ogystal â chyn nawr – ynddo'i hun yn compromising. Hynny yw, mae yna berthynas wedi'i dechrau, rwy wedi fy nghael fy hun, yn reckless efallai ond yn sicr iawn fel ar ddechre carwriaeth, mewn perthynas rhwng yr ysgrifennu hwn a'r bywyd sydd eto i gael ei fyw. Dwy' ddim yn hollol siŵr sut i wneud cyfrif o'r peth. Mae'r dyfodol yn ymhlyg yn y geiriau rwy'n eu dewis, ac yn y geiriau rwy'n eu gwrthod. Ac mae e'n fwy hyd yn oed na hynny. Oherwydd mae'n rhaid gwneud cyfrif o'r tawelwch hefyd. Does yna ddim un tawelwch unffurf ond yn hytrach *ffyrdd* o fod yn dawel; pwy sydd yn gallu siarad, pwy nad yw'n gallu siarad, a'r hyn y dewisir ei ddweud neu beidio'i ddweud.

Ar foreau dydd Sul roedden ni'n arfer coginio gyda'n gilydd. Weithiau cinio dydd Sul mawr gyda'r holl trimmings, pan fydden ni i gyd yn cael tasgau gwahanol, a byddai un neu ddau ohonon ni'n mynd allan i'r siop yn gyflym i ôl bara, neu ychydig o win neu unrhyw beth arall, ac fe fydden ni'n pentyrru'r bwyd ar y bwrdd mawr yn y lolfa open-plan, ganol y prynhawn, a jyst yn bwyta a siarad ac yfed am weddill y diwrnod fwy neu lai. Roedd hynny'n un o'r pethau gorau. Roedd dydd Sadwrn yn exciting ac fe fydden ni'n trio gwneud pethau penodol ar y dyddiau hynny, ond ar ddydd Sul roedden ni jyst yn ymlacio ac yn anghofio am unrhyw beth arall, jyst yn trio'n cau ein hunain i mewn am ddiwrnod.

Davies oedd y tu ôl i hynny i gyd. Roedd e wastad yn arfer cwyno ei fod e'n casáu dyddiau Sul. Fel yr oedd

Anna a fi hefyd, fel y mae pawb, rwy'n credu. Ond roedd e'n cwyno mwy na phobl eraill. Felly roedden ni'n codi'n hamddenol ac erbyn canol dydd bydden ni wedi anghofio am ein cefndiroedd capelyddol, a'r amserlen benodol oedd wedi cael ei wthio arnon ni pan oedden ni'n blant (a'r boen o drio ffeindio esgusodion bob wythnos i beidio mynd, gwybod na fydden nhw'n gweithio ac y bydden ni'n gorfod mynd beth bynnag), ac fe fydden ni wedi hawlio'r diwrnod i ni'n hunain. Roedd Anna a fi'n codi'n hamddenol, hynny yw. I Davies roedd codi tua deg yn ymdrech. Nid jyst yn ymdrech ond byddai e'n eistedd rownd y lle wedyn yn ei longyfarch ei hun ac yn dweud sut y dylai ddechrau codi'r amser yna *bob* dydd. Doedd e byth yn gwneud, wrth gwrs. Neu ddim fel arfer, beth bynnag. Hyd yn oed pan oedd gyda fe swyddi i fynd iddyn nhw. (Os oedd e'n codi'n rhy gynnar yn ystod yr wythnos, cyn naw, efallai, roedd e'n arfer cwyno ei fod e ar ddihûn yn rhy gynnar i'w feddwl. Doedd e ddim yn gallu cofio beth roedd e i fod i'w wneud. Roedd yn well gyda fe godi'n hwyr a rhedeg ar ôl y dydd.)

Ond mae'n beth od, ynglŷn ag amser a pherthynas a datblygiad, sut y mae'r dyddiau yna yn barod, llai na deng mlynedd wedyn, ac yn eu cyffredinedd amlwg, yn teimlo nid yn unig fel cyfnod arall ond fel cyfnod nad yw'n perthyn i amser o gwbl. (Hynny yw, pa esgus bod hoffi codi'n hwyr yn gwneud Davies yn arwr rhywsut? Dyw e ddim, wrth gwrs. Mae e jyst yn ei wneud e'n *ddiog*.) Ac os yw amser yn gallu gwneud hynny, yn gallu ychwanegu, nes gwneud hyd yn oed y cyffredin yn rhiniol, yna r'yn ni'n sôn am rym pwerus, amhosib-ei-ffrwyno. Rheswm arall i fi fod yn ofalus, felly. Ac i gofio gwaelod popeth: mae'r dyfodol yn benagored dim ond i'r graddau y mae hynny'n cael ei ganiatáu gan y nodiadau hyn. Ffragmentau, felly. Vignettes. Atgofion.

O'r eiliad y daethon nhw at ei gilydd roedd yna rywbeth oedd yn sylfaenol dda am Davies ac Anna gyda'i gilydd. Mae e'n eich taro chi weithiau gyda rhai pobl. Doedden nhw ddim wedi gorfod mynd trwy ymdrech yr wythnosau cynnar, er enghraifft, o droedio'n ofalus, o ofalu rhag eu dangos eu hunain yn rhy lawn yn rhy fuan, o beidio â dweud rhai pethau, fel petai hi'n fater o guddio rhyw gelwydd tyngedfennol, rhyw gyfrinach fawr amdanoch chi'ch hun. Roedd Anna'n hŷn na fe, a reit ar y dechre, efallai bod hynny wedi gwneud i Davies drio ychydig bach yn galetach, ond o fewn bach iawn o amser, falle cyn lleied â chwpwl o nosweithiau yng nghwmni'i gilydd, roedden nhw wedi setlo ar ffordd o fod oedd mor agos atyn nhw eu hunain fel na fyddech chi erioed wedi meddwl nad oedden nhw wedi bod gyda'i gilydd ers dyddiau'r Wendy house yn yr ardd, a chwarae doctors a nyrsys gyda'i gilydd. Ac os ydw i'n dweud, felly, bod popeth yn gyffrous, a'u bod nhw wedi mynd mewn i'r peth gyda brwdfrydedd oedd yn blentynnaidd mewn sawl ffordd, yn awyddus i *wybod*, yna mae hwnna jyst achos bod e'n fy nharo i weithiau bod pobl yn disgwyl i berthynas fod yn fater o reserve, a'u bod nhw jyst yn aros am yr un peth hwnnw, y rhech gyhoeddus fel petai, fydd yn galluogi iddyn nhw gadarnhau'r gwendidau a'r methiannau yr oedden nhw wastad yn bwriadu'u ffeindio yn y person arall beth bynnag. I fi, roedd hi'n braf gweld yr holl beth yn datblygu. Roedd Anna a Davies yn mwynhau ffeindio'r pethau yma allan – roedd hi'n berthynas 'aeddfed' iawn, rwy'n credu, reit o'r dechrau, i gwympo am eiliad mewn i magazine-speak. Roeddech chi hyd yn oed yn cael yr argraff eu bod nhw'n gallu mwynhau gweld eu hunain yn siarad, neu'n chwerthin, neu'n edrych ar ei gilydd dros eu gwydrau peints, fel tasen nhw'n gallu gwneud gwaith maes ar eu perthynas eu hunain ar yr un pryd â bod yn y foment. A bod yr holl beth yn gymaint gwell oherwydd hynny. Doedden nhw byth mewn perygl o ildio'n gyfan gwbl i'r myth o ddau. Roedden nhw'n hunanol am ei gilydd, ac am eu hunain hefyd, ond yn y ffordd orau posib. Roedd y naill eisiau yfed pob diferyn o ddylanwad y llall a hynny er eu mwyn eu hunain yn y lle cynta, ond hefyd fel y gallen nhw gymryd y dylanwad hwnnw a'i roi yn ôl fel tanwydd i'w perthynas.

Ac yn yr ystyr hon, roeddwn i'n rhan o'r berthynas hefyd. A doedd yna ddim llawer o amser na rheswm i deimlo cenfigen. Y peth pwysicaf oedd bod yna ddim teimlad o gwbl eu bod nhw erbyn hynny wedi sefydlu clwb. Mae'n debyg eu bod nhw hyd yn oed wedi trafod y peth ond dwy' ddim yn gwbod hynny i unrhyw sicrwydd. Ond efallai'u bod nhw wedi penderfynu rhyngddyn nhw y bydden nhw, jyst o ran natur pethau, yn cael digon o amser ar eu pennau'u hunain, taw dyna fyddai'r arfer erbyn hynny, a'i bod hi'n werth – ac nid jyst o ran elusen – i fy nghael i o gwmpas gymaint ag y gallen nhw. (Roedd hynny'n anochel i ryw raddau hefyd, achos roeddwn i'n rhannu tŷ gyda Davies, ac fe fyddwn i o gwmpas beth bynnag.) Ac rwy'n siŵr y byddai yna trace element o euogrwydd hefyd. Nid fel unrhyw bŵer negyddol o angenrheidrwydd, ond jyst oherwydd fy mod i erbyn hynny yn hollol committed i Davies: doedd gen i ddim llawer o ffrindiau eraill, byddai wedi golygu newid sylfaenol yn fy mywyd i ar y pryd. (Rwy wedi meddwl am hynny hefyd, ers yr amser hwnnw. Mor rhyfedd oedd hi, nid jyst i fi, ond i Davies hefyd, ein bod ni wedi mynd i'r coleg yn llawn fwriadu gadael byd ein plentyndod ar ôl, yn llawn breuddwydion cyfandirol am ddysg a darllen a'r bywyd fyddai'n dilyn o hynny, a'r cyfan wnaethon ni oedd aros gyda'n gilydd, heb hyd yn oed drio tynnu unrhyw ddylanwadau – o ran pobl hynny yw – i mewn aton ni a fyddai'n agor y byd roedden ni wedi'i ddychmygu. Yr unig un wnaeth hynny oedd Anna, wrth gwrs, ac roedd hi'n *ddamwain* – hynny yw, allen ni ddim bod wedi ei chynllunio hi.) Ac euogrwydd – eto ychydig efallai – gan taw fi oedd wedi'u cyflwyno nhw yn y lle cynta.

Ac felly, gyda'r rhannau yn eu lle fe aethon ni ati i fyw.

Mae hyn i gyd yn digwydd nawr. R'yn ni'n mynd am y diwrnod lan i Ben y Fan, yn cerdded y grib o Ferthyr fwy neu lai, i'r copa. Neu r'yn ni'n gyrru lan a 'nôl mewn un noson i Lundain i weld cyngerdd, achos bod band ddim ond yn chwarae un gyngerdd ym Mhrydain ac am un noson yn unig. Ac ar Ben y Fan mae'r gwynt mor gryf fel ein bod ni'n dychmygu cwympo dros yr ochr, a'r hofrennydd mawr yn gorfod dod allan i drio'n hachub ni. R'yn ni'n dychmygu'r penawdau yn y papurau, neu'r sgyrsiau efallai ym mariau Undeb y Myfyrwyr ar ôl hynny. 'Oeddet ti'n nabod nhw?' 'Na, ond roedd ffrind i Alex, ti'n nabod Alex, roedd e'n nabod Daniel, un ohonyn nhw. Mae e mor drist on'd yw e?' 'Ydy. Trist iawn.' Mae Anna wrth ei bodd. Mae hi'n cael gweld yr ardal lle roedden ni wedi tyfu lan. Mae hi'n dyfeisio golygfeydd. Davies a Daniel wedi dod yn y car gyda rhieni Daniel. Newid o'u trainers mewn i'r esgidiau cerdded (trainers llai newydd, mwy battered, fel arfer), a'u traed mor fach. Y ddau ohonyn nhw'n cwyno eu bod nhw'n gorfod mynd allan i gerdded – mae e'n rhywbeth mae'u rhieni yn gorfodi iddyn nhw'i wneud – ond yn dod 'nôl i'r car wedyn filltiroedd y tu ôl i bawb arall, wedi bod ar eu hanturiaethau eu hunain, yn cuddio tu ôl i'r cerrig mawr neu yn y rhedyn ac yn *chwarae*. Neu ar y top yn annog ei gilydd i fynd yn nes ac yn nes at un o'r ymylon, yr ymyl gyda'r cwymp mwya serth oddi tano. Mae hi'n eu dychmygu nhw'n chwerthin gyda'i gilydd, hyd yn oed yn gafael yn siwmper y llall wrth iddyn nhw nesu gyda phob cam bach nerfus, at y dibyn. Neu maen nhw'n mynd lawr ar eu boliau ac yn cropian at y dibyn, i allu edrych drosto gyda dim ond eu llygaid a topiau'u pennau yn stico allan dros yr ochr. Mae hi'n dychmygu wedyn yr ofn yn rhuthro trwyddyn nhw mewn eiliad wrth iddyn nhw drio cropian am yn ôl a theimlo'u cyrff eu hunain yn ansicr yn y gwynt.

Fe aethon ni i Ben y Fan un tro ac *roedd* hi fel mynd yn ôl i Davies a fi. Roedden ni wedi dweud yr holl straeon hyn wrth Anna ar y ffordd lan i'r top, o Storey Arms y tro hwn, ac roedd e'n ddiwrnod hudolus. I Davies a fi, roedd e'n gyfle i ddangos ein byd iddi, ac i hawlio'r lle i ni'n hunain. Nid ein bod ni wedi bod yno gymaint â hynny, ond byddech chi wedi meddwl ein bod ni wedi treulio blynyddoedd yno, o adio'r oriau, a'n bod ni'n *rhan* o'r mynyddoedd moel. Roedden ni'n falch taw fan hyn oedd y pwynt uchaf yn ne Prydain, bod yna ddim byd uwch rhwng y fan hon a'r steppe yn Rwsia (falle bod hwnna ddim yn wir gyda llaw, ond os felly roedd e'n gelwydd yr oedden ni'n fwy na pharod i'w ailadrodd), ac roedden ni'n teimlo am yr awr neu ba mor hir bynnag yr oedden ni ar y top, ein bod ni yn rhannu uchafbwynt gyda'r mynydd. Uchafbwynt personol, hynny yw, teimlad heightened, ac nid jyst am ein bod ni'n llythrennol yn uwch . . . Ond roedd e'n tarddu o hynny hefyd, wrth gwrs, jyst yn y newid persbectif. Y ffordd sydd gan ddaearyddiaeth, a'r ffordd r'ych chi'n sydyn yn *sylwi* ar ddaearyddiaeth, o dorri popeth lawr i'w hanfodion. Ac o'ch tynnu chi 'nôl mewn hanes ac allan ohono ar yr un pryd: ar un llaw r'ych chi'n gweld faint o gamp, jyst yn y logistics, oedd hi i ddynion boblogi'r llawr, symud ar ei hyd a thrwyddo, adeiladu'u heolydd, a'r un heol honno'n arbennig yn bell odanon ni wrth gwrs (oedd un ohonon ni wedi cael fflach sydyn rhywbryd yn ystod y diwrnod hwnnw?), tra ar yr un pryd mae gyda chi'r datguddiad sydd yn dod i bawb, ac sydd yn llwyddo i berswadio pawb yn yr union un ffordd, ac am yr union un faint o amser, y byddai'r mynyddoedd hyn a'u gorwelion pell yn bodoli beth bynnag am unrhyw beth. Beth bynnag amdanon ni ac amdanyn nhw, am gyfrifon banc a rhaglenni teledu. (Hynny yw, mae'r datguddiad yn para tan yr union eiliad r'ych chi'n cau drws y car er mwyn dechrau ar y daith 'nôl. Falle'i fod e'n aros o gwmpas, fel mwg, yn y car am ychydig bach, ond erbyn i chi gyrraedd eich pentre eto, neu'ch tre, neu'r ddinas (*y* ddinas, nid *eich* dinas!), mae e wedi diflannu eto, ac wedi gwneud ei ffordd fel homing pigeon yn ôl ar yr awelon i dop y mynydd er mwyn dal y person nesa yn yr un ffordd.)

Ar y ffordd 'nôl o Lundain, pan aethon ni lan a 'nôl ar yr un noson, roedden ni bron â marw. Roedd hi tua dau o'r gloch y bore, ar nos Sul. Roedden ni wedi bod yn rhannu'r gyrru ar ôl cyrraedd yr M4, yng nghar Anna, a hi oedd yn digwydd bod yn gyrru ar y pryd. Dwy' ddim yn cofio nawr cweit ble oedden ni ond efallai taw ar bwys y troad at Rydychen yr oedd e, neu Swindon. Rhywle ar hyd y stretch diddiwedd o ddiflas yna trwy ganol Lloegr beth bynnag. Ac ar ôl cyffro'r gig, ac ar ôl llwyddo i gyrraedd yr M4 eto, yn weddol ddidrafferth y tro hwn, allan ar hyd y Bayswater Road, roedden ni'n dawel. Wedi blino a ddim yn gallu siarad rhagor. Roedd y tâp yn y stereo yn dal i chwarae ond roedd y sŵn yn cael ei foddi gan drone cyson peiriant y car bach, wrth iddo fe straenio i gyrraedd a chadw at saith deg milltir yr awr. Roeddwn i wedi bod yn cysgu yn y cefn rwy'n credu. Roedd Davies yn y blaen ac roedd e wedi bod yn cysgu hefyd. Doedd hi ddim yn syndod felly nad oedd Anna wedi gallu cadw'i llygaid hi ar agor chwaith (hyd yn oed os oedd gyda hi'r incentive ychwanegol o fod â thri bywyd dan ei rheolaeth). Y cyfan rwy'n cofio erbyn hyn yw deffro, neu edrych tua'r blaen beth bynnag, falle taw jyst ddim yn canolbwyntio oeddwn i, a meddwl mor rhyfedd oedd hi bod y goleuadau ar y central reservation yn mynd yn bellach ac yn bellach oddi wrthon ni. Roedden ni'n gyrru tuag at ochr yr hewl wrth gwrs. Erbyn i fi sylweddoli nid jyst hynny ond bod Anna ddim yn *gwybod* ein bod ni'n gyrru tuag at ochr yr hewl a chaeau diflas Wiltshire, roedd lorri enfawr – enfawr – wedi ymddangos yn syth o'n blaenau. Roedd hi wedi parcio ar yr hard shoulder a'i hazards oren yn fflachio. 'Nes i weiddi ac fe neidiodd y ddau ohonyn nhw ym mlaen y car fel un. Erbyn i Anna dynnu'r car 'nôl tua'r lôn ganol, doedd dim mwy na chwpwl o droedfeddi ynddi. Bydden ni wedi mynd reit mewn i'r cefn. Byddai'r to wedi cael ei dynnu reit off, rwy'n hollol siŵr. Fydde dim gobaith wedi bod gyda ni.

Roedd Davies a fi yn eitha cool ar ôl iddo fe ddigwydd. Agos oedden ni; doedd dim niwed wedi cael ei wneud. Ond roedd Anna'n wreck. Fe stopiodd hi'r car ar ochr yr hewl o fewn dau ganllath i'r lorri – roedden ni'n gallu gweld y golau yng nghaban y gyrrwr o lle roedden ni – ac roedd yn rhaid i fi yrru gweddill y ffordd 'nôl.

Fe gyrhaeddon ni 'nôl tua pedwar y bore, ar ôl gwneud hanner can milltir yr awr am ran fwyaf y daith ar ôl hynny. Ac erbyn hynny roedd Anna'n OK eto. Yn y lolfa – roedden ni wedi cael tŷ gyda'n gilydd erbyn hynny – doedden ni ddim eisiau mynd i'r gwely'n syth. Roedd siocled poeth yn digwydd bod gyda fi yn fy nghwpwrdd, ac wrth i ni sipio o'n cwpanau yn ofalus, yn barod roedd y noson yn symud mewn i ryw fath o bantheon. Nid jyst y near-miss – ac nid jyst oherwydd fod y near-miss hwnnw yn 'rehearsal' – ond yr holl beth. Roedden ni wedi dechrau anghofio am y 'ddamwain' beth bynnag, wrth i ni drafod pethau eraill y noson: cymaint o beth da oedd hi ein bod ni wedi mynd pan allen ni fod wedi aros yng Nghaerdydd a jyst piso rownd, pa mor wych ac anhygoel ac arbennig ac yn y blaen oedd y gig, a phopeth arall am y noson hefyd. Roedden ni'n ailchwarae popeth yn ofalus fel tasai yna beryg hyd yn oed bryd hynny, pan oedden ni'n dal yn anterth y noson, i'r digwyddiadau hyn fynd yn angof oni bai ein bod ni'n eu trafod nhw'n benodol. (Pa mor wych oedden *ni* oedd gwaelod y peth, wrth gwrs. Mor arbennig oedd y noson am ein bod *ni* wedi bod ynddi . . . Ond heb fod yn self-congratulatory chwaith. Roedden ni'n 'dathlu ni ein hunain'.)

Pan oedden ni'n gyrru mewn i Lundain ar y ffordd lan, fe aethon ni'n llwyr ar goll. Doedd dim syniad gyda ni lle roedden ni tan i ni ffeindio'n hunain yn sydyn ar ganol Piccadilly Circus. Ac roedd yr effaith yn rhyfeddol. Roedd gyrru rownd y strydoedd, yn lle'u cerdded neu fod ar yr underground, fel mynd yno am y tro cyntaf, pan oeddech chi wedi dal yn dynn dynn yn llaw'ch tad er mwyn peidio â'i golli e yn y tonnau garw o bobl. Roedd e fel tasai rhywun wedi gafael ynddon ni ac ysgwyd y sinigiaeth allan ohonon ni nes taw'r unig beth oedd ar ôl oedd chwilfrydedd. A byddai hi wedi bod yn werth gwneud y trip er mwyn hynny yn unig.

Felly roedden ni wedi eistedd gyda'n gilydd yn trafod y pethau hyn tan ei bod hi nid jyst yn goleuo ond yn olau dydd tu allan. Aethon ni i'r gwely o'r diwedd, ond roedden ni'n tri, rwy'n hollol siŵr – a hynny yn fwy, efallai, nag ar unrhyw un adeg arall – yn teimlo'r trueni o orfod gwneud hynny ar ein pennau'n hunain. Fe fydden ni'n mynd i stafelloedd gwahanol a chyn i ni fynd i gysgu fe fydden ni wedi cyfarwyddo â bod ar ein pennau'n hunain eto. Y trueni. Un o'r adegau hynny pan oeddech chi eisiau bod yn blentyn eto er mwyn i bawb allu cysgu mewn un gwely mawr hapus.

Yr haf ar ôl i Davies a fi raddio roedden ni'n dal i fyw ar ein overdrafts. Roedden ni'n trio gohirio'r mis Medi – fyddai'n dod y flwyddyn honno heb batrwm, heb unrhyw alwadau penodol a heb y cysur o wybod bod yna ddarlithiau yn digwydd hyd yn oed os nad oedden ni'n mynd iddyn nhw – tan fis Hydref neu Dachwedd, neu i fewn i'r flwyddyn newydd os gallen ni. Prynhawniau diog yn y dafarn, felly, ac mae hi'n gamp o hunangyfiawnhad y ffordd y gallwch chi berswadio'ch hun bod yfed cwrw mewn beer garden, mewn heulwen braf, yn beth iach iawn i'w wneud – bron fel substitute am ymarfer corff. A doedden nhw ddim yn brynhawniau diog oherwydd roedden ni'n eu mwynhau nhw gyda brwdfrydedd ac egni y byddai ein cyrsiau gradd wedi bod yn falch o'u cael.

Ac roedden nhw'n brynhawniau godidog. Dyna'r unig air sy'n gwneud y tro. Unwaith roeddech chi yno, wedi setlo mewn cadair, ac wedi pasio'r llinell ar y gwydr oedd yn marcio'r hanner peint cyntaf, roedd e fel bod mewn rhyw fath o nef. Dim amser i boeni amdano ac roedd gallu yfed yng ngolau dydd yn teimlo fel dwyn deg ceiniog allan o bwrs eich mam. A'r peth gorau yn amlwg oedd jyst y ffaith o fod yna gyda fy ffrind. Hynny yw, fydden i byth wedi meddwl mynd lawr i'r dafarn ar fy mhen fy hun a jyst siarad gyda pwy bynnag fyddai'n digwydd bod yno. Roedd yn rhaid iddo fe fod yn Davies. Ac roedden ni'n siarad am bethau difrifol yn aml – yn fwy aml nag y bydden ni'n jyst siarad shit. Dyna lle naethon ni siarad fwyaf am farwolaeth ei dad, er enghraifft. Sut roedd e wedi dychmygu dod i'r dafarn gyda'i dad a chael cwpwl o beints tawel a jyst dod i'w nabod e fel dyn. Hynny yw, roedd e'n sôn am y peth nid fel tasai'i dad yna wastad ond fel tasai e'n dychmygu y gallai e ddod 'nôl yn fyw am brynhawn, fel petai e wedi bod i ffwrdd am fisoedd yn gweithio ar rig olew neu rywbeth, ac y bydden nhw'n dweud wrth ei gilydd beth oedd wedi bod yn digwydd yn eu bywydau yn y cyfamser. Roedd e'n arfer trio dychmygu pa fath o iaith y byddai'n ei ddefnyddio gyda fe. A fyddai'n rhegi, er enghraifft, fel yr oedden ni wedi clywed tadau a meibion yn ei wneud o gwmpas y clwb rygbi adre, neu feibion oedd yn gweithio gyda'u tadau yn y busnes teuluol – adeiladu neu rywbeth fel yna. Ond roedd e wastad yn tinged gyda thristwch. Doedd e byth yn delfrydu'r berthynas allai fod wedi datblygu. Yn fwy aml na pheidio byddai e'n dychmygu'r peth yn lletchwith mewn rhyw ffordd ac y bydden nhw'n iawn am beint cyn i'r sgwrs sychu lan, ac i'w tafodau dynhau, pan ddylen nhw fod yn llacio. Ac mewn ffordd dyna un o'r pethau tristaf nawr am farwolaeth Davies; meddwl na fyddwn ni'n gallu treulio'r amser hyn gyda'n gilydd eto. Os 'ych chi'n sôn am y peth fel 'bonding' mae e'n swnio'n hollol ddiystyr, ond dyna oedd e mewn gwirionedd, bonding. Archwilio'r clymau a'r perthnasau, chwilio'n profiad gyda'n gilydd, mwynhau ffurfio argraffiadau ac atgofion a syniadau am fywyd mewn geiriau. A thrio *cyfansoddi*'r geiriau hynny, gwybod y byddai'r ffordd yr oedden ni'n sôn am y pethau hyn yn bwydo 'nôl i'r ffordd y bydden ni'n meddwl amdanyn nhw wedyn. A mwynhau'r creadigrwydd felly. A doedden ni byth yn agosach nag yr oedden ni yn y dafarn fel hyn. Ymhen ychydig – rhai misoedd efallai – roedd y dyddiau hynny wedi gorffen beth bynnag ond roedd hi'n neis i feddwl, ac fe fydden ni'n sôn amdano'n aml ar ôl hynny, y gallen ni ailafael yn y dyddiau agos hynny ar ryw bwynt yn y dyfodol. Pan fydden ni'n hen ddynion, er enghraifft. Mor ddoniol yw hi i feddwl am hynny nawr.

Un prynhawn rwy'n cofio yn arbennig roedd y dafarn yn llawnach nag arfer ar gyfer yr amser yna, ac roedden ni'n eistedd wrth fwrdd gyda dau neu dri arall. Roedden nhw'n bum-deg-rhywbeth siŵr o fod. Roedden ni wedi dechrau siarad gyda nhw, jyst pethau bob dydd rwy'n credu, ond beth yn union alla i ddim cofio. Beth bynnag, roedd un ohonyn nhw yn amlwg yn eitha meddw erbyn hynny, mewn eitha stad, really. Nid jyst wedi meddwi ond roedd ei gorff i gyd yn edrych yn battered. Ei ddwylo rwy'n cofio sylwi arnyn nhw cyn unrhyw beth. Roedden nhw'n glymau i gyd nes ei fod e'n cael trafferth dal ei beint yn iawn. Roedd e'n llwyddo i rolio sigaréts hefyd ond Duw a ŵyr sut. Roedd ei fysedd fel darnau o bren cnotiog; doedd e ddim yn gallu'u plygu nhw wrth y cymalau o gwbl. Mewn ychydig roedd e wedi troi oddi wrth y ddau arall roedd e wedi bod yn siarad â nhw ac wedi dod yn rhan o'n grŵp ni, yn plygu dros y bwrdd i ddal ei gorff yn llonydd. Roedd e'n siarad ond roedd hi'n agos at fod yn amhosib deall unrhyw beth roedd e'n dweud; roedd ei geg mor gnotiog â'i ddwylo. Ar ôl ychydig, ac ar ôl gorfod gofyn iddo fe ailadrodd ei hun bump neu chwech o weithiau, roedden ni wedi llwyddo i ffitio'n clustiau o gwmpas ei lais a'i delivery ac roedden ni'n gallu deall falle tri gair o bob pump. Ond roedd y geiriau roedden ni yn eu deall yn fascinating. Stori'r boi yma, Danny O'Connor fel y ffeindion ni mas wedyn ar ôl gofyn iddo fe beth oedd ei enw, er mwyn gallu cadarnhau'i stori, oedd ei fod e wedi bod yn focsiwr pan oedd e'n ifancach. Gwyddel oedd e ac roedd e wedi bod yn gweithio rownd Caerdydd ers y chwedegau, yn labro a phethau. Ond roedd e'n convincing fel bocsiwr, yn un peth oherwydd ei fod e'n edrych yn fucked fel bocsiwr a hefyd roedd e fel tasai e'n gwybod am beth roedd e'n sôn. Roedd e wedi dweud wrthon ni taw'r ffordd i 'ddarllen' ergyd oedd i edrych ar draed eich gwrthwynebydd, nid ar ei ddwylo, a bod ei draed wastad yn dangos ei fwriad, hyd yn oed os oedd ei lygaid neu'i ddwylo neu'i ben yn llwyddo i guddio hynny. Roedd e'n amlwg wedi dysgu hynny y ffordd galed, oherwydd roedd ei drwyn wedi'i wasgaru ar hyd ei wyneb, ei geg yn gam a'i lygaid yn llythrennol wedi gweld dyddiau gwell. Ond roedd e'n gymeriad hoffus, os ychydig bach yn scary, achos doedden ni ddim really eisiau dweud unrhyw beth allai wneud iddo fe gofio'i moves bocsio, ac roedd e wedi meddwi beth bynnag. Roedden ni wedi siarad gyda fe am chwarter awr efallai, ac ro'n i'n hanner credu'r pethau roedd e'n eu dweud, am Ddulyn a Chaerdydd yn y chwedegau, neu am ei gyfnod e'n byw yn Llundain, pethau fel yna, ond roedd Davies, ro'n i'n gallu gweld, yn hooked. Y clincher i fi oedd pan ddwedodd Danny ei fod e wedi ymladd am deitl byd deirgwaith yn ystod y chwedegau ond wedi colli deirgwaith. Ro'n i'n gwbod na allai hynny fod yn wir. (Wel, fe allai fod wedi bod yn wir, ond roeddwn i'n gwybod nad oedd.) Ond roedd Davies yn gofyn ac yn gofyn, pwy roedd e wedi'i ymladd, pam nad oedd e wedi ennill ac yn y blaen ac yn y blaen. O'r diwedd aeth Danny 'nôl at y ddau foi arall, oedd wedi

225

symud at y bar erbyn hynny, ond roedd Davies yn dal yn excited. Aethon ni adre'n fuan ar ôl hynny, er mwyn i Davies allu sgrifennu rhai o'r llinellau roedd e wedi'u clywed i lawr, darnau o'r deialog roedd e eisiau'u cofio, manylion disgrifiadol am ddwylo'r boi a phethau fel yna. Ac roedd e eisiau edrych trwy lyfr oedd gyda fe am focsio hefyd, i weld a oedd unrhyw sôn am y boi yma oedd wedi colli tair ffeit am deitl byd . . . Roeddwn i'n dweud wrtho fe, 'Davies, tall tales, pubs, beer' ond doedd e ddim eisiau gwrando. Roedd e eisiau ysgrifennu llyfr, dwedodd. Felly aethon ni adre, ac edrych yn y llyfr. Doedd yna ddim byd am Danny O'Connor ynddo, wrth gwrs, ac roedd Davies yn siomedig. Ro'n i eisiau mynd 'nôl i'r dafarn; roedd hi'n dal yn gynnar ac roedd hi'n braf. Ond roedd Davies wedi cael digon yn sydyn, ac am weddill y noson naethon ni jyst eistedd o flaen y teledu a gwneud dim.

Roedd Anna'n dal i weithio ar ei thraethawd ar yr adeg yna. Roeddwn i wedi hanner trefnu gwneud cwrs ymarfer dysgu ym mis Medi ac roedd Davies wedi cael cynnig ychydig bach o waith nawr-ac-yn-y-man mewn bar yn un o'r theatrau yn y dre. Roedd hynny'n ei siwtio fe'n iawn, meddai. Byddai'n gallu troi lan, gweithio am gwpwl o oriau, a dod o'na heb ormod o interruption i'w ddiwrnod. Ond cyn hyn i gyd roedden ni'n mynd i Ffrainc.

Roedd Anna wedi bod 'nôl a 'mlaen yno cwpwl o weithiau yn y blynyddoedd cyn hynny. Roedd hi wedi bod yno am flwyddyn gyfan wrth gwrs rhwng ail a thrydedd flwyddyn ei gradd, a newydd ddod 'nôl ar ôl y flwyddyn honno roedd hi rwy'n credu pan gwrddais i â hi y tro cyntaf hwnnw. Roedd hi'n mynd i fod ym Mharis y tro hwn, am wythnos. Roedd gan ei thiwtor yn y coleg ffrind yn un o golegau Paris – nid y Sorbonne yn anffodus, dwy' ddim yn credu – ac roedd e wedi trefnu iddi fynd allan i gyfarfod ag e a jyst i wneud ychydig bach o waith ym Mharis. Doedd e ddim, efallai, yn hollol angenrheidiol o ran ei thraethawd ond, hell, ma' pawb yn haeddu jolly bach nawr ac yn y man. Ac os oedd Anna'n mynd i gael jolly, wel roedd Davies sure as hell yn mynd i fod yn rhan ohono. Ac os oedd Davies yn mynd i fod, yna doeddwn i ddim really eisiau cael fy ngadael ar ôl yng Nghaerdydd am yr haf. Roeddwn i'n mynd i fod yno hefyd, felly. Ond er mwyn cyfiawnhau fy mhresenoldeb i yno, ro'n i wedi gwneud ychydig bach o gynllunio ac erbyn y diwedd roedd chwe diwrnod wedi troi'n bythefnos ac yna'n agosach i fis. Mis Awst hefyd. Hyfryd.

Y cynllun oedd i aros ym Mharis yn yr ystafell oedd wedi cael ei threfnu i Anna, aros rownd fan yna am ychydig a wedyn rentu car a gyrru o gwmpas a jyst aros ble allen ni. Rwy wedi llwyddo i anghofio lot fawr o'r manylion erbyn hyn, ble arhoson ni, ble aethon ni a phethau fel yna. Ond mae hynny'n rhannol oherwydd bo' ni ddim yn gwybod yn aml cweit ble oedden ni er mwyn gallu anghofio. A phan ydw i'n meddwl nawr am gyfnod sy'n ein diffinio ni fel tri gyda'n gilydd, dyna'r mis sy fwya tebygol o ddod yn syth i'r cof.

Ym Mharis roedden ni'n aros yn y Marais, yn fflat y darlithydd oedd yn ffrind i diwtor Anna. Roedd e'n byw yno gyda'i wraig ond welon ni ddim mohoni hi tra oedden ni yna – roedd hi wedi mynd i Frwsel am bythefnos, wnaeth i ni feddwl tybed oedd bwriadau'r boi yma wedi'u canolbwyntio'n hollol ar wella perthnasau Cymru-Ffrainc? Fe droeon ni lan ar stepen ei ddrws, heb sylweddoli y bydden ni'n aros yn ei fflat e ac y byddai e yna hefyd, ac roedd e'n amlwg wedi disgwyl un Gymraes, yn hytrach nag un Gymraes a dau Gymro. Ond, chwarae teg, roedd gyda fe ddigon o le a doedd e ddim yn fodlon i ni, Davies a fi, fynd off i chwilio am hostel, felly fe arhoson ni i gyd yno a chael amser grêt. Roedd e'n hen foi grêt hefyd – roedd popeth yn grêt – ac ar ôl y noson gynta, roedden ni'n flin ein bod ni hyd yn oed wedi meddwl y gallai'i fwriadau gyda Anna fod yn dodgy.

Roedd e'n un o'r bobl yna sy'n gallu siarad yn ddeallus am unrhyw beth heb swnio fel petai'n siarad yn ddeallus. Neu yn hytrach heb dynnu sylw at y ffaith ei fod e'n siarad yn ddeallus. Mae yna rai pobl – Saeson yw'r rhan fwyaf ohonyn nhw wedi bod yn fy mhrofiad i, ond dyw hynny ddim yn rheol o gwbl – sydd eisiau i chi sylwi arnyn nhw pan eu bod nhw'n glyfar, ond doedd e ddim fel yna o gwbl. Roedd e eisiau i ni'i alw fe'n Nicholas, gyda neu heb yr 's', doedd dim gwahaniaeth gyda fe. Bob nos bydden ni wedi bod allan yn crwydro a byddai e wedi bod yn y coleg yn gweithio hefyd ond byddai'r bwrdd bach yn llawn o fara a chaws a gwin a byddai e'n dod â phowlen fawr o rywbeth neu'i gilydd o'r ffwrn ac yn ei roi yn y canol gyda seremoni ac yn ein hannog i fwyta 'full belly'. Grêt, unwaith eto.

Roedd y fflat yn eitha mawr yn ôl safonau Paris, byddwn i'n dychmygu. Roedd e'n hir iawn, yn mynd reit y ffordd 'nôl mewn hen adeilad – rwy'n rubbish gyda chyfnodau pensaernïol, felly allwn i ddim dweud sut adeilad oedd e, ond roedd e jyst rownd y gornel o Maison Victor Hugo, ac roedd hynny'n ddigon da i fi. Roedd gyda fe un o'r liffts bach yna hefyd, sy fel ciosg ffôn ac sy'n gallu dal un person a hanner yn gyffyrddus, a'r hen gatiau yna r'ych chi'n gorfod eu llithro ar agor ac ar gau eich hun. Roedd yna ryw fath o courtyard i'w weld allan trwy'r ffenest yn y lolfa a cobbles ar y llawr, ac roedd gweddill y fflatiau wedi'u gosod uwch ei ben, yr ystafell fawr ymhob un yn edrych drosto hefyd. Ond roedd fflat Nicholas yn teimlo'n lot llai nag yr oedd am fod yna lyfrau ymhobman. Yn llythrennol ymhobman, ar y byrddau, ar y llawr, dan y clustogau ar y soffa. Roedd gyda fe lot o lyfrau o ffotograffau, gan y meistri i gyd a sawl un doedden ni ddim wedi clywed amdanyn nhw, ac fe dreulion ni lawer o amser jyst yn yfed te gyda cloves ynddo ac yn pori trwyddyn nhw. Roedd e'n hoffi Brassaï yn fawr iawn, meddai, er bod hynny'n cliché a doedd e ddim yn cyfadde hynny wrth y ffrindiau oedd gyda fe oedd hefyd yn byw ym Mharis.

Ond doedd dim ots gyda ni am hynny nac am unrhyw beth arall. Ac am yr wythnos honno roedd gyda ni'n hallwedd ein hunain i'r fflat ac roedden ni'n mynd a dod fel roedden ni eisiau – mwy o fynd nag o ddod. Roedden ni wastad yn dod 'nôl tua chwech neu saith bob nos i fwyta gyda Nicholas ond ar ôl hynny bydden ni'n mynd allan eto. Bydden ni'n gofyn iddo fe ddod gyda ni ond byddai'n gwrthod yn garedig, ac roedden ni'n falch o hynny, mae'n debyg. Nid am nad oedd e'n gwmni da drwy'r amser, ac na fyddai e wedi gallu dangos rhannau o'r ddinas i ni, a chyfrinachau y gallen ni fod wedi bod am flynyddoedd cyn eu ffeindio hebddo, ond ein hantur ni oedd hi, ac roedd yn well gyda ni ffeindio'r cyffredin ein hunain na chael yr anghyffredin ar blât. Felly fe wnaethon ni'r holl bethau arferol; twr Eiffel yn y nos, y galerïau i gyd yn y canol (rhannau ohonyn nhw beth bynnag), crwydro ar hyd yr amrywiol bontydd dros y Seine, Notre Dame, yr Île de la Cité a'r Île St-Louis, a chael ein swyno'n llwyr. Ond y pethau gorau, y llefydd gorau oedd y rheiny roedden ni jyst yn digwydd taro arnyn nhw. Y papeteries gwych, a'r gwerth jyst ar ysgrifennu. Nid ysgrifennu llyfrau neu lenyddiaeth, ond jyst y weithred o rhoi inc ar bapur. Papur trwm, trwchus, a'i gyffwrdd yn cyffroi'r synhwyrau, yn rhywiol bron, a'r berthynas rhwng cofnodi a bywyd mor atyniadol ag y gallai fod. Neu gerdded y strydoedd o gwmpas canolfan Pompidou a chael ein hunain yn cerdded heibio i'r Musée Picasso, heb sylweddoli bod gyda fe'i amgueddfa ei hun yn y ddinas, heb sôn am y ffaith ei bod hi'n eitha agos i lle roedden ni'n aros. A'r un peth gyda'r Maison Européenne de la Photographie hefyd. 'Sgwn i a oedd ffotograffwyr ifanc brwd Paris yn mynd yn sick o'r holl liw oedd i fywyd yno, hyd yn oed yn y golygfeydd prosaic – yr hen fenywod cyffredin, od, neu'r cyplau ar bontydd wedi'u goleuo gan lamp stryd – ac yn dyheu am gael tynnu lluniau o fechgyn Caerdydd yn eu Ford Escorts coch? Neu'r tip lan yn Dowlais hyd yn oed?

A gyda'r nosweithiau bydden ni'n mynd off i grwydro'r strydoedd eto, rownd y Rive Gauche fel arfer, ac yn mynd mewn i'r llefydd yr oedden ni'n hoffi'u golwg ac yn eistedd yn y ffenest i edrych ar y byd. Un noson fe ddigwyddon ni gerdded heibio i'r Salle Gaveau a, talk of the devil, roedd Miles Davies ei hun yn chwarae yno. Ac roedd e'n ifanc. Ac yn bert. Roedd hi'n 1957. Fe aethon ni mewn am un ffranc ac eistedd reit lawr y ffrynt. Roedd y lle falle'n hanner llawn ac fe wenodd e arna i. Roedd hynny'n uchafbwynt.

Am yr wythnosau wedyn, ar ôl i ni adael Paris, argraffiadau a digwyddiadau a phethau metonymig bron sy'n dod i'r meddwl. Teimladau a'r atgofion o deimladau. Pethau fel gyrru ar hyd hewlydd hanner gwledig, yn mynd mewn ac allan o bentrefi bach a hyfryd yn gwrando ar Ella Fitzgerald a'r ffenestri yn y car lawr a'r sunroof ar agor (byddai hi wedi bod yn neis i gael un o'r ceir yna lle mae'r to cyfan yn plygu 'nôl y tu ôl i'r sedd gefn, ond roedden nhw'n rhy ddrud); stopio ar bwys afon lydan am awr a ffeindio'n bod ni'n hoffi'r lle ac aros ar faes pebyll gerllaw am ddwy noson; yfed gwin coch naw deg ceiniog y botel wrth i'r haul fachlud yn foethus dros ochrau'r dyffryn, y math yna o bethau. Ac mewn ffordd dwy' ddim yn ymddiheuro am eu gadael nhw fel yna, fel atgofion moel heb y cnawd o'u hamgylch. Mae'n *well* gen i y rhan-dros-y-cyfan, a gadael i wrthrychau neu olygfeydd delfrydol fel yna i osod y tôn a'r mŵd. Does dim angen cyd-destun – darnau o sgyrsiau wedi'u hanner anghofio a'r sbarc a'u taniodd yn y lle cynta wedi hen losgi allan beth bynnag – i ail-greu'r haf hwnnw yn fy meddwl. Oherwydd os ydyn nhw'n rhoi'r argraff wedyn o olygfeydd stoc, heb lawer mwy o sylwedd na tasen nhw wedi'u tynnu o gylchgronau glossy, yna mae hynny ynddo'i hun yn iawn. Yn fwy na iawn, yn rhan o'r bwriad hyd yn oed. Oherwydd yn y colourisation, yr haul melynnach, y gwair gwyrddach a'r gwin cochach, *yn yr ymddatodiad* o'r holl fanylion real, sydd yn clymu wrth y presennol, y mae'r lle rwy eisiau'i gyrraedd. Ac yn y gorffennol hwn d'yn ni ddim yn cael ein pigo gan wenyn, neu'n cael ein llosgi yn yr haul – r'yn ni'n gyfuniad tantalising o'r hyn oedden ni mewn gwirionedd a'r hyn y mae amser ac edrych yn ôl wedi dweud wrthyn ni yr hoffen ni fod wedi bod.

Ond mae hi'n fy nharo i hefyd efallai y *bydd* angen mwy na hynny mewn amser i ddod. Mae'r cof yn gorfod clirio allan yr hen nawr ac yn y man i wneud lle i'r newydd. Ac mae hi'n bosib felly y daw yna amser, os bydda i byth yn edrych dros y nodiadau hyn eto, pan fydda i'n difaru peidio â bod wedi trio ail-greu'r sgyrsiau, a mapio'r teithiau'n fanylach. Neu i beth ydw i'n ysgrifennu'r tudalennau yma? Ond rwy i'n eu sgrifennu nhw nawr ac ar gyfer nawr. Ac os taw dyna'r rheswm pam fy mod i'n ei chael hi mor anodd nid jyst i ddal mewn brawddegau y Davies roeddwn i'n ei nabod, yn ei holl amrywiaeth, ond hefyd i feddwl am yr hyn y gallai ei ddal mewn brawddeg ei olygu, does dim byd i'w wneud am hynny. Efallai daw blwyddyn nesa â phersbectif cliriach. Falle daw canol oed â gwybodaeth bellach, mwy perthnasol, a'r ddealltwriaeth gyfatebol. Efallai daw henoed â doethineb. Ond, am y tro, nawr yw hi. Ac rwy'n ysgrifennu ar gyfer y nawr. Ac mae popeth sydd wedi bod, pob munud o bob awr o bob dydd o'n bywydau blaenorol – y bywydau a'n harweiniodd ni at y fan hon – a'r holl ddyddiau hynny gyda'i gilydd, maen nhw fel amrantiad o'u cymharu â hyd yn oed un eiliad yn y nawr hwn.

[3.3]

Pan oedd ei dad yn sâl roedd Davies yn dod i aros gyda ni. Roedd e fel treat arbennig i'r ddau ohonon ni ac fe fydden ni'n aros lan yn hwyr yn fy stafell wely i ac yn siarad dan y sheets yng ngolau'r fflachlamp – oedd fel petai wedi'i ddyfeisio ac wedi dod mewn i fy mywyd i at yr union bwrpas hwnnw. Roedden nhw'n ddyddiau o excitement pur ac fe fydden ni'n mynd i gysgu'n hwyr ac yn deffro'n gynnar ac yn cael ein cario trwodd ar y rush yna o egni plentynnaidd. Wrth gwrs roedden ni'n gwybod yng nghefnau'n meddyliau bod yna rywbeth mawr yn digwydd a taw dyna pam fod Davies yna gyda ni yn y lle cynta, a bob nawr ac yn y man byddai Mam yn cael galwad ffôn gan ei fam e ac fe fydden ni'n gwrando'n ofalus ar waelod y grisiau ac yn clywed y consýrn a'r trueni hefyd yn llais fy mam ac yn teimlo'r pethau mawr yma'n corddi ond heb wybod beth i'w wneud na sut i deimlo na dim byd. Yn ystod y galwadau ffôn yna fydden ni ddim yn edrych ar ein gilydd o gwbl ond yn aros tan i fy mam roi'r ffôn lawr ac iddi ddweud wrth Davies, yn ofalus, bod ei dad ddim yn dda iawn ac y byddai'n gorfod aros yn yr ysbyty am wythnos arall ac wythnos arall, ac fe fydden ni'n dweud dim o hyd. Ond beth roedden ni'n meddwl rhan fwyaf yr amser, oherwydd nad oedden ni'n gallu mynd y tu hwnt i'r teimlad hwnnw, oedd bod hwn yn gyfle rhy dda i'w golli a bod angen i ni wneud y mwya o'r amser. Fe fyddwn i'n aros nes synhwyro ei bod hi'n saff i wneud cyn tynnu Davies 'nôl lan y grisiau i chwarae eto.

Mae'n rhaid bod Davies wedi'i effeithio gan yr holl beth lot mwy nag y gallwn i fod wedi'i ddeall a'i ystyried. Yn y boreau, er enghraifft, byddwn i'n deffro a byddai Davies wedi cwtsho reit lan yn fy erbyn i. Byddai'i fraich yn dynn o gwmpas rhan ucha fy nghorff, fel clamp, a byddwn i'n gorfod gweithio'n galed i ddod yn rhydd o'i afael er mwyn gallu mynd i'r toilet. Rwy'n cofio hefyd fel y byddwn i'n gwneud sbort am ben Davies oherwydd hynny – amser brecwast, er enghraifft, cyn i ni adael am yr ysgol gyda'n gilydd. Byddwn i'n dweud wrth fy mam, yn esgus cario clecs amdano, ac yn edrych draw arno'n slei, ond hefyd eisiau dweud yn wirioneddol wrth fy mam ac wrth Davies ei hun, ei fod e'n cwtsho lan i fi fel merch yn ystod y nos a bod e'n trio dal fi fel tedi. A dim ond un enghraifft amlwg yw hyn, o'r manifestation corfforol o densiynau'i feddwl ifanc.

Ond roedd Davies, rwy'n cofio sylwi, hyd yn oed os nad oeddwn i ar y pryd yn gwybod beth oedd y gwahaniaeth neu sut i'w fynegi, yn fwy attuned i'r sefyllfa a'i difrifoldeb nag oeddwn i. Roedd hynny i'w ddisgwyl, wrth gwrs. Ei dad e oedd yn marw, nid fy un i. Ond roedd e wedi dysgu'n gyflym iawn sut i ymddwyn yn y fath sefyllfa. Byddai oedolion yn siarad â fe bron fel tasai'n oedolyn ei hun, fel petai i ddweud taw pethau oedolion oedd y rhain ac er mwyn cadw lan roedd yn rhaid addasu neu golli'r nuance yn llwyr. Roedd Davies wedi addasu. Ac rwy'n cofio bod hyd yn oed ychydig bach yn genfigennus o hynny. Roedd y peth yn ddigon amlwg yn ei ffordd, ac roedd y ffaith fy mod i'n dweud wrth fy mam ei fod e fel babi yn agosáu ata i yn y gwely, roedd hynny yn gydnabyddiaeth agored o'r peth. Byddai fy mam yn dweud, 'Ssh nawr, paid â cario clecs' ac yn gweld y sefyllfa'n ddigon plaen ei hun hefyd ac yn diolch, mae'n debyg, er mor hunanol oedd hynny, fy mod i yn cael y rhyddid i ddatblygu heb y gorfodaethau afresymol hyn. Ond mae pethau fel yna yn aros, wrth gwrs, ac wedyn, flynyddoedd wedyn, byddwn i'n teimlo fy mod i wedi colli allan rhywsut. Pan oedd hi'n dod yn fater o siarad am ysgrifennu, er enghraifft, neu beintio neu ffotograffiaeth rhyfel, pethau fel yna, bod fy insights i yn ddim ond yn rhai myfyriwr hanner addysgiedig tra bod Davies yn siarad fel rhywun oedd wedi'i gyffwrdd gan drasiedi ei hun, bod ei drasiedi e, yn ei helfennau, yn cymharu ag unrhyw un o'r golygfeydd hyn o ddiymadferthedd dynol. A bod ei ddealltwriaeth o'r pethau hynny'n cyrraedd lefelau na allwn i ond eu dychmygu, a hynny o safle cysurus ar yr ymylon. A byddwn i'n teimlo'n euog wedyn, am drio pasio barn yn yr un ffordd ag e ond hefyd yn euog am genfigennu wrth – a gwarafun iddo – ei blentyndod anodd, disynnwyr, *diddorol.*

Roedd cyfnod olaf salwch ei dad wedi cyd-fynd ag amser pan oedd gen i nits. Am wythnos gyfan roedd fy mhen i'n fyw gan weithgarwch, ac roedd fy mam yn frantic – byddai hi'n gwneud i fi eistedd yn llonydd er mwyn iddi hi gael mynd trwy bob blewyn o wallt â'r grib fân ryfedd yna a byddai hi'n tynnu chunks mawr o wallt allan heb boeni bo' fi'n gwingo fel pysgodyn newydd-gael-ei-ddal. Erbyn diwedd yr wythnos ysgol roedd hi wedi penderfynu nad oedd dim i'w wneud ond defnyddio'r shampoo cryfaf un i roi blitz cyflym i'r teuluoedd bach oedd wedi sefydlu'u hunain, ac yn byw yn ddigon hapus rwy'n siŵr, yn fy ngwallt glân – 'Ma' nhw dim ond yn gallu byw mewn gwallt glân' oedd llinell gyson fy mam, pan oedd hi'n meddwl y byddai pobl eraill yn credu ei bod hi'n gadael i'w mab fynd am wythnosau heb ymolchi. Bore dydd Gwener oedd hi, felly, ac am chwarter wedi pump y bore fe ddaeth Mam mewn i fy stafell i fy neffro i, er mwyn i fi gael y driniaeth cyn mynd i'r ysgol. Roedd Davies, oedd yn cysgu wrth fy ochr, wedi deffro hefyd. Mae'n rhaid ei bod hi wedi bod yn aeaf ar y pryd oherwydd roedd hi'n dal yn dywyll fel canol nos y tu allan. Ac felly dyna lle oeddwn i, yn gwisgo dim byd ond pants, yn sefyll dros y sinc yn y stafell ymolchi tra oedd fy mam yn gwthio fy mhen i lawr ac yn arllwys dŵr anghyffyrddus o dwym drosta i ac yn rwbio'r shampoo mwya ffiaidd i mewn gyda'r un egni difaddau â tasai hi'n trio stranglo llygoden Ffrengig. Roeddwn i mewn poen. Ond roedd e'n sbort hefyd oherwydd ar yr un pryd roedd Davies yn eistedd ar ochr y bath yn edrych, ac yn chwerthin wrth weld yr olygfa'n datblygu o'i flaen. Ac oherwydd ei fod e'n chwerthin, ro'n i'n chwerthin hefyd ac yn edrych lan ato fe, pan fyddai fy mam yn gollwng ei gafael am eiliad, ac yn gwneud wynebau twp arno, ac yn trio actio'r goat er mwyn ei ddifyrru mwy. Byddai hi'n neis meddwl fy mod i wedi gwneud hynny gan wybod nad oedd yna lawer o laughs o'i flaen yn yr wythnosau nesa ac y byddai hi'n dda iddo fwynhau cymaint ag y gallai yn yr amser rhwng y nawr a'r anochel.

Ar ôl dau neu dri o rinses roedden ni wedi gorffen, ac roedd fy mam wedi sychu fy ngwallt – mor arw ag ym mhob rhan arall o'r broses – ac fe aethon ni lawr llawr i gael brecwast cynnar, ac i fod mewn digon o amser i'r ysgol am unwaith yn lle gorfod brysio fel ffyliaid. Pan oedden ni wedi gorffen ein Corn Flakes daeth fy nhad lawr, wedi'i ddeffro gan yr holl fynd a dod. Roedd hi'n falle chwarter i chwech erbyn hynny ond roedd e'n llawn egni bore newydd, ac mewn hwyl dda, ac roedd e'n hapus i wneud jôcs gyda ni – y rhan fwyaf mewn sbort ysgafn am ben Mam: roedd e'n dweud faint o fenyw galed oedd hi ac fel yr oedd hi, unwaith, wedi gwneud iddo fe gysgu ar y soffa am wythnos pan oedd e'n dost rhag ofn iddo fe basio'r salwch ymlaen iddi hi, a doedd hi ddim wedi meddwl mynd i gysgu ar y soffa ei hun, o na. Ac fel roedd hi'n arfer pwdu gyda fe am ddiwrnod cyfan ac yn gwrthod gwneud bwyd iddo fe na siarad â fe o gwbl os oedd e wedi bod i'r dafarn y noson cynt ac wedi dod 'nôl am ugain munud i un ar ddeg yn lle hanner awr wedi deg fel roedd e wedi addo. Dwy' ddim yn credu bod y straeon yma'n wir oherwydd roedd e'n cadw i edrych i gyfeiriad Mam a gwenu arni, a doedd hi ddim wedi ateb yn ôl i drio'i hamddiffyn ei hun fel y byddai hi wedi gwneud yn sicr tasen nhw yn wir. Ond roedd Davies a fi yn chwerthin beth bynnag, ac yn edrych arno fe gyda chymysgedd o drueni ac edmygedd, ei fod e wedi gallu goroesi'r un driniaeth ag yr oedden ni newydd ei gweld yn yr ystafell ymolchi, ac am yr ychydig o funudau hynny roedden ni'n hapus i weld Mam yn rôl y disciplinarian creulon oedd yn benderfynol o fynd yn ffordd ein sbort ni, y dynion.

Ar ôl iddo fe gael paned o de, cododd fy nhad yn sydyn a cherdded tuag at y drws cefn. Dwedodd wrthon ni am ei ddilyn, 'Come on, bois', felly fe redon ni at y drws ffrynt i ffeindio'n 'sgidiau, eu tynnu nhw ymlaen heb agor y lasys, a brysio allan ar ei ôl. Yn yr ardd gefn roedd y byd yn teimlo'n hollol ddieithr. Mae hi'n ddigon posib nad oedden ni wedi bod allan yn yr awyr agored mor gynnar â hynny o'r blaen. Roeddwn i'n nabod yr holl bethau oedd yn yr ardd, sièd fy nhad ar y gwaelod, a'r potiau planhigion oedd o gwmpas y lle, ond roedden nhw'n edrych yn hollol wahanol, yn llawn dirgelion anesboniadwy a chysgodion rhyfedd. Roedd hi fel tasen ni wedi tarfu ar y byd yn ystod ei amser ei hun, yr amser roedd e'n ei gadw ar gyfer ei bethau cyfrinachol e, pan nad oedd yna bobl o gwmpas i darfu arno. Aeth fy nhad i sefyll yng nghanol yr iard ac edrych yn bell lan i'r awyr ac o'i gwmpas. Roedd y lleuad yn fwy clir nag yr oeddwn i wedi ei weld e erioed. Edrychai'r cylchoedd o'i amgylch fel un o'r force fields yna roeddwn i wedi'i weld o gwmpas rhyw gymeriad o'r gofod mewn cartŵns ar y teledu. A phan fyddwn i'n troi oddi wrtho i edrych ar bethau eraill, byddwn i'n dal i weld y cylchoedd o flaen fy llygaid. Roedd fy nhad yn sganio'r awyr. Trodd yn araf ar ei sodlau cyn stopio'n sydyn a phwyntio bys bron yn syth allan o'i flaen. Fe edrychon ni ar hyd ei fraich, ac ar hyd ei fys, yn ofalus fel tasen ni'n ofni gadael i'n llygaid grwydro ar hyd y nos, ac i lefydd na ddylen nhw weld.

Roedd e mor isel yn yr awyr nes y gallai fod wedi bod yn lamp yng ngardd Mrs Phillips lawr yr hewl.

'Gwener,' dywedodd fy nhad.

Roedd ein llygaid wedi'u hoelio ar y golau.

'Gwener,' dywedodd eto. 'Planed.'

Trodd Davies a fi i edrych arno, i ryfeddu at ei wybodaeth. Ond os oedd e'n gwybod, doedd hynny ddim yn golygu nad oedd e hefyd wedi'i swyno – roedd e'n sefyll mor llonydd ag yr oedden ni.

Ac yn y munudau hynny fe allai holl sêr y nef fod wedi

cwympo allan o'r awyr a fydden ni ddim wedi sylwi. Roedden ni wedi blino, roedden ni wedi codi'n gynnar, roedd y byd yn ddieithr i'n synhwyrau ifainc – mae hi'n hawdd esbonio cefndir y rhyfeddod – ond y bore hwnnw? Roedd y sêr, wrth gwrs, yn bethau cyffredin. Roedden nhw yna bob nos, ac roedd eu golau mor wan nes ei bod hi'n edrych fel petai rhai ohonyn nhw'n cael eu troi ymlaen ac i ffwrdd gan ryw switch mawr yn rhywle. Ond roedd y golau hwn mor gryf nes taw'n llygaid ni oedd yn wincio. Roedd e fel petai e'n gallu ein tynnu ni tuag ato. A dwy' ddim yn sôn fan hyn am ryw fath o foment ET neu'r math yna o deimlad arallfydol. Efallai fy mod i'n meddwl amdano mewn termau mwy cyffredin na hynny – yn nhermau'r modelau o'r system solar roedden ni wedi edrych arnyn nhw mewn gwersi gwyddoniaeth yn yr ysgol, er enghraifft – ond fe wnaethon ni gysylltiad y bore hwnnw. Roedd e y tro cynta i'r cysylltiad hwnnw gael ei wneud yn ein meddyliau ond rwy'n amau hefyd na allai fod wedi cael ei wneud, yn yr un ffordd ystyrlon, ar unrhyw adeg yn ein bywydau ni ond y bore hwnnw – neu un o'r boreau hynny pan oedden ni nid yn unig yr oedran oedden ni, ond yn y byd di-ddirywiad yr oedden ni ynddo hefyd. Fe welson ni yn llythrennol y tu hwnt i'r byd.

Oherwydd yn yr ysgol, lai na theirawr wedyn, roedd Davies wedi dweud storis amdana i yn crio fel babi pan oedd fy mam wedi rhoi'r 'bug shampoo' ar fy ngwallt, ac roedd pawb wedi chwerthin, ac roeddwn i wedi chwerthin hefyd er fy mod i yn eitha annoyed gyda fe ar y pryd. A doedd e ddim wedi dweud gair am y blaned Gwener er bod neb arall wedi codi i'w gweld hi nac yn gwybod unrhyw beth amdani chwaith. A phan oedd yr ysgol wedi gorffen a'r penwythnos hyfryd wedi cyrraedd roedden ni wedi dod adre, y ddau ohonon ni i fy nhŷ i eto, ac roedd tad Davies wedi marw, a'r noson honno doedd dim un ohonon ni wedi cysgu llawer a doedden ni ddim wedi siarad tan yr oriau bach chwaith, ond fe sylwais i ar Davies, rywbryd yn ystod y nos, yn estyn am y llenni oedd ar waelod y gwely ac am eiliad fe lifodd golau'r lleuad – mor glir ag o'r blaen – i fewn i'r stafell. Ond byddai e wedi gorfod codi a gwthio'i wyneb reit lan yn erbyn y ffenest i allu cael golwg arall ar Wener, felly fe adawodd e i'r llenni gwympo 'nôl i'w lle ac i'r ystafell ildio i'r tywyllwch eto.

[3.4]

Digwyddiadau penodol felly. Fel gwylio rownd derfynol Pencampwriaeth Snwcer y Byd ar nos Sul a gweld y nutter Alex Higgins yn ennill ac yn crio gyda'i wraig a'i blentyn. Roedden ni tua wyth neu naw erbyn hynny falle a doedd hynny ddim yn hir ar ôl i dad Davies farw chwaith. Bydden ni yno yn ein stafell ffrynt ni gyda fy mam-gu, oedd hefyd yn hoff iawn o'i snwcer. Roedd hi'n casáu Steve Davis oherwydd yn y dyddiau hynny roedd e'n sych ac yn gollwr gwael ac yn ymddwyn fel plentyn wedi'i sbwylo, a phob tro byddai e'n ennill byddai hi'n dweud, wrth y teledu yn bennaf ond wrth bwy bynnag arall oedd o gwmpas hefyd, 'Ooh, 'e's a bugger'. Roedd Davies a fi wedi mabwysiadu'r llinell fel catchphrase ac roedd e'n dal i fodoli flynyddoedd wedi i fy mam-gu gael ei stopio rhag 'rhegi o flaen y plant' gan yr unig rym a allai fod wedi gwneud hynny. Ac roedd hynny'n rhan sylfaenol o'r berthynas oedd gyda ni: roedden ni'n siarad yr un iaith. Yn llythrennol felly oherwydd taw ni oedd wedi'i chreu. Ar hyd y blynyddoedd roedden ni wedi codi cymaint o ymadroddion fel yna, catchphrases, pethau oedd wedi'n ticlo ni rywbryd ond a oedd wedi tyfu o'u cyd-destun gwreiddiol nes eu bod nhw'n rhan intrinsic o'n byd ni, a chymaint o bethau fel yna – short cuts ieithyddol oedd yn aml yn cyfeirio mewn un gair at deimladau neu sefyllfaoedd y byddai angen paragraffau o esboniad ar rywun nad oedd yn gyfarwydd â nhw – ac mor codified oedd y system erbyn ei anterth, jyst ar ôl i ni raddio efallai, nes ei fod bron iawn yn patois diffiniadwy ynddo'i hun. Ac rwy'n gwbod bod pawb yn gwneud hyn, ac yn siarad fel hyn, ond i ni roedd e'n rhywbeth i fod yn arbennig o falch ohono, ac yn rhywbeth i'w ystyried, a'i ddatblygu'n fwriadol, mewn ffordd efallai nad yw pobl eraill yn ei wneud. Oherwydd roedden ni'n datblygu'n patois ni gyda brwdfrydedd creadigol, ac yn edrych arno fe fel y datguddiad mwya sicr o'r hyn oedden ni: eu hiaith a gadwant a'r iaith a'u ceidw nhw.

Roedd gyda ni ffordd ddemocrataidd iawn o wylio snwcer, a hynny reit o'r dechre. Fel ma'r sylwebwyr, sydd fel arfer yn gyn-chwaraewyr eu hunain, yn sôn am 'ein gêm ni', a'r syniad o'i warchod fel etifeddiaeth (yn ogystal â'r syniad hollol angenrheidiol o angen ei fawrygu er mwyn peidio â gwneud yn fach o'u bywydau eu hunain), roedden ni'n edmygu'r chwaraewyr hynny oedd yn chwarae'r gêm gyda rhyw fath o ymwybyddiaeth o'r hyn roedden nhw'n ei wneud. Chwaraewyr fel Jimmy White wrth gwrs, nad oedd wedi anghofio taw'r unig reswm ei fod e yno yn chwarae mewn finals byd oedd nad oedd e wedi gwneud yn well yn yr ysgol, ac a oedd yn mynegi'r abandon hwnnw nid jyst yn ei chwarae ond yn ei berson hefyd. Roedden ni'n cytuno gyda fy mam-gu – roedd Steve Davis yn bugger oherwydd roedd e'n gwneud i'r gêm deimlo fel meicrocosm o fywyd ac fel bywyd a marwolaeth. A doedd e ddim. Roedden ni'n hoffi Alex Higgins hefyd, ond ddim cymaint. Roedd e'n cymryd agwedd Jimmy White i eithafion peryglus: bron nad oedd e'n rhyw fath o ddirfodaeth gyda fe. A lle roedd Jimmy'n chwarae oherwydd ei fod e'n caru'r gêm ar ôl treulio cymaint o'i blentyndod yn colli ysgol i'w chwarae, doedd Alex Higgins ddim fel petai e'n teimlo hynny o gwbl. Roedd e'n gwybod ei fod e'n wastraffwr. Ond roedd e'n gwybod hefyd ei fod e wedi'i felltithio (dyna oedd y peth gyda fe, roedd e wastad yn gwybod . . .), a doedd jyst y ffaith o allu gwneud rhywbeth oedd yn cael ei ffilmio ac a oedd yn cael ei weld gan filiynau o bobl rownd y byd ddim yn sydyn yn ei wneud yn beth ystyrlon, mwy nag yr oedd yn dyrchafu ei fywyd e yn gyffredinol pan fyddai'r camerâu wedi mynd a'r goleuadau wedi'u diffodd. Roedd e'n ormod i ni ar y pryd, Alex Higgins. Roedden ni'n hoffi gwybod bod y chwaraewyr oedd hefyd yn ddiddanwyr – fel Jimmy a Kirk Stevens a'r cawr o Ganada, Bill Werbeniuk (oedd, oherwydd rhyw gyflwr meddygol oedd arno, wedi yfed 42 peint o lager yn ystod un gêm, ac a oedd yn gallu cyfri arian cwrw fel 'legitimate expense' ar ei ffurflenni treth) – yn eu diddanu'u hunain yn y lle cynta ac nid jyst yn bwrw'r peli o amgylch am na fyddai hi'n gwneud unrhyw wahaniaeth tasen nhw'n cymryd gofal arbennig wrth wneud hynny neu beidio.

Roedden ni'n serious am ein snwcer, felly, ac fe barodd hynny. Ond erbyn canol y nawdegau, pan oedden ni yn y coleg, ac ar ôl hynny, roedd dyddiau Steve Davis ar y brig yn teimlo fel Oes Aur (yn llythrennol gan bo' nhw'n arfer ei alw e, gyda holl hiwmor nodweddiadol Romford, Essex, 'The Nugget') o'i gymharu â Stephen Hendry. Roedd Stephen Hendry yn gwneud i chi feddwl y byddai bywyd ar stadau'r Gorbals yn fendith – roedd e mor dour â hynny. Dim ond yn ddiweddar y mae e wedi dechrau agor allan, a dangos rhai teimladau dynol (ar ôl iddo fe briodi a chael plant – gwendid unrhyw bencampwr), ond mae hi'n rhy hwyr erbyn hyn. I for one won't forget, ac fe fydda i'n ei alw e'n bugger am ba mor hir bynnag y bydd e'n chwarae – ac ar ôl hynny hefyd, pan fydd e, yn anochel, yn dechrau sylwebu.

Roedd pythefnos Pencampwriaethau'r Byd yn un o uchafbwyntiau pendant y flwyddyn – ac rwy'n golygu hynny'n hollol ddifrifol. Bydden ni'n cymryd hoe o'n llafur diddiwedd yn y coleg ac yn eistedd o flaen y teledu a dim ond yn symud i gael ambell gêm ein hunain draw ar City Road, pan fydden ni'n convinced o ba mor hawdd oedd hi i fwrw'r peli o gwmpas gyda finesse ac yn sylweddoli'n ddigon cyflym taw gwylwyr oedden ni i fod ac nid chwaraewyr. A thrwy wythnos gynta'r gystadleuaeth bydden ni'n edrych yn feirniadol ar bob un o'r hopefuls ac yn trio gweithio allan pa un fyddai â'r siawns orau o guro Hendry. Un tro roedd Davies yn hollol argyhoeddedig bod y Cymro o Gwmfelinfach, Darren Morgan, yn mynd i'w guro yn yr wyth ola. Roedden ni'n gwylio'r gêm tua amser cinio, Darren ar y blaen ac yn chwarae'n dda, ac roedd Davies wedi rhedeg allan i roi bet ymlaen – 'each way' iddo guro Hendry ac wedyn ennill y bencampwriaeth neu gyrraedd y rownd derfynol. Un o'r teimladau hynny sy'n teimlo fel rhagweledigaeth wedi'i hordeinio. Fe gyrhaeddodd e 'nôl jyst mewn pryd i weld Hendry'n ennill ar ôl bod ar ei hôl hi o ddeuddeg ffrâm i wyth (rwy'n credu) mewn gêm cynta-i-dri-ar-ddeg.

Ond roedd yna dristwch yn perthyn i'r bythefnos hefyd. Oherwydd wrth i'r bencampwriaeth fynd yn ei blaen, byddai hi'n dod yn fwy a mwy amlwg bod yna neb yn mynd i guro Hendry ac roedden ni'n arfer rhoi mwy o deimlad i fewn i'r gwylio nag yr oedd gêm eitha pointless mewn gwirionedd yn ei haeddu. Byddai Jimmy White yn colli yn y rownd derfynol am yr hyn a deimlai fel y pymthegfed tro, a bob blwyddyn byddai e'n dod yn agosach ac yn agosach at ennill tan iddo un flwyddyn fethu'r un bêl – du oedd hi – fyddai wedi bod yn ddigon iddo ennill. Un bêl, un ergyd, ar ôl tri deg pump o fframau, a channoedd o fframau mewn gêmau cyn hynny, miloedd ar filoedd o ergydion, un bêl. Roedd gan Jimmy deulu hyfryd. Roedd ganddo fe fwy o arian nag y gallai ei wario. Roedd ganddo bedair merch ifanc oedd yn gwenu ac yn chwerthin drwy'r amser. Byddai e hyd yn oed yn goresgyn canser yn ei geilliau. Ond doedd hynny – i ni, beth bynnag – ddim yn gwneud yn iawn am drasiedi hollol a digamsyniol y ffaith nad oedd e erioed wedi bod yn Bencampwr Byd. Hyd yn oed nawr byddwn i'n fodlon aberthu llawer fy hun er mwyn i hynny ddigwydd.

Felly ym 1997, pan oedd Ken Doherty o Ddulyn yn y rownd derfynol, roedden ni wedi'n paratoi ein hunain ar gyfer siom arall, ac ar gyfer y naid yn y meddwl fyddai'n ein galluogi ni i ddweud nad oedd y bythefnos ddwetha wedi bod yn bwysig mewn gwirionedd a taw difyrrwch ysgafn oedd yr holl beth. Ond fe wnaeth e'n well na'r disgwyl ac fe aethon nhw i fewn i'r sesiwn ola gyda Doherty ar y blaen. Ac yna fe ddechreuodd Hendry ddod 'nôl mewn iddi. Roedd e'n cau'r bwlch o hyd ac o hyd ac roedd hi'n mynd i fod yn Jimmy White eto a byddai Ken yn gorfod bod yn gollwr hapus a Hendry yn ennill heb lawer o hapusrwydd amlwg na llawer o eiriau anhunanol i'w wrthwynebydd a bydden ni'n gorfod dioddef yr holl beth eto. Roedd yn rhaid i Davies adael y tŷ. Aeth e allan ar ei feic i yrru rownd am hanner awr. Doedd e ddim yn dda iawn am eistedd trwy'r pethau yma, fel y dwedais i o'r blaen. Ond pan gyrhaeddodd e 'nôl a phan glywais i ei allwedd yn y drws, fe waeddais i arno'n syth fod Ken ar fin ennill, taw dim ond un ffrâm roedd ei hangen arno a'i

245

fod e'n edrych yn gryf ac yn hyderus, a doedd dim gobaith gan Hendry nawr a bod hynny am unwaith, ac yn dyngedfennol, i'w weld yn ei chwarae ac yn ei symudiadau a'i osgo . . . Roedden ni fel plant eto, bymtheg mlynedd cyn hynny, yn gwylio Alex Higgins ar ei ffordd e i fuddugoliaeth. A phan aeth y bêl ola i mewn i'r boced, a Doherty wedi ennill, a phan laciodd e ei ganolbwyntio i adael i'w lygaid Gwyddelig wenu, roedden ni mor hapus â tasen ni wedi ennill ein hunain. Ac roedden ni wedi ennill hefyd, ar sawl ystyr. Jôcs wedyn, y tensiwn yn llifo allan ohonon ni ar ffurf parablu di-baid. Roedd Davies yn credu, er enghraifft, bod cyflwynydd y rhaglen ar y BBC, David Vine, yn cadw potel o fodca dan ei ddesg gyflwyno a'i fod e'n cadw i lanw'r gwydr o ddŵr oedd ganddo o'i flaen gyda'r fodca, a'i fod e'n ddigon hapus, yn meddwi'n hamddenol o flaen deg miliwn o bobl. Roedden ni'n hoffi'r syniad yna. Wedyn bydden ni'n dychmygu sut roedd yr enillwyr yn dathlu'u buddugoliaeth – a sut y gallai'r dathliad hwnnw, mewn function room noeth, efallai, mewn gwesty yn Sheffield, fod yn wahanol yn ei hanfod i'n meddwi arferol ni o gwmpas tafarnau Caerdydd, a meddwl efallai nad oedd e'n wahanol o gwbl, a chael ein hatgoffa eto bod yna ddim llefydd addas ar gyfer ein hemosiynau gorau, mwyaf cyfoethog, ond bod Ken, am y noson honno, yn gallu mwynhau glow fyddai'n ei alluogi i anghofio am y waliau plaen a'r executive conference suite decor o'i amgylch a jyst mwynhau *teimlad*. Roedden ni, a Davies yn arbennig, yn obeithiol iawn y noson honno, ac yn bositif iawn – nid jyst am obeithion Ken o ddefnyddio'i statws fel pencampwr byd i dynnu merched (roedd e'n sengl ar y pryd, rwy'n credu), ond yn fwy cyffredinol, am hapusrwydd sydd efallai'n pylu ond sydd am y cyfnod y mae'n para mor real ac mor fydol real ag y gall unrhyw beth fod.

Snwcer, eh?

Ar ôl hynny, ac mewn cymhariaeth â'r idyll Ffrengig roedden ni wedi'i flasu yr haf hwnnw, roedden ni'n dod 'nôl o hyd i Ddowlais ac at wreiddiau. Ac at wreiddiau'r stori hon, cyn belled ag y gellir siarad amdani fel stori. Roedd y tip wastad yn ganolog i bopeth – hyd yn oed os dim ond yn y ffordd yr oedd e wedi suddo i'n hisymwybod ac i'n dychymyg ni, ein hargraff gyffredinol ni o natur y lle, a'r ffordd yr oedd yn gweithio ac yn meddwl ac yn bodoli.

Ond doedd hi ddim wastad fel yna, wrth gwrs. Fe ddaeth y twll mawr ganol yr wythdegau, ym 1985 rwy'n credu. A rhwng hynny a streic y glowyr tua'r un pryd, fe allech chi ddweud nad oedd hi ddim jyst yn bwrw glaw rownd Dowlais ond yn bwrw hen wragedd, ffyn, cathod a chŵn yn ogystal â'r cemegolion aneirif oedd wedi treiddio'n ddwfn i gronfeydd dŵr tanddaearol yr ardal, ac a oedd yn brigo i'r wyneb, ac yn cyddwyso ac yn ffurfio glaw a niwl a theimlad bythol-fygythiol o bwysau yn yr awyr.

Roedden ni yn ddeuddeg neu dri ar ddeg ac yn ddigon ifanc o hyd i fod yn ddigon anwybodus o'r hyn oedd yn mynd ymlaen, a'r hyn oedd yn cael ei wthio ar yr ardal gan rymoedd mileinig, i beidio â chael ein dal yn y cymylau hyn. Rwy'n cofio edrych ymlaen hyd yn oed at ddyfodiad y tip, ac am fisoedd roedd yr iard yn yr ysgol, ymysg y bechgyn beth bynnag, yn llawn o siarad cyffrous am y peiriannau mawr a rhyfedd yr oedden ni wedi'u gweld. Craeniau oedd mor dal â chae rygbi, driliau oedd yn gallu cyrraedd dwy filltir i mewn i'r ddaear. Roedd hi'n gystadleuaeth rhyngddon ni yn y diwedd i weld pwy oedd yn gwybod am y peiriant mwya' rhyfeddol. Ond roedd e'n ddeffroad hefyd, tebyg yn ei ffordd i'r blaned Gwener, ond ein bod ni erbyn hynny yn lot mwy agored i gael ein deffro. Roedd y byd o dan ein traed yn mynd ymlaen am filltiroedd ar filltiroedd. Sut oeddech chi i fod i feddwl am hynny? Nid ein bod ni'n credu bod arwyneb y ddaear yn arnofio neu bod y byd yn fflat ac nad oedd dechrau na diwedd iddo – roedden ni wedi gweld y mapiau hynny o'r system solar, wrth gwrs – jyst nad oedden ni wedi meddwl llawer iawn am ddyfnder o'r blaen. Roedden ni'n gwybod hefyd am y straeon am allu cloddio'ch ffordd trwy ganol y byd i gyrraedd Awstralia, ond nawr roedd yna beiriannau a fyddai'n mynd mor bell o dan ein byd fel na fyddai'n fyd i ni rhagor ac fel na fydden ni'n ei nabod. Roedd y peiriannau yn aros ar yr wyneb, ar ochr y mynydd yn Nowlais, ond roedd y drils yn cyrraedd rhywle arall, rhywle lle roedd yna fwydod efallai yr un maint â chrocodeils neu lygod mor fawr â chŵn. A doedd yna ddim lluniau o anifeiliaid fel yna mewn llyfrau, dim hyd yn oed mewn llyfrau oedd yn dangos pysgod oedd yn byw reit ar waelod y môr, mor ddwfn ag y gallech chi fynd. Doedd hi ddim yn hawdd iawn i feddwl amdanyn nhw fel anifeiliaid hyd yn oed, yn yr un ffordd ag yr oedden ni'n gyfarwydd â zebras mewn zoo neu fuchod neu glêr, er enghraifft.

Roedden ni wedi dychmygu chwarae ar y tip ar ôl gweld plant mewn ffilmiau Americanaidd yn gwneud hynny, a ffeindio trysorau yno ac anrhegion i'n mamau a phethau y bydden ni'n gallu'u cario nhw 'nôl gyda ni, neu lan i'r mynydd yn yr haf i wneud 'dens' ac esgus bod yn filwyr yn cropian trwy'r jyngl. Ond pan ddaeth e roedd e'n siom enfawr. Roedd ffensys uchel wedi'u codi o gwmpas y lle a doedden ni erioed wedi gallu mynd yn agos, er cerdded reit o gwmpas y safle i edrych am ffordd trwodd. A'r unig beth oedd yn cyhoeddi bodolaeth y lle i ni oedd y lorris enfawr fyddai'n mynd ac yn dod, y clêr tymhorol a'r gwynt ffiaidd. Ond yn ddigon buan fe stopion ni sylwi ar y gwynt hefyd, heblaw pan fyddai hi'n dwym iawn, er enghraifft, a'r tawch yn codi fel mirage dros y bryniau. Ac felly roedd y twll mawr jyst yno, yn rhywbeth oedd wastad yng nghefn meddyliau pawb ac a oedd yn symbol o imposition mawr arnon ni ond nad oedden ni'n sôn amdano o gwbl, fel petai sôn amdano yn ffordd o ddenu mwy o glêr i'r wyneb, a mwy o lorris a mwy o wastraff bywyd.

Fe siaradodd Davies a fi fwy am y peth ar ôl gadael. Roedd y syniad o landfill, o lanw'r tir, yn fascinating. Does gen i ddim cof o gwbl am y trafodaethau a gafwyd yn lleol cyn iddyn nhw benderfynu agor y safle, ond byddai hi wedi bod yn ddiddorol i'w clywed nhw. Roedd e'n ein taro ni fel scenario hynod; y syniad o dynnu allan o'r tir ei gyfoeth naturiol, y priddoedd cyfoethog oedd wedi setlo yno ers canrifoedd, er mwyn gallu claddu'n gwaddol ni yn llythrennol yn y byd. Roedd e fel fast forward trwy brosesau daearyddol a mynd ati'n fwriadol i drefnu ein harchaeoleg ein hunain. Roedd e'n hyfryd o drosiadol, wrth gwrs, yn symbiotig hyd yn oed, dim ond bod y trosiadau eu hunain yn eich arwain chi ar hyd llwybr eitha tywyll. A dyna oedd gwir effaith y twll ar psyche'r lle a'r bobl, dyna roedd Davies a fi yn ei gasáu ond hefyd yn rhyfeddu ato, ac yn ei ofni a'i barchu hefyd mewn rhyw ryfedd ffordd. Roedd y lorris yn dod bob wythnos ac yn cario prams wedi'u taflu allan, hen duniau bwyd a dosys o ddirfodaeth. Roedd pobl – degau, cannoedd i gyd – yn cael eu cyflogi i glirio allan nid jyst y shit oedd o gwmpas ein tai ond ein shit metaffisegol ni hefyd, ac i'w gladdu yn ddwfn yn y ddaear, nes bod strata cyfain yn y graig yn ddwfn o dan ein tai wedi addasu cawl ffowlyn Campbells ('condensed, makes double!') yn rhan o'u craidd. A rhygni byw, neu weithio swyddi diflas am arian pitw, yn rhan o'r carboneiddio yn y tir. Ac roedd gwaelod y twll mawr yn crynhoi popeth, yn amsugno'r glaw a'r pridd llygredig ac yn ffurfio sludge trwchus, fel rhyw fath o lafa synthetig. A dyna fyddai'n gwaddol ni i'r byd. Tomen enfawr o sludge – fyddai un o'r dyddiau hyn yn torri'n rhydd ar ddechrau diwrnod ysgol ac yn llithro lawr y mynydd i gladdu Merthyr.

Dim rhyfedd bod y motif mor drwm yn straeon yr ardal. Un o'r straeon eraill, apocryffaidd, am ardal Dowlais, a Rhymni lawr i'r ochr arall, yw honno am heol Blaenau'r Cymoedd. Maen nhw'n dweud bod cwmni McAlpine, oedd yn adeiladu'r heol, mewn trafferthion ariannol ofnadwy ar y pryd a'u bod nhw mewn perygl o fethu â gorffen yr hewl heb fynd yn bankrupt. Beth ma' pobl yn hoffi dweud wedyn yw eu bod nhw wedi dod o hyd i rywbeth – eto yn ddwfn yn y ddaear, wedi'i gladdu ar gyfer yr oesoeddd – oedd wedi'u hachub nhw: trysor Capten Morgan. Roedd y môr-leidr byd-enwog, Llywodraethwr Jamaica, 'plunderer of honest ships, scourge of the Spanish Main', yn dod o dop Cwm Rhymni. Ac ar ôl dychwelyd o'i deithiau ar hyd y byd roedd e wedi claddu'i drysorau mewn man cyfrinachol. Roedd e wedi marw wedyn heb gael cyfle i symud ei drysor a dyna lle roedd e wedi aros, am ganrifoedd, yn y pridd, tan i'r diggers mawr ddod o hyd iddo, yn seiliau'r heol newydd. Yr ardal yn cael ei rheibio eto, a'r cyfoeth yn y tir yn diflannu, i mewn i ddwylo barus o'r tu allan. A'r cyfan gafwyd yn ei le oedd tagfeydd traffig a mwy o gymylau mwg.

Mae hi'n stori sy'n cysylltu'n uniongyrchol ddau fyd: y byd real – byd ein plentyndod cyffredin – a'r byd chwedlonol, mytho-barddonol, sydd hefyd yn ei ffordd yn fyd plentyndod. Ac fel stori Cristo, roedd y stori hon hefyd yn stori Davies. Roedd e'n hoffi'i hadrodd hi wrth bobl fyddai'n gofyn am ei ardal enedigol, roedd e'n hoffi gwneud y cysylltiadau niferus (ac roedd e'n eu gwneud nhw'n fwy celfydd o lawer na fi yn y fan hon), ac roedd e'n hoffi cael ei swyno eto gan hud diflanedig môr-ladron a brwydrau ar y cefnforoedd, baneri skull and crossbones a patches llygaid. Cymaint felly nes eich bod chi'n cael yr argraff taw fe oedd Capten Morgan ei hun, wedi dod yn ôl, os nad i ddod o hyd i'w drysor coll yna i ddweud wrth y byd am y lladron. Doedd dim ots taw pethau wedi'u dwyn eu hunain oedd trysor y Capten. Erbyn hynny roedden nhw'n perthyn iddo fe, a thrwy estyniad, i Davies ac i ni.

Ar ôl i ni ddod 'nôl o Ffrainc y bwriad oedd i Davies a fi ffeindio swyddi, mae'n debyg, neu i wneud rhywbeth *allanol* i lanw'n dyddiau. Er mwyn cael arian, ie, ond hefyd fel rhyw fath o ymgais i sicrhau rhywfaint bach o brofiad bywyd. Roedden ni'n dweud na fyddai ots gyda ni weithio mewn swyddi crap – pacio bocsys mewn ffatri neu rywbeth neu mewn builders merchants – jyst er mwyn cael syniad o'r math yna o waith. Jyst siarad. Yn y diwedd es i i wneud yr hyn roeddwn i wastad wedi amau y byddwn i'n ei wneud ac fe aeth Davies i wneud yn union beth roedd e, a fi, wastad wedi amau y byddai e'n ei wneud: ymarfer dysgu i fi, hongian rownd yn gwneud dim iddo fe. Ond, a bod yn deg, fe lwyddodd e i hongian rownd y lle gyda ysbrydoliaeth a brwdfrydedd rhyfeddol. Roedd e'n peintio, yn ysgrifennu, yn sgetsio – ar gyfer peintiadau ac ar gyfer cartwnau a phethau fel yna – yn tynnu lluniau gyda'r polaroid rhad roedd e wedi'i godi mewn siop elusen, ac roedd e hefyd yn chwarae gitâr acwstig. Roedd e actually yn dda iawn ar y gitâr. Roedd e'n gallu gwneud y finger-picking yna yn ogystal â jyst chwarae cordiau. Roedd e wedi gofyn i'w fam am wersi pan oedd e'n fachgen ac roedd hi wedi cytuno; felly bob bore dydd Sul roedden nhw'n mynd i dŷ lan y tu ôl i Gastell Cyfarthfa a byddai Davies yn sefyll yno gyda'i draed ar un o'r stolion ridiculous yna ac yn dysgu sut i chwarae Spanish guitar. Mae e'n atgof eitha clir: prynhawniau heulog a'r ffenestri yn ei stafell e, oedd yn wynebu'r hewl, ar agor. Byddwn i'n gallu'i glywed e'n ymarfer o ochr arall y stryd pan oeddwn i'n cerdded 'nôl adre. Byddai e'n chwarae llinell, yn gyflym, ond yn colli nodyn ac yn mynd 'nôl i'w chwarae eto. Yn ei chwarae'n gyflym eto, ac yn colli'r un nodyn. Wedyn byddwn i'n clywed 'Fuck!' taer – heb ei weiddi, ond heb fod dan ei anadl chwaith. Byddai'n mynd 'nôl dros yr un cymal, yn chwarae'r nodyn cyntaf yn iawn ond yn colli nodyn gwahanol y tro hwn. 'Fuck!'

Tua'r pryd yna fe ddechreuodd Anna a Davies siarad am symud bant. Roedd hi'n amlwg erbyn hynny y byddai hi'n dwp iddyn nhw beidio â gwneud cynlluniau gyda'i gilydd, felly roedd Davies, gan fod digon o amser gyda fe, wedi dechre breuddwydio. Ffrainc oedd ei syniad delfrydol; 'monkey see, monkey do', yn amlwg. Roedd e wedi gweithio'r holl beth allan: byddai Anna'n gorffen ei hymchwil ac yn cael swydd yn Ffrainc a byddai e'n mynd gyda hi. A byddwn i'n gwneud fy ymarfer dysgu a byddwn i'n cael swydd yno'n dysgu Saesneg ac yn mynd gyda nhw. Doedd Davies ddim yn mynd i weithio ond byddai'n dangos ei ffotograffau a'i beintiadau o gwmpas y lle. Roedd e'n amlwg wedi treulio *oriau* yn dychmygu'r peth . . .

Ac roedd Anna yn eitha hoffi'r syniad hefyd, ond byddai hi wedi bod tipyn yn fwy keen tasai Davies o leia wedi rhoi'r argraff ei fod e'n mynd i drio ennill ychydig bach o'i arian ei hun a gwneud cyfraniad mwy penodol i'r holl beth na jyst darparu'r 'vibes, man'. Roedd e'n arfer ei weindio hi lan yn fwriadol – ond doeddwn i byth cweit yn gallu deall pam y byddai e'n gwneud hynny mor amlwg, yn gwybod taw arian Anna oedd yn ei gadw ac arian Anna *fyddai*'n ei gadw hefyd. Rhywbeth rhwng y ddau ohonyn nhw. Rhywbeth i'w anghofio'n araf.

Byddai Anna'n dod 'nôl o'r llyfrgell neu o'r adran, neu o'r amgueddfa yn nes ymlaen, a byddai hi'n gofyn iddo fe beth roedd e wedi bod yn ei wneud. Ac yn lle trio bod ychydig bach yn sheepish – pan oedd e wedi codi'n hwyr ac edrych ar ailddarllediadau o *Cheers* ar S4C a *Taxi* ar BBC2, byddai e'n dweud pethau fel, 'Wel, prynhawn 'ma, 'nes i ystyried ymuno â'r Tajiks'. Ac roedd Anna'n gofyn iddo fe wedyn, gyda diddordeb sarcastig, 'O ie. Grêt. A beth sy rhaid i ti neud i ymuno, 'te? Beth ma' nhw'n credu?' ac roedd Davies yn dweud yn outraged i gyd, 'Anna, please. I hardly think that matters, do you? The important thing is that I want to do this, and I expect you to support me, darling.' Byddai e'n pwyso ymlaen wedyn, wedi snapio allan o'r act yn sydyn, ac yn rhoi sws gyflym iddi ar ei boch, cyn brysio heibio iddi i'r gegin i wneud coffi.

Ar ôl cwpwl o fisoedd roedd Davies wedi stopio siarad am symud i Ffrainc. Yn lle hynny roedd e wedi dechrau archebu prospectuses o wahanol brifysgolion mewn gwahanol wledydd yn y byd. Efrog Newydd, UCLA, Sydney, llefydd yn Rhufain a'r Almaen, Paris, ond hefyd llefydd mwy annisgwyl, fel Bogotá, nes bod silff hir gyfan yn yr alcove yn y lolfa yn llawn ohonyn nhw. Weithiau byddai yna dri neu bedwar yn cyrraedd mewn un wythnos. A bydden nhw'n pentyrru ar y bwrdd coffi, wedi'u hagor i wahanol dudalennau penodol cyn i bethau eraill gael eu rhoi arnyn nhw a chyn i fwy gyrraedd ac i'w sylw e droi at rheina. Un NYU oedd ei ffefryn am sbel – ac roeddwn i'n ei hoffi hefyd, mae'n rhaid dweud. Roedd e'n llyfr mawr maint A4 a llun mawr manwl o'r bwa maen yn Washington Square ar y clawr. Roedd e'n satisfying iawn – llyfr cyfan o addewidion parod.

[3.5]

Roeddwn i'n cael traed oer am y sefyllfa nawr ac yn y man – pwy fyddai ddim? Roedden ni'n byw yn ein gilydd cymaint, yn gwneud popeth gyda'n gilydd nes ein bod ni bron fel gwragedd gangsters: doedden ni ddim ond yn *cael* gweld ein gilydd. Ond byddwn i'n meddwl weithiau tybed na ddylwn i fod yn mynd off, yn 'cyrchu allan' ar fy mhen fy hun am ychydig? A trio o leia bod yn grown-up yn y ffordd yr oedd eich tad eisiau i chi fod. Ond byddwn i'n sylweddoli'n ddigon buan wedyn nad oeddwn i'n siŵr beth fyddwn i'n ei wneud taswn i yn mynd, ac roedd sut y byddwn i'n ei wneud e yn fater arall ar ben hynny, ac yn fater eitha brawychus hefyd. Oherwydd ni ein hunain oedd ein hunig bwynt cyfeiriadol ni. Roedd meddwl am wneud unrhyw beth heb fod y gweddill rownd i'w werthuso fel trio dychmygu Sid Little heb Eddie Large. Hynny yw, fyddai hi jyst ddim yn bosib.

Byddwn i'n aros, felly, ac yn rhoi'r amheuon i gadw am sbel, ac yn falch i allu gwneud. Oherwydd fyddwn i ddim wedi trefnu pethau mewn unrhyw ffordd arall hyd yn oed taswn i'n gallu. Roeddwn i'n caru'r ddau ohonyn nhw, yn naturiol. Ond doedd hynny ddim yn stopio tensiwn oedd yn gwbl seiliedig ar y gyd-ddibyniaeth rhag brigo i'r wyneb weithiau. Un tro roeddwn i wedi dechrau 'gweld' merch yn achlysurol. Roedd hi wedi bod yn y coleg gyda ni ond roedden ni wedi colli cysylltiad ar ôl i ni raddio. Ond roedd hi wedi aros o gwmpas Caerdydd ac fe ddigwyddais i gerdded heibio iddi ar y stryd, yn y canol, un diwrnod; dechrau siarad, mynd i gael diod, a, gyda forthrightness cymharol annodweddiadol, wedi trefnu cwrdd â hi un noson ar ddiwedd yr wythnos. Ac roedd hynny wedi bod yn sbort felly fe gytunon ni i gyfarfod eto. Ro'n i wedi bod yn meddwl am sbel am y ffordd orau i'w chyflwyno hi i Davies ac Anna. Roedd Davies yn ei lled-gofio hi beth bynnag, a fydden nhw ddim wedi bod yn unrhyw beth ond cwrtais a doniol a charming, rwy'n gwybod, ond erbyn hynny roedd hi'n fesur o'r berthynas oedd gyda ni yn y tŷ fy mod i'n gorfod ystyried hyn yn weddol ofalus.

Am y bythefnos, tair wythnos yr oedd pethau'n mynd ymlaen roeddwn i'n teimlo'n eitha cyffrous. Byddwn i'n gwneud ymdrech i wisgo'n fwy smart cyn mynd i'w chyfarfod hi, golchi tu ôl i fy nghlustiau a phopeth, ac yn cael ribbing am wneud gan Anna yn bennaf, a Davies hefyd. Ond roedd safle Davies i dynnu coes yn ddiddorol, oherwydd er nad oedd ei eiriau yn arbennig o cutting fel y cyfryw, roedd yna rywbeth ychydig bach yn fwy na jyst sbort diniwed yno. Roedd y peth yn mynegi'i hun yn y ffordd yr oedd e'n siarad, nid amdana i ond am Rachel. Roedd e fel petai'n awgrymu y basen ni wedi dod at ein gilydd yn gynt, yn y coleg, os oedd hi mor grêt â hynny. Ac y bydden ni – fi a fe, roedd e'n ei olygu y tro hwnnw – wedi *sylwi* arni. (Roedd e falle'n anfwriadol, ond roedd e *yn* gallu bod yn bastard weithiau.) Ond byddwn i'n gadael i bethau fynd, yn mynd allan ac yn gadael iddo fe gael ei sulk bach a byddai e'n iawn erbyn i fi ddod 'nôl.

Un noson, felly, roedden ni jyst yn eistedd rownd yn y lolfa yn siarad am hyn a'r llall ac roedd Anna wedi gofyn sut oedd pethau'n mynd, gyda Rachel a fi. Ar y pryd roedden nhw'n iawn. Ac ro'n i'n teimlo'n 'expansive' ar y pryd, felly fe ddechreuais i ddweud am y noson iawn gynta roedden ni wedi'i chael. Roedden ni wedi dod 'nôl i'r tŷ yn hwyr, roedd Davies ac Anna wedi mynd i'r gwely, ac roedden ni wedi mynd lan i fy stafell i. Roedd Rachel wedi eistedd ar fy ngwely a thynnu bag bach o weed allan a dechrau rholio spliff. Doeddwn i ddim yn ymwneud â narcotics rhyw lawer – roedd fy agwedd i ato fe yn debyg i un Woody Allen yn yr olygfa yna yn *Annie Hall* pan ma' Diane Keaton yn mynnu cael smôc bach cyn mynd i'r gwely gyda fe. Ond doedd dim gwahaniaeth mawr gyda fi ac fe ges i ambell i drag. Iawn, fine. Ar ôl hynny roedden ni wedi gorwedd 'nôl ar y gwely a'n llygaid ar agor ac wedi dechrau siarad, jyst trio llanw'r bylchau lletchwith, wrth i ni fynd mewn i virgin territory, fel petai. Roedd hi'n hawdd siarad â hi, roedd hi'n chwareus ac yn gyfeillgar, ond doeddwn i ddim cweit yn gallu'i darllen hi – pa un ai oedd hi'n hapus i fod yno, ac i fod yno am noson, neu a oedd hi jyst yn meddwl fy mod i'n foi iawn ac yn gwmni OK a dim byd mwy. Beth bynnag. Roedd fy ngheg i'n sych ofnadwy ar ôl smocio'r hen fari-jiwana ac roeddwn i wedi mynd lawr llawr i ôl peint o ddŵr. Aeth y peint cyntaf i lawr heb wneud llawer o wahaniaeth i'r cesail camel oedd yn fy ngheg, felly ar ôl aros am amser gweddus-ish es i lawr llawr i ôl mwy. Ac wrth i'r noson fynd yn ei blaen, ac erbyn iddi fynd yn eitha hwyr a dim un ohonon ni cweit yn siŵr sut i fynd ymlaen at y cam nesa, roeddwn i wedi yfed tri neu bedwar neu bump glased mawr o ddŵr. Ro'n i ar y ffordd lan y grisiau eto, wedi rhoi pep-talk i fy hun am fod yn fwy forward, yn fy ffordd flirtatious ddihafal fy hun, pan sylweddolais i fy mod i eisiau mynd i'r toilet, wrth gwrs. Ond roeddwn i ar y grisiau erbyn hynny a bron tu allan i ddrws fy stafell a byddai hi wedi clywed, felly allwn i ddim mynd 'nôl lawr eto. Felly mewn â fi. Ond mewn pum munud roeddwn i 'nôl lawr yn y toilet – a phum munud ar ôl hynny a phum munud ar ôl hynny hefyd. Roedd e'n eitha embarrassing erbyn y diwedd. Taswn i wedi bod ychydig bach yn fwy in control byddwn i wedi gallu gwneud yn ysgafn o'r peth a'i wneud e i gyd yn rhan o'r 'adloniant'. Ond doeddwn i ddim, ac roeddwn i'n dod 'nôl i'r stafell bob tro ac yn teimlo'n fwy ac yn fwy o ffŵl.

Erbyn i fi ddweud hyn wrth Davies a Anna roeddwn i'n gallu chwerthin amdano fe'n iawn a phwysleisio fy rôl clownaidd i yn y noson. Ac roedden nhw wedi mwynhau'r perfformiad, ac am unwaith roeddwn i'n cael y llwyfan yn gyfan gwbl i fi fy hun, heb fod Davies yn torri mewn bob hyn a hyn. A'r peth rhyfedd oedd bod Rachel ddim wedi gadael i fy anallu amlwg i reoli fy mhledren i effeithio ar bethau ac roedd hi wedi cysylltu diwrnod neu ddau ar ôl hynny i ddweud cymaint roedd hi wedi chwerthin tu fewn – ond mewn ffordd neis – ar y ffordd roeddwn i'n ymddiheuro bob tro y byddwn i'n gorfod codi o'n safle cyffyrddus ar y gwely.

Ac roedd Anna fel petai hi'n bymtheg eto ac yn trefnu dates i'w ffrindiau. Roedd hi'n rhoi cyngor i fi ar beth i'w ddweud a beth i'w wneud, beth roedd merched yn edrych arno ac yn sylwi arno mewn dynion, hyd yn oed yn isymwybodol; sut roedd hi, Rachel, siŵr o fod yn teimlo jyst mor swil ag yr oeddwn i ac y dylwn i felly ei helpu hi allan trwy fod ychydig bach yn fwy parod i gymryd gofal o'r sefyllfa a sut yr oedd bod yn rhy gwrtais a timid yn gallu bod yn annwyl am ychydig ond jyst yn annoying ar ôl hynny.

Roedd Anna erbyn hynny'n rhedeg ei bysedd trwy fy ngwallt, ac ar hyd amlinell asgwrn fy ngên, er mwyn dangos i fi lle y dylai fy nwylo i fod pan oeddwn i'n cusanu merch – yn dyner ond yn ddigon hands-on i ddangos ychydig bach o angerdd. A falle'i bod hi, yn ei chyffro, wedi dechrau dyfynnu darnau hir verbatim o *Cosmopolitan* – lapse prin – ond pan ddechreuodd hi wedyn gosi cefn fy ngwddf yn ysgafn, a'i bysedd yn rwbio dan goler fy nghrys, mae'n ddigon posib bod yr ysgrifen ar y mur. Roedd hi'n wirioneddol eisiau i fi fod yn hapus, ac i bethau weithio allan gyda Rachel, ond fe lwyddodd hi i gyflawni'r gwrthwyneb hollol i hynny, bless her.

Ond nid jyst Anna, wrth gwrs. Roedd ei chyngor hi, wedi'i gyplysu ag agwedd Davies, yn gyfuniad perffaith. A gyda anghofusrwydd newydd, 'nes i ddim gweld llawer iawn ar Rachel wedyn. Nid achos bod y noson honno mor syfrdanol ei heffaith, neu am fy mod i'n mynd yn wan bob tro y byddwn i'n cofio bysedd Anna ar fy nghroen, ond oherwydd, yn ddigon syml, a phan oedd hi'n fater o ddewis, doeddwn i jyst ddim eisiau gadael, a doeddwn i ddim eisiau i unrhyw beth – hyd yn oed y peth lleia – newid.

Ond roedd Davies, wrth gwrs, yn ogystal â bod yn boen yn y tin weithiau hefyd y person mwya redeeming. Ac efallai ei fod e'n annaturiol o moody gyda fi yn fwy na gyda Anna yn gyffredinol. Roedd hynny i'w ddisgwyl, falle, ar un olwg, ond mae hi'n dal yn werth gwneud y pwynt. Ac efallai wedyn ei bod hi jyst yn fater o geometry. Y triongl hafalochrog. Mae yna wastad un ochr sy'n fwy cyfartal na'r llall. A gyda ni roedd hi'n amrywio, wrth gwrs, fel rwy i wedi trio'i ddangos. Ond y peth mawr oedd ein bod ni am flynyddoedd yn well gyda'n gilydd nag oedden ni ar wahân. Ac er ein bod ni'n gwybod y byddai yna bwynt yn dod pan fyddai rhywbeth yn digwydd, ac y gallen ni hyd yn oed fod yn falch o symud allan o'r swigen, rwy'n credu taw rhyw fath o fagwraeth yn dod trwodd ynddon ni i gyd oedd hyn, magwraeth na allen ni frwydro yn ei herbyn am byth; y syniad ein bod ni'n chwarae byw ac y byddai bywyd-go-iawn a morgeisi a babis yn dod i alw'n ddigon buan; ac y bydden ni'n cofio gyda gwrid yn ein bochau mewn partïon cinio sut yr oedden ni wedi delfrydu bywyd commune, hyd yn oed mewn dinas fel Caerdydd, lle roedd hi'n bosib erbyn hynny i brynu celfi o Sweden, ac i hedfan i Milan am ugain punt, neu i brynu hen stordai a'u troi nhw'n beiriannau byw deluxe, gyda lefelau mezzanine a sosbenni trwm, drud yn hongian ar fachau o do rustic y gegin. Roedd y tri ohonon ni'n gwybod. Yn gwybod, gwybod, gwybod. Allai e ddim para. Dim rhyfedd y bydden ni'n dal Davies weithiau yn ochneidio, heb fod yn ymwybodol bod pobl yn sylwi arno. Bydden ni'n edrych draw ato, i weld a oedd rhywbeth mawr yn bod, ond fyddai e byth yn gadael i chi ei weld e'n iawn mewn cyflwr o ddifrifoldeb. Byddai'n cofio'i hun yn sydyn, yn sylweddoli ei fod e wedi *rhoi arwydd* ac wedyn, eto fel rhyw fath o ateb stoc, fel ei amrywiol linellau a'i catchphrases eraill, ac mewn cywair hollol wahanol i'r ochenaid wreiddiol – fel petai e'n trio codi'i ysbryd ei hun gymaint â neb – byddai'n rhoi ei fraich o gwmpas eich ysgwydd ac yn dweud yn ffug-dadol i gyd, 'Daniel bach, life doesn't bear thinking about. It doesn't bear thinking about.' Byddai'n wincio wedyn, Anna a fi'n gwenu. Ond fe fyddai hi'n neis gallu peidio â gorfod darllen yn y llinell honno nawr yr ystyr amlwg, ddiamwys yr oedd Davies a'i gyd-destun yn llwyddo i'w mynegi fel jôc.

[3.6]

Ynglŷn â'r diwedd. A phan ddaeth, fe ddaeth e'n gyflym.

Roedden ni wedi bod yn byw fel yna, gyda'n gilydd, am ryw bedair, pum mlynedd – agosach o dipyn at ddeg gyda blynyddoedd coleg hefyd. Roedd hynny'n amser hir. Digon hir i fod yn rhan o fywyd nad oeddech chi'n gallu troi cefn arno heb deimlo'r wrench fel tasai rhywun yn tynnu rhan fawr a phwysig o'ch tu fewn allan. Ac yn yr amser hynny roedden ni wedi mynd o fod yn blant i bob pwrpas i fod yn oedolion, hyd yn oed os nad oedden ni wastad yn teimlo neu yn ymddwyn fel yna. Ond yn y pen draw mae pethau'n dod i alw amdanoch chi pa un ai ydych chi'n barod amdanyn nhw neu beidio. Doedden ni'n sicr ddim yn barod.

Does yna ddim arwydd mwy o ddau fyd yn ymwahanu na phan fod plant yn cael plant eu hunain. Ac un bore Sadwrn, yn dawel a heb fwy o ffwdan na tasai hi'n dweud ei bod hi'n mynd allan i siopa, fe gyhoeddodd Anna ei bod hi'n feichiog. Ers tua mis neu chwech wythnos.

Roedd hi wedi dweud wrth Davies yn barod, wrth gwrs, ond nawr roedd y newydd yn rhan o wead popeth. Daeth tawelwch llethol droston ni ac am y tro cynta falle erioed roedd e'n dawelwch nad oedd yna ateb iddo. Doedd e ddim yn gyflawn ynddo'i hun, fel roedd ein seibiau ni wedi bod cyn hynny. Doedd e ddim yn dawelwch a gynhwysai ein barn gyfun a chytundeb dealledig. Roedd e'n dawelwch a siaradai am holl bendantrwydd gwahanu; am ddiweddebau.

Roedden nhw wedi aros am fy ymateb i. Fel taw fi oedd â'r grym y foment honno i bennu'r dyfodol. Rwy'n credu eu bod nhw wedi meddwl y gallwn i wneud popeth

261

yn iawn – y byddwn i nid dim ond yn dweud y geiriau cywir, y geiriau caredig ac addfwyn, ond yn gallu sicrhau'r geiriau hynny mewn ffordd real hefyd; eu cyflawni nhw. Doeddwn i ddim yn gallu, wrth gwrs, ac fe barhaodd y tawelwch. Ac yn sydyn roeddwn i'n teimlo'n bloody-minded. Fyddwn i ddim yn dweud y geiriau hynny yr oedd disgwyl, a gobaith gwirioneddol ar eu rhan nhw, y byddwn i'n eu dweud. Wnes i ddim ond anwybyddu'u llygaid ac edrych yn ofalus ar raen y pren yn y bwrdd. Sylweddolodd Davies cyn Anna nad oeddwn i'n mynd i ddweud unrhyw beth. Cododd a mynd i'r ystafell nesaf cyn i Anna, yn erbyn ei hewyllys, ei ddilyn.

A'r peth mwya ingol ar ôl hynny, yn yr oriau a'r dyddiau nesa, oedd ei bod hi nid yn unig yn haws ac yn well i ni fod ar ein pennau'n hunain, ond fy mod i wedi mwynhau hynny. Roedd y triongl a fu'n anghyfartal ar hyd yr amser i raddau mwy neu lai, wedi torri o'r diwedd, ac wedi gadael yn ei le wrthwynebiad: fi ar un ochr a Davies ac Anna gyda'i gilydd ar yr ochr arall. Ac efallai fy mod i'n hunanol, ond roeddwn i'n wirioneddol yn teimlo fel taswn i wedi cael fy mradychu. Nid y ffaith fod Anna'n feichiog oedd y drwg o angenrheidrwydd, ond y cyfaddefiad amlwg eu bod nhw wedi bod yn byw ar wahân i fi. Roedd hynny wastad wedi bod yn wir, wrth gwrs. Allai e ddim fod wedi peidio â bod. Ond tra bod y twyll yn bleserus, tra bod y rhith yn dal ein bod ni gyda'n gilydd ym mhopeth, roedd e'n rhywbeth nad oedd yn anodd iawn ei anghofio. Ac mae'n debyg felly fy mod i'n grac gyda fy hun yn gymaint â gyda nhw.

Dydw i ddim yn siŵr faint o genfigen oedd yno yn fy ymateb i chwaith. Rwy'n credu o bosib bod y peth wedi mynd y tu hwnt i genfigen erbyn hynny. A fyddwn i ddim wedi bod yn hollol siŵr o'r hyn roeddwn i'n genfigennus ohono beth bynnag. Ai Anna ar ei phen ei hun? Neu Davies ar ei ben ei hun? A'r ffaith eu bod nhw, ar eu pennau'u hunain, wedi mynd allan o fy ngafael? Neu ai'r ddau ohonyn nhw gyda'i gilydd – a'r berthynas roedden nhw wedi'i greu a oedd yn amlwg yn seiliedig ar ddim byd *ond* eu hunain? Ac a oedd yn amlwg mor bell y tu hwnt i'r berthynas oedd rhyngddyn nhw a fi fel y gallwn i yn hawdd fod wedi peidio â bod o'u cwmpas o gwbl? Neu ai cenfigen symlach o dipyn na hynny oedd e, ac enghraifft glasurol o fod eisiau cariad fy ffrind am na allwn i ei chael?

Dechreuais i edrych am swyddi dysgu yn yr wythnos ar ôl hyn ac o fewn mis roeddwn i wedi cael cyfweliad a chynnig job yn Reading, oedd yn fyd-enwog am ei ddiwydiant gwneud bisgedi.

Yn ystod y mis hwnnw roedden ni wedi llwyddo i glirio'r awyr ychydig bach, ac roedd pethau'n iawn, yn OK, ar yr wyneb o leia. Roeddwn i wedi ymddiheuro wrth Anna, am fod yn llai na thrilled ar ôl ei Chyhoeddiad Mawr, ac ro'n i wedi dod o hyd i fy decency eto: 'nes i ddweud taw'r peth gorau fyddai i fi symud allan, gan y byddai hi'n mynd yn anghyffyrddus o cramped o gwmpas y lle yn ddigon buan, ac roedd hi wedi cytuno â hynny am na allai beidio. Roedd Davies hefyd yn OK ond roedd e yn dawelach am y mis hwnnw nag yr oeddwn i wedi'i weld e erioed. Ar yr wyneb roedden ni'n ddigon normal, mae'n debyg. Roedden ni'n dal i siarad nawr ac yn y man, a dod at ein gilydd yn y lolfa, ond roedd cymaint o'r sgwrs erbyn hynny wedi'i benderfynu o'r tu allan i ni, a doedd e byth cweit yr un peth. Ar ben hynny, roedden ni'n gwybod hynny'n iawn; yn sylweddoli ein bod ni'n gweithredu rhywle yn agos at 75% yn hytrach na'r 110% trosiadol, ac roedd hynny yn ei dro yn ein gwneud ni'n fwy tawel eto, ac yn llai awyddus i drio. Roedd hi fel petai'r tri ohonon ni wedi penderfynu, yn annibynnol ar ein gilydd, y byddai hi'n drueni i adael i'n siarad fynd yr un ffordd â siarad cymaint o bobl eraill – ni oedd wastad wedi bod yn falch o'n sgyrsiau dwys a diddorol a hollol amrywiol – ac y byddai hi'n well wedyn i ddweud dim byd.

Roedd Anna'n OK felly, ac roeddwn i'n OK gyda Anna. Davies oedd y broblem. Doedd e ddim yn hapus o gwbl â'r sefyllfa roedden ni wedi'n cael ein hunain ynddi, a doedd e ddim wastad hyd yn oed yn fodlon esgus trio. Byddai'n dweud dim, ac yn anwybyddu nid jyst fi ond Anna hefyd, a hynny rwy'n siŵr yn hollol fwriadol. Gyda fi ro'n i'n gallu deall. Os oeddwn i'n teimlo fel taswn i wedi cael fy mradychu, yna rwy'n siŵr bod Davies yn teimlo fel yna amdana i hefyd. Fi oedd yn benderfynol o fynd, wrth gwrs, ac mewn un eiliad wan roedd e hyd yn oed wedi gofyn i fi beidio (fe ddylwn i fod wedi gwneud cofnod o hynny; doedd rhywbeth fel yna ddim yn digwydd yn aml iawn). Weithiau roedd e mor dismissive gyda fi ag yr oeddwn i wedi'i weld e gyda phobl cyn hynny, yn y coleg, pobl roeddwn i'n gwybod nad oedd e hyd yn oed yn ddigon bothered ganddyn nhw i allu peidio'u hoffi nhw gyda unrhyw frwdfrydedd. Ac roedd hynny'n eitha tough i orfod ei ddioddef. Fe allai e, surely, fod yn ddigon . . . o wel, sod it, mae e i gyd yn y gorffennol nawr . . .

Ond o ran ei ymateb i Anna doeddwn i ddim cweit yn siŵr sut i'w ddarllen. Pam fyddai e cweit mor dismissive gyda hi hefyd? Doedd *hi* ddim yn gadael, wedi'r cyfan . . .

A taswn i wedi bod yn eu gwylio nhw fel o'r blaen, gyda llygaid bore-ffres, yn hytrach na llygaid blinedig mewn stafell fyglyd, falle y byddwn i wedi dyfeisio neu ddychmygu rhyw fissures bach yn eu perthynas nhw – y berthynas honno roeddwn i mor hapus i'w chydnabod fel delfryd. Ac efallai y byddai'r fissures hynny wedi bod yn rhai hawdd eu hagor hefyd . . . Ac wrth gwrs, gyda Davies, y cyfan oedd gyda chi i seilio unrhyw ddamcaniaeth arno oedd cyfres o shrugs mwy neu lai expressive, ac roedden nhw mewn gwirionedd yn dweud llawer o ddim. Ond rwy'n codi'r pwynt yn y fan hon, am y gallai fod yn arwyddocaol: wnes i ddim siarad â Davies am fod yn dad, wnes i ddim gofyn ei farn e ar unrhyw beth fel yna, na gweld sut oedd ei feddwl yn newid nac yn datblygu nac yn cael ei gyflyru, 'nes i ddim hyd yn oed gweld llawer iawn o'i ymddygiad y tu hwnt i'r wal garegog roedd e wedi'i chodi o'i gwmpas, felly alla i ddim cynnig atebion i un o'r pethau hynny. Unwaith eto, roedd hynny rhwng Davies ac Anna, ac yn y pen draw rhwng Davies a Davies.

Pan symudais i i Reading o'r diwedd, fe aethon ni am fis heb siarad o gwbl. Rhwng popeth – trio ffeindio fflat a setlo yno a phethau fel yna – fe aeth mis heibio fel wythnos. Fe ffoniodd Anna ar fore dydd Sadwrn y pedwerydd penwythnos roeddwn i wedi bod i ffwrdd, ac roedd y tôn wedi'i osod yn syth; bydden ni'n gyfeillgar ac yn hapus i siarad â'n gilydd, ond fe fydden ni'n trin galwad ffôn fel interaction ynddo'i hun, felly mewn rhyw ffordd yn *ymdrech*, ac nid fel precursor i gyfarfod iawn, yn-y-cnawd-hapus. Fe siaradais i â Davies hefyd, oedd yn fwy serchus hefyd na'r tro dwetha i fi siarad ag e ond a oedd, o hyd, ambell i sylw sarcastig yn brin o'i gyfeillgarwch arferol (hynny yw, roedd e ychydig bach yn rhy amlwg *neis*), ac fe dreuliais i hanner awr ar ôl dod oddi ar y ffôn yn trio llenwi'r bylchau yr oedd e wedi'u gadael, yn ychwanegu'r comments sych yr oedd e wedi'u gadael allan, a chael fy mod i'n gallu gwneud hynny gyda chymaint o lwyddiant, ac adnabyddiaeth mor drylwyr, ag erioed. (Dim ond ei fod yn adnabyddiaeth oedd erbyn hynny'n hanesyddol yn hytrach na chyfredol, ac fel hynny yr arhosodd hi am weddill ei fywyd. 'I have started to say . . .' chwedl Philip Larkin.)

Bore dydd Sadwrn, a routine newydd, felly. Ond o leia roedd e'n routine y gallech chi'i fwynhau dipyn yn fwy na mynd â'r bins allan neu goginio i un. Ac felly un bore dydd Sadwrn penodol, pan oeddwn i wedi deffro'n gynnar ac yn eiddgar am unwaith (hynny yw, yn sobor, ar ôl penderfynu peidio â dilyn gweddill yr athrawon gweddol ifanc a/neu sengl i'r dafarn fel roeddwn i'n ei wneud fel arfer ar nos Wener), roeddwn i'n edrych ymlaen at yr alwad. Ac roeddwn i'n hanner tybio fy mod i – ein bod ni hyd yn oed, er fy mod i wedi gwneud ymdrech yn y cyfamser i stopio meddwl fel yna – yn dechrau cyrraedd rhyw bwynt o ddeall, ac o werthfawrogi eto, ac o adnewyddu, gan taw dim ond dros dro y mae dadleuon, wrth gwrs, tra bod cyfeillgarwch yn oesol . . . Roeddwn i'n falch i glywed taw Davies oedd yno, ar ochr arall y ffôn. Roeddwn i'n adnabod ei anadlu yn reddfol bron. A do'n i ddim eisiau gwneud pethau'n lletchwith, neu i wneud iddo fe weithio'n rhy galed (fel y byddai e wedi gwneud gyda fi yn sicr), felly, fe ddechreuais i gyda thôn oedd yn agored, ac yn groesawgar ac i fod i fynegi fy mod i'n wirioneddol falch i siarad â fe eto.

'Hey, Dave-oh.'

Ond roedd e'n ansicr, ac yn swnio llai fel fe ei hun hyd yn oed nag yn y mis cyn i fi adael.

'Dan? Daniel?'

'No, Archbishop of Canterbury, mate,' wedi'i ddweud mewn acen Dowlais drwchus.

'Daniel, Davies yw e.'

''Wy'n gwbod, dick.'

'Gwranda, Daniel, ma' rywbeth wedi digwydd lawr fan hyn.'

'Oh? Beth?'

'Ma' Anna wedi colli'r babi.'

Ac fel yna fe ddiflannodd yr holl ysgafnder a'r mwynhad yr oeddwn i wedi edrych ymlaen at ei ail-ddarganfod. Yn lle hynny, roedden ni mewn sefyllfa hollol newydd: o orfod dweud wrth ein gilydd, a chredu hefyd pan oedden ni'n eu clywed nhw yn dod yn ôl gan y llall, yr holl linellau stoc hynny sy'n cael eu harddel mewn amser fel hyn. Ni fyddai'r cynta i fod wedi cymryd y piss allan o'n gilydd am ddefnyddio ymadroddion fel 'cofia fi ati, wnei di?' neu 'un dydd ar y tro' neu, mwya telling, 'fydda i yma i ti os ti angen unrhyw beth o gwbl', tasen nhw ddim ar y pryd y geiriau mwya ystyrlon, mwya teimladwy a mwya, wel, *addas*, roedden ni'n gallu meddwl amdanyn nhw.

Dau alwad ffôn felly, a'r ddau'n ddrych-ddelweddau o'i gilydd: y ddau mewn argyfyngau, y ddau'n alwadau o'r gorffennol, y ddau yn gofyn, fel petai i Fod Allanol, am help na allwn i ei roi: Davies gynta, wedyn, yn ddiweddarach, Anna.

[pedwar : *dietrologia*]

[4.1]

Graddol. Fel na fyddech chi'n sylwi. Ac erbyn iddyn nhw
sylwi roedd e wedi digwydd. Roedden nhw'n cerdded
eto. Doedd yna ddim click, dim stop ar ganol pennod o
ddarllen i ddweud wrth ei gilydd. Dim deffro yn y bore
hyd yn oed a bod yn ymwybodol o faich wedi codi.
Roedd e jyst wedi digwydd. Roedden nhw'n bobl eto, ac
roedd jyst eu presenoldeb mewn cyflwr hanner rhydd yn
ddathliad o hynny: oherwydd roedden nhw wedi cyrraedd
yno yn anymwybodol, wedi gadael i'w cyrff a'u
meddyliau gael eu goddiweddyd heb hyd yn oed fod yn
ymwybodol o'r ildio.

Roedden nhw'n gariadon hefyd, mae'n debyg. Roedd
y ddau beth wedi cyd-redeg ac wedi cyfrannu i'w gilydd,
er na fyddai un o'r ddau ohonyn nhw wedi hoffi meddwl
gormod am sut, na pham, y digwyddodd hynny. Ond dyna
ni. Beth yw mis mewn bywyd wedi'r cyfan? Dim mwy na
llai na'r hyn sy'n digwydd ynddo. Doedden nhw ddim
wedi bod allan llawer iawn, ddim wedi bod yn y gwaith
llawer iawn, ac ar ôl yr angladd doedden nhw ddim hyd
yn oed wedi gwneud llawer iawn o drafod bwriadol.
Roedd e'n precedent da i fod wedi dod o hyd iddo: y
gallech chi droi'r peiriant i ffwrdd am ychydig bach,
gadael i bethau redeg yn ôl eu hegni eu hunain a chael na
fydden nhw'n mynd yn rhy beryglus oddi ar y llwybr.

Ond mae angen rhywfaint o ddisgrifio – hyd yn oed
mewn sefyllfa fel hon. Ac – eto yn raddol – fe ddaethon
nhw eu hunain yn ôl i'r man canol. Fel pridd sydd wedi
bod dan eira a rhew drwy'r gaeaf, fe ddechreuon nhw
deimlo llif y glaw trwyddyn nhw unwaith eto – yn araf a
gofalus i ddechrau, wrth i'r dŵr orfod chwilio o'r newydd

271

am yr hen sianeli, cyn i'r sianeli hynny ailagor a'r llif fel petai heb gael ei atal erioed.

Doedden nhw ddim yn gariadon yn yr ystyr o fod yn 'abandoned'. Doedden nhw ddim yn 'reckless' chwaith. (Doedden nhw ddim yn un ar bymtheg – dyna'r ffaith amlycaf, wrth gwrs.) Ond hyd yn oed o ystyried y ffaith eu bod nhw'n hŷn, wedi cael digon o gariad-pum-munud yn y gorffennol (ond yn difaru'n annelwig beidio â bod wedi cael *mwy* o'r cariadon hynny hefyd . . .) ac wedi dysgu trwy brofiad lletchwith bod caru araf yn gyffredinol well na thynnu jeans i lawr dros goesau meddw a thrio cadw rhythm â'r curiad alcoholig didrugaredd yn eu talcenni, eto doedden nhw ddim cweit yn gallu gadael ar ôl y teimlad eu bod nhw wedi dechrau ar droed mwy synhwyrol na hynny, ac y byddai angen newid personoliaethol eitha sylweddol i droi ar eu pennau arferion oedd wedi ffurfio'n gyflym ac yn ddwfn. Hynny yw, yn ystod y mis hwnnw ar ôl yr angladd, teimlai rhyw fel yr olaf o holl broblemau dyn. Nid nad oedden nhw'n mwynhau, dim ond eu bod nhw yn aml fel petaen nhw'n dod at y peth o safbwyntiau gwahanol a phersonol. Weithiau byddai'r safbwyntiau hynny'n cyd-fynd yn hyfryd, ac fe fydden nhw'n cyfarfod â'i gilydd am y munudau a arweiniai at uchafbwynt ac yn mwynhau yn hollol berffeithrwydd yr agosatrwydd hwnnw. Ar yr achlysuron hynny, roedden nhw'n teimlo eu bod nhw'n cael gwobr arbennig: y syniad o ddarganfod fel petai am y tro cynta bod yr hyn oedd yn dechrau fel rhywbeth hunanol gymaint yn well pan oeddech chi'n gweithio er mwyn rhywun arall. Weithiau doedd yna ddim cydlifiad o gwbl – ond roedd hynny hefyd yn iawn, mewn ffordd aeddfed a chyfrifol a oedd fel petai'n hapus i weld y peth trwy lygaid ymarferol; fel cyfres o symudiadau corfforol oedd yn rhyfedd iawn o feddwl amdanyn nhw allan o gyd-destun ond a oedd hefyd yn rhyddhad-dros-dro ac yn rhyddhad gwerth ei gael.

Weithiau roedd hynny'n eu taro nhw, yn unigol, fel y trueni mwyaf, a'u bod nhw rhywsut wedi cael eu twyllo gan yr addewidion oedd fel petaen nhw wedi bod yn ymhlyg yn y boreau hynny cyn yr angladd. Weithiau roedden nhw'n difaru taw amod sylfaenol eu perthynas, yn yr amgylchiadau a roddodd fod iddi yn y lle cynta, oedd y bydden nhw'n gorfod troi cefn ar un byd am byth, a'u bod nhw'n colli'u hieuenctid yn y ffordd amlycaf un.

Weithiau teimlai hynny fel euogrwydd syml oherwydd Davies, ac oherwydd yr holl hanes involved hwnnw. Ond roedden nhw wedi dysgu hefyd nad oedd yna werth mewn sôn gormod am bethau fel yna – roedd hynny'n un arfer oedd wedi para'n gyson ar hyd yr amser. Ar brydiau eraill byddai'r euogrwydd yn teimlo fel petai'n llawer llai seiliedig ar berson neu syniad penodol; teimlad y bydden nhw *yn* gallu eu taflu'u hunain gorff ac enaid i fewn i'w gilydd tasai hi ond am y ffaith eu bod nhw'n dal mewn 'galar' anniffiniadwy – ac y bydden nhw'n dal i fod mae'n debyg, am gyfnod amhenodol. I Daniel yn arbennig, y cyfnodau hynny oedd y rhai gorau. Ac ar yr adegau hyn bron nad oedd e'n berffaith hapus ei fyd: oherwydd tra byddai egni perthynas nwydus, perthynas arddegwyr, pan nad oedden nhw'n gallu cadw'u dwylo oddi ar ei gilydd, tra byddai hynny i gyd yn pylu – gan daflu cysgod yn hirach ac yn hirach dros yr holl beth – fel hyn roedd e'n gallu dychmygu y bydden nhw wedi bod y

cwpwl mwya perffaith. Roedd e wedi dychmygu ers
blynyddoedd dreulio Nadoligau gyda'i gariad. Nadoligau
noeth. Bydden nhw'n troi'r gwres reit lan a jyst yn
cerdded rownd y lle yn hollol noeth; yn bwyta cinio
Nadolig yn noeth, yn tynnu crackers yn noeth, hyd yn oed
yn gwylio'r Frenhines yn noeth. Bydden nhw'n eu cloi eu
hunain i mewn am yr wythnos. A phan oedd e'n rhesymu
fel hyn ag e'i hun, roedd e'n ffeindio nad oedd y ffantasi
yn cael ei effeithio o gwbl. Roedd e'n gallu dychmygu o
hyd, gan wybod y byddai'r byd dychmygol yn mynd yn
berffeithiach ac yn berffeithiach gyda phob Nadolig y
bydden nhw'n ei dreulio o hynny allan yn mynd lawr i
weld rhieni Anna, neu lan i dŷ ei rieni e ar Ddydd San
Steffan. Ac yn berffeithiach hefyd oherwydd am ba mor
hir bynnag y byddai'r peth yn aros fel ffantasi doedd dim
perygl i unrhyw un ei losgi'i hun ar fraster twrci yn tasgu
o'r ffwrn, a gorfod esbonio llosgiadau mewn mannau
rhyfedd i nyrsys yn casualty. Felly fyddai e ddim yn
genfigennus pan fyddai'n gweld y cyplau ifainc excited
hynny ar y teledu neu ar y stryd, oherwydd roedd e'n
gwybod – ac roedd hi'n braf eto i allu trosglwyddo'r
cyfrifoldeb i bŵer y tu allan iddo fe ei hun – taw
amgylchiadau yn unig . . . taw dim ond amgylchiadau
oedden nhw.

Beth bynnag am hynny, roedd e'n gwybod hefyd nad
oedd yna unrhyw un arall y gallai e hyd yn oed
ddychmygu eisiau bod gyda nhw. Ac roedd e wedi
gwybod hynny ers llawer gormod o amser i gael ei daflu
oddi ar y scent nawr.

Roedden nhw wedi symud i mewn i ystafell wely
Daniel hefyd. Doedd hi ddim wedi treulio hyd yn oed un

noson ar ei phen ei hun yn yr ystafell fawr yn ffrynt y tŷ. Ac roedd hyd yn oed yr enwi hwnnw – 'ystafell Daniel' – yn arwyddocaol. Roedd e'n arwydd, yr un arwydd dadlennol efallai, o natur eu perthynas, ac o'r 'dŵr dan y bont', fel petai. O hynny allan fyddai pethau ddim yn perthyn iddyn nhw ar y cyd, fel yr oedden nhw wedi gwneud i Anna a Davies, ond i un o'r ddau ohonyn nhw yn benodol, a'r llall yn cael ei wahodd i fewn i'r rhannu. Bydden nhw'n sôn o hyd am 'dy un di' neu 'fy un i', ac roedd hynny'n dangos eu bwriadau yn ddigon clir. Roedden nhw'n bâr, yn gwpwl, ac wedi'u cyplu â'i gilydd ond fyddai'r uniad hwnnw byth cweit yn teimlo'n gwbl organig.

Ac yn gyffredinol roedden nhw'n ddigon hapus fel hyn. Erbyn iddyn nhw sylwi eu bod nhw de facto yn byw gyda'i gilydd, doedd ganddyn nhw ddim math o fwriad i newid hynny a dim awydd chwaith. Roedden nhw ar yr un pryd yn falch ac yn siomedig bod amser yn dechrau meddalu effeithiau'r cyfnod diweddar arnyn nhw. Roedd yna ran ohonyn nhw oedd eisiau cynnal y difrod hwnnw, eisiau cofio pob eiliad o'r dydd Sul ofnadwy hwnnw, a'i wneud yn sylfaen bodolaeth newydd, mewn deallwriaeth charged ac estynedig. Ond roedden nhw'n gweld hefyd y cyffredinedd, fel blanced yn cau amdanyn nhw ac roedden nhw'n gweld yn ddigon clir taw balm oedd hynny, rhywbeth iachaol, felly fe adawon nhw i'w hunain gael eu cofleidio ganddo.

Wedyn dim ond weithiau y byddai Daniel – doedd e ddim yn gwybod am Anna, mae'n ddigon tebygol ei bod hi hefyd – yn cael ei boeni gan amheuon. Am ei ymddygiad ei hun yn bennaf, ac am y modd yr oedden

275

nhw wedi dod at ei gilydd. Oedd e wedi chwarae'r sefyllfa'n iawn? Wedi gwneud popeth a allai fod wedi'i wneud i roi'i ddyheadau ei hun i'r naill ochr? Neu oedd e wedi bod rhywsut yn conniving? Ac os oedd hynny'n wir, beth oedd a beth fyddai hynny'n ei olygu?

Byddai'n meddwl yr un pethau am Anna hefyd – doedd e ddim wedi gallu gwthio'r amheuon hynny yn llwyr o'i feddwl. Nid bod y meddyliau yma yn bwydo o angenrheidrwydd, neu yn magu bywyd, dim ond nad oedden nhw wedi eu llwyr ddiarddel i hanner bywyd nebulous chwaith. Felly beth am Anna, 'te? Roedd ei hymddygiad hi wedi bod mor wahanol i'r hyn roedd e wedi'i ddisgwyl. Mor amrwd, ac mor annodweddiadol o ddifeddwl. Effeithiau emosiwn pur yn sicr. Ond y flip-side i hynny: mor annodweddiadol fel mai mater hawdd fyddai hi wedi bod, i feddwl oedd eisiau gwneud hynny, i weld yn ei hymddygiad gynllunio a chynllwynio, ac efallai, yn waeth na hynny, dystiolaeth o feddwl oedd yn fwy dwfn ei welediad na Davies a Daniel gyda'i gilydd: ei bod hi wedi gallu edrych yn oer ar y crynswth.

O ran Daniel, roedd ei feddwl e – oedd yn faddeugar yn gyffredinol – yn credu ei bod hi'n fwy tebygol bod y ddau eithaf hyn wedi cael eu huno ganddi; bod ganddi syniadau a designs ar hyd yr amser, a bod y rheiny os nad yn gwbl dywyll a Machiafelaidd, wedi'u seilio yn syml ar hunanoldeb. Ac – unwaith eto – roedd hi'n hawdd maddau hunanoldeb, oherwydd roedd ganddi lawer iawn i eisiau bod yn hunanol o'i herwydd.

Roedd e'n gwybod yn iawn na ddylai, ac na allai chwaith, ofyn iddi'n uniongyrchol am bethau fel colli'i babi, ond roedd y diddordeb yn ei ffyrdd hi o feddwl yn aros. Ac on'd oedd hi'n bosib, felly – neu yn hytrach on'd oedd hi ddim yn amhosib – y gallai hi, os dim ond ar lefel braidd-gyffwrdd, fod wedi llawenhau ym marwolaeth Davies? Pwy sydd i ddweud sut y mae meddwl y nesaf ohonon ni'n gweithio? Sut r'yn ni'n mynd ati i wneud synnwyr o bethau? Pwy sydd i ddweud nad oedd hi wedi'i goresgyn yn llwyr, wedi'i pheintio'i hun i mewn i dwll, a taw'r unig ffordd allan oedd marwolaeth – marwolaeth Davies – a bywyd newydd gyda Dani? Fe allai'r holl beth fod wedi bod mor calculated â hynny. Fe allai hi hyd yn oed fod wedi bod yn rhannol gyfrifol, fod wedi plannu syniadau yn ei ben, gan wybod y math o feddwl oedd ganddo a'r ffordd yr oedd e wedi datblygu ers i Daniel symud allan ac iddyn nhw fod ar eu pennau'u hunain yn y tŷ! Bloody hell. Ond os felly, byddai'r holl beth wedi dal i fod yn *emosiynol* iddi hi, ac yn esboniadwy – yn rhesymegol hyd yn oed – oherwydd hynny.

Pobl gyffredin. Wnaethon nhw erioed ofyn am fwy na hapusrwydd ar ei delerau'i hunan. Ordinary fucked-up people.

Roedd Daniel wedi bod yn y gegin un noson yn meddwl am y pethau hyn. Roedd e'n coginio i'r ddau ohonyn nhw, erbyn i Anna ddod 'nôl o'r gwaith. Roedd e wedi plygu i dynnu bwyd o'r ffwrn. Ar ei ffordd 'nôl lan, ac fel petai i gyfeilio'r cacophony o synau bas isel oedd yn ysgwyd trwy'i feddwl ar y pryd, roedd e wedi bwrw cefn ei ben ar ddrws cwpwrdd oedd wedi cael ei adael ar agor. Mewn poen, ac wedi colli'i gydbwysedd, estynnodd law allan yn reddfol i drio stopio'i hun rhag cwympo. Rhoddodd ei law ar un o rings y ffwrn. Roedd e'n dal yn

277

dwym – bron yn goch gan wres – ar ôl bod yn berwi pys.
Gwaeddodd wrth i'w fysedd ddechrau ffrio. Neidiodd, a
gollwng yr oven tray. Aeth eu swper ar hyd y llawr. Y
noson honno roedd yn rhaid iddyn nhw gael bîns-ar-dost,
ac roedd Anna wedi gorfod torri ei dost e lan mewn i
ddarnau bach er mwyn iddo allu bwyta ag un llaw. Ac
wrth fwyta, a chael bod ei archwaeth yn fwy na'i allu i'w
fwydo'i hun yn llwyddiannus, ceisiodd roi o'i feddwl y
syniad y gallai'r escapade yn y gegin fod rhywust yn
cadarnhau'r scenario rhyfedd a pheryglus yr oedd e
wedi'i dychmygu yno.

[4.2]

Doedd e heb anghofio'i 'waith ditectif' yn llwyr, felly. Roedd e'n dal i gael ambell bwl o'r hyn yr hoffai feddwl amdano fel 'expository zeal', dim ond bod yr egni hwnnw hefyd wedi'i dymheru gan yr ailsefydlu cyffyrddus yn eu bywydau. Ond doedd e ddim yn barod i roi'r gorau i'r chwilio cweit eto – oherwydd roedd yna waith pwysig, a dadlennol o bosib, i'w wneud o hyd.

Cyn hynny, aeth Anna a Daniel lan i Reading, gyda bocsys gwag yng nghefn y car. Roedden nhw wedi'u llanw nhw mewn llai na dwy awr ac wedi gwneud eu ffordd 'nôl. Roedd gwagio'r stafelloedd hynny yn broses glinigol. Doedd yna ddim byd ond llyfrau ar y silffoedd, dim byd ond dillad yn ei gypyrddau, ac roeddech chi'n gallu'u pacio nhw mewn bocsys yn ddigon hawdd. Ond roedd e wedi teimlo'n ddigon rhyfedd er gwaetha hynny. Nid am y byddai'n gweld eisiau'r lle, ond am fod cyn lleied yno yn y lle cynta i weld ei eisiau, a chymaint o blaid symud 'nôl fel ei fod e'n brofiad unnerving bron. Roedd hi'n rhyfedd gweld Anna o gwmpas ei fflat hefyd (hynny yw, yn yr hanner awr cyn iddyn nhw wagio cymaint o stwff fel nad oedd posib sôn amdano fel ei fflat e mwy). Doedd hi erioed wedi bod yno cyn hynny. Doedd Davies ddim chwaith. Daniel oedd wastad yn mynd lawr atyn nhw. Teimlai'n embarrassed, fel y byddai pan oedd ffrind o'r ysgol gynradd (ar wahân i Davies, hynny yw) yn dod adre i gael te a'i dad yn hongian o gwmpas i wrando arnyn nhw'n siarad a chwarae. Roedd e'n teimlo y gallai'r cipolwg hwn ar y ffordd yr oedd e wedi byw yn ystod y cwpwl o flynyddoedd diwethaf newid meddwl Anna'n llwyr a gwneud iddi ailystyried yr holl beth. Ond roedden nhw'n deall ei gilydd yn well o dipyn erbyn hynny. Roedd Anna, er enghraifft, yn gallu gweld o'r diwedd pam bod Daniel wedi gorfod mynd pan wnaeth, a mynd mor bell. Roedd hi'n gallu gweld hefyd pam na fyddai e eisiau ymgartrefu'n iawn yn ei fflat-i-un na theimlo'n rhy gyffyrddus yna. Roedd e'n falch i wybod ei bod hi'n gwybod (a vice versa ac yn y blaen), ac fe yrron nhw yn ôl yn y tawelwch addfwyn hwnnw.

Ond sôn am egni darganfyddiadol Daniel oeddwn i. A jyst rhagflas o bethau oedd y daith i Reading – llanw'r bylchau tra fy mod i'n cofio. Oherwydd os oedd dadbacio ychydig bethau Daniel 'nôl yn Howard Gardens yn teimlo fel ychwanegiad i fyd y tŷ, yna roedd y pacio nesa yn llwyr wahanol. Roedden nhw'n gorfod clirio pethau Davies ac roedd yn rhaid ei wneud e nawr. Roedd Anna wedi dechrau 'nôl yn ei gwaith hi, Daniel wedi llwyddo i gael diwrnod o supply fan hyn fan draw, a doedden nhw ddim yn gallu gohirio'r peth ymhellach.

Doedd hwn ddim yn waith clinigol. Doedd e ddim yn rhywbeth y gallech chi'i wneud ar fore dydd Sadwrn, er enghraifft, gyda Radio 4 ymlaen yn y cefndir. Roedd Daniel wedi cynnig gwneud rhan fwyaf y gwaith yn yr ystafell wely – yn rhannol oherwydd ei fod e eisiau arbed poen i Anna, arbed iddi orfod teimlo gwead corfforol bywyd Davies eto, ond yn fwy na rhannol hefyd oherwydd ei fod e eisiau bod ar ei ben ei hun i edrych o gwmpas; i stopio am bum munud ac edrych trwy ei lyfrau, i edrych yn ei focsys personol, fel torri i mewn i swyddfeydd heddlu Los Angeles i wneud copïau o ffeiliau pwysig yng ngolau fflachlamp cyn i'r bad cop ddod i edrych amdano. Ac roedd vested interests yn brigo i'r wyneb hefyd. Doedd e ddim eisiau iddi hi gael ei thaflu yn ôl mewn i'r gorffennol cymaint fel y byddai hi ddim yn gallu dod o'na. Am yr wythnosau nesa, cyn i bethau lacio ymhellach, roedd e'n gorfod ei chadw hi'n lân.

Ac fel petai i drosi hynny, fe ddechreuon nhw gyda'r stafell ymolchi, a'r cabinets yno. Roedd e'n ddechreuad pwyllog, ac roedden nhw wedi gallu teimlo'u ffordd mewn i'r gwaith heb fod yna ormod o syrpreisis rhy fawr i'w hwynebu yn syth. Poteli deodorant, after shave, gel eillio, shampoos, hufennau gwahanol, moisturiser hyd yn oed (a Davies o Ddowlais hefyd!) – roedd y rhain yn hawdd. Arogleuon siop, arogleuon roedd e wedi'u mabwysiadu. Roedden nhw'n rhithio cysgod tryloyw o Davies, yn ein hatgoffa o adegau pan oedd yr arogleuon hyn wedi eu hamlygu'u hunain yn ein bywydau: pan oedd e a fi yn arfer mynd allan cyn cyfarfod ag Anna, wedi'n boddi mewn deodorant rhad, gan gredu y byddai hynny yn ein gwneud ni'n irresistible. Ond yn y pen draw doedden nhw ddim yn cynodi unrhyw beth mwy na'r siop lle roedden nhw wedi cael eu prynu, er bod yr arogleuon yn trio cyrraedd at rannau barddonol, telynegol ein hymennydd.

Roedd hi'n wahanol gyda'r dillad, wrth gwrs. Roedd Anna wedi helpu gyda'r rhain ond wedi dweud y gallwn i wneud y pethau mwy personol – ei focsys – ar fy mhen fy hun. Ond pan agoron ni'r cwpwrdd mawr roedd hi fel tasai Davies wedi cerdded mewn i'r stafell y tu ôl i ni a'i fod e'n aros i ni sylwi arno, yn aros i ni gymryd ei bresenoldeb i fewn cyn iddo agor ei geg, neu cyn iddo ddal ei ddwylo o'i flaen i ni gael eu harchwilio. Roedd y ddau ohonon ni wedi'n llorio am eiliad, oherwydd er taw'r un arogleuon siop oedd ar hyd ei ddillad, yr un cemegolion arferol a chyffredin yr oedd e wedi cael ei berswadio i'w prynu gan fenyw gyda chroen oren yn y cosmetics section yn Howells, roedd ei gorff e, ac arogleuon pendant ei gorff e, wedi aros yn y defnydd fel nwyon mewn strata daearegol.

Roedd e'n wynt hollol gyfarwydd, gwynt o'r byd hwn, gwynt bywyd, yn hytrach na gwynt dyn marw. Ond doeddwn i erioed wedi'i arogli fe yn y ffordd yna o'r blaen. Roedd e bron â bod yn wynt tiriogaethol – hynny yw, fe allai e fod wedi piso yn y cwpwrdd cyn gadael y tŷ i fynd mewn i'r car y bore dydd Sul hwnnw a fyddai'r effaith ddim wedi bod hanner mor gryf. Yn syth roeddwn i wedi cael fy nghludo 'nôl adre, 'nôl i'n plentyndod, ac i dŷ Davies a'i fam. Dyna'r tro cyntaf i fi ddod ar draws y syniad o wynt pobl, fel rhywbeth oedd mor benodol a phersonol â'u côd post neu'r gair roedden nhw'n ei ddefnyddio am remote control y teledu: 'zapper', 'flicker', 'doofer' hyd yn oed.

Roeddwn i'n arfer mynd 'nôl i'n tŷ ni a chwyno wrth fy mam bod tŷ Davies yn gwynto. Unwaith eto, fel mae hi wedi gwneud yn gyson trwy'r nodiadau hyn – a dyw hynny ddim o angenrheidrwydd yn adlewyrchiad teg ohoni, jyst taw digwydd dod i mewn i'r stori ar yr adegau hyn y mae hi – byddai Mam yn dweud, 'Oh shh – jyst gwahanol yw e. Ma' tai pawb yn gwynto'n wahanol. Mae e siŵr o fod yn meddwl bod fan hyn yn gwynto'n rhyfedd hefyd.' Ond roeddwn i'n arfer meddwl bod gwynt tŷ Davies yn wynt ychydig bach fel caws. Ychydig bach fel y caws parmesan rhad hwnnw r'ych chi'n gallu'i brynu wedi cael ei gratio yn barod – sydd yn ddisgrifiad

282

arbennig o angharedig, rwy'n gwybod, ac mae'n siŵr nad oedd e'n gwynto fel yna o gwbl a taw jyst ffroenau sensitif plentyn oedd yn gweithio'i ddychymyg ychydig bach yn rhy galed. Roeddwn i'n meddwl taw gwynt coginio oedd e, gwynt hen fwyd yn aros o gwmpas y lle yn y llenni ac yn y carpedi. Ond byddai rhaid i uffern fod wedi rhewi ddwywaith neu dair cyn y byddai mam Davies, fel fy mam i hefyd tasai hi'n dod i hynny, wedi prynu'r hen Barmigiano-Reggiano.

Fe dynnon ni'r dillad o'r cypyrddau a thrio peidio edrych arnyn nhw. Roedden ni'n tynnu pedwar neu bump o grysau allan ar y tro, fel ein bod ni ddim ond yn gorfod cofio am Davies yn gwisgo'r crys oedd yn digwydd bod ar dop y pentwr. Ond doedd rhai o'r dillad ddim wedi gweld golau dydd ers blynyddoedd, ac roedd hynny'n gofyn am sylw mwy penodol – hynny yw, roedden ni'n gorfod gwneud ymdrech i'w gofio fe'n eu gwisgo nhw o gwbl, oedd yn gymaint o straen â gorfod delio â staples ei wardrob: ei hoff grysau, ei hoff siwmperi, ac un siaced yn arbennig gyda lapels llydan roedd e'n hoffi meddwl ei fod e'n edrych fel pimp ynddi. Ffŵl gwirion.

Ar ôl gorffen gyda'r dillad, ac ar ôl eu plygu nhw'n weddol ofalus a'u gwneud nhw'n barod i fynd i siopau elusen Albany Road, fe eisteddon ni lawr i gael coffi a gorffwys. Fe drafodon ni'r newyddion a phethau fel yna. Unllygeidrwydd polisi tramor America a'r sibrydion cyntaf oedd yn dechrau dod allan am y gymdeithas gudd honno oedd yn cynnwys Bush a Rumsfeld a Cheney a'r holl ffyliaid stupid, peryglus eraill oedd yn cynllunio'u goresgyniad o'r byd. Roedd y newyddion ar y radio y diwrnod hwnnw wedi dweud eu bod nhw'n paratoi deddf

283

fyddai'n ei gwneud hi'n anghyfreithlon i Americanwr gadw barf fel anifail anwes ond yn gyfreithlon iddo saethu Mwslim yng Nghaer ar ôl wyth o'r gloch ar ddiwrnod marchnad dim ond iddo ddweud cyn iddo'i saethu, 'Arab, dygaist gennym ein swyddi a'n gwragedd'. Pa fath o fyd oedd hwn? Byd rhyfedd iawn. Byd sylfaenol afresymol. Byd lle roedd daioni yn compromised reit i'w graidd.

Trwy gydol y nodiadau hyn rwy i wedi trio bod yn wrthrychol cyn belled ag y mae hynny'n bosib. Ond yn y pen draw, fel y mae'r tri ohonon ni wedi'i ddarganfod – fe alla i ddweud hynny fwy neu lai yn sicr, rwy'n credu – does yna neb ond ni ein hunain. Ac felly *does yna ddim gwrthrych allanol*. Dim ond fi sydd yn y fan hon, ac mae'r ysgrifennu rwy wedi'i wneud, ac mae'r ychydig ysgrifennu sydd i ddod, yn hollol ddibynnol ar y ffaith honno. Neu nid yn ddibynnol, ond yn predicated ar y ffaith honno. Mae gan y nodiadau hyn ddefnydd a phwrpas sydd efallai'n mynd y tu allan i hynny i ryw raddau – ond peth damweiniol yw hynny hyd yn oed. Hynny yw, mae'r nodiadau yma yn sôn am bethau cyfun, teimladau cyffredin i'r tri ohonon ni, ac fe allai rhywun ar wahân i un ohonon ni eu codi nhw a'u darllen a chael efallai *ryw* fath o syniad amdanon ni, ond hyd yn oed wedyn – ac efallai mae'n debyg jyst yn y ffaith na allwch chi rannu'r broses o ddarllen – r'ych chi'n eich wynebu'ch hun ar y dudalen o'ch blaen. R'ych chi wastad yn darllen eich hunan.

Ond ei nodiadau e, Davies. Y dyddiaduron a'r llyfrau, y ffotograffau a'r sketches a'r holl bethau eraill yna . . . Ar ôl i ni orffen ar y dillad roedden nhw fel petaen nhw'n galw. A bydd y diffygion sydd yn rhedeg trwy fy nodiadau i i'w gweld yn gliriach o lawer yn y fan hon, rwy'n credu. Neu os nad yn gliriach yna byddan nhw'n fwy dwfn eu harwyddocâd. Oherwydd dyma'r fan lle rwy i wedi teimlo'r ansicrwydd mwyaf. A dyma'r rhan o'r holl beth lle rwy i wedi amau fwya y syniad hwnnw ro'n i'n fodlon sôn amdano dim ond yn y paragraff dwetha fel gwirionedd. Alla i ddim esbonio'r peth, ond wrth edrych drostyn nhw, hyd yn oed wrth agosáu atyn nhw, mynd tua'r gornel yn yr ystafell lle roedden nhw mewn pentwr, a phan oedden nhw'n dechrau magu *presenoldeb* oherwydd bod yr ystafell yn gwagio o'u hamgylch, bryd hynny ces i deimlad cyfrin ac anesboniadwy. A dydw i dal ddim yn siŵr sut i'w ddisgrifio ond fel 'soul-glow'.

[4.3]

Beth oeddwn i'n ei ddisgwyl felly wrth ddod at y pethau personol?

Roedd tri neu bedwar o hen boxfiles maint foolscap wedi'u pentyrru dan y ffenest yn ochr bella'r ystafell. Roedden nhw'n fwy fel darnau o gelfi, fel cist makeshift wedi'i wneud gan bobl oedd naill ai yn rhy dlawd i brynu cist iawn neu yn rhy cool i foddran. Doedd bocsys Davies ddim yn perthyn i un o'r ddau gategori hyn. Roedden nhw yn ffitio mewn i'r categori di-gategori hwnnw o fod yn 'jyst pethau'. Pethau sydd yn gorwedd rownd am eu bod nhw'n dal i fod 'mewn defnydd' ond sy'n cael eu defnyddio mor anaml fel eu bod nhw'n estyn y diffiniad hwnnw i'w bwynt torri. Pethau sydd yn bodoli fel arwyddion hanner ffordd yn y meddwl; pointers tuag at yr hyn y dylen ni fod a'r ffordd y dylen ni fyw – fe ddylen ni gadw dyddiadur ac ysgrifennu ynddo bob dydd, fe ddylen ni dynnu mwy o luniau o'r llefydd r'yn ni'n byw – ond sydd, fel y rhan fwyaf o pointers o'r fath, yn cael eu hanwybyddu. Ond d'yn nhw byth yn cael eu hanwybyddu'n llwyr, a byth i'r fath raddau fel eich bod chi'n symud y pethau hynny tan eu bod nhw *allan o'r golwg*. Na, byddai hynny yn rhy . . . blatant, felly maen nhw'n cymryd arnyn nhw eu bodolaeth eu hunain, ac yn denu atyn nhw bethau eraill sy'n rhannu'r un hanfod: cyllell Swiss Army, hen canisters ffilmiau camera, capo sy'n mynd ar draws llinynnau gitâr er mwyn newid y cywair – pethau fel yna sy'n rhannu â'i gilydd ac â'u hunain fywyd a dim-bywyd, 'self and not-self'.

Beth oeddwn i wedi disgwyl ei weld felly, yn y bocsys hynny? Rwy wedi ystyried hynny sawl gwaith ers mynd atyn nhw am y tro cynta – fel petai mewn cydnabyddiaeth o bwysigrwydd y foment; fel moment oedd wedi'i marcio allan ers y dechrau fel moment arwyddocaol. Fel petai ein holl fywydau wedi arwain at yr un scenario honno, pan fyddwn i'n mynd ati'n fwriadol i dafoli bywyd fy ffrind, fel tasen ni ar hyd yr amser wedi gallu gwneud dim byd ond cael ein harwain at y foment – fe i ddarparu'r deunydd, fi i'w ddehongli. Cynseiliau celfyddydol sy'n lliwio ac yn llywio'r ymateb: executors llenyddol a dymuniadau penodol, trio aros yn driw i'r dymuniadau personol ac i'r byd ehangach fyddai ar ei ennill, fyddai'n *lle gwell* o gael rhannu gwelediadau breintiedig y confidante. Dyddiaduron artistiaid – Keith Vaughan, fu yn llythrennol farw ar dudalennau ei ddydd-lyfr, wedi cymryd overdose cyn mynd ati i ysgrifennu amdano; aros i'r cyffuriau afael yn ei gorff nes ei fod e'n rhy wan i wthio'r pen yn erbyn y papur rhagor, tan i farwolaeth ddod, fel llinell flêr ar ganol brawddeg ac inc du ansicr i waelod y dudalen.

Tu hwnt i feirniadaeth, tu hwnt i'r cyhuddiadau. Mwy o lawer mewn marwolaeth nag mewn bywyd. A dyna yw gorfoledd a thrasiedi'r dyddiadur. Hynny yw, maen nhw'n stopio bod yn ddyddiaduron yn syth. Wedi'u pennu, wedi'u gwneud yn gaeedig. Davies druan, oedd wastad yn ymbalfalu am ddyfnder dweud, ac sydd nawr, yn y llyfrau hyn rwy'n eu dal yn fy nwylo, mor ddigyfnewid o ddwys ag y gallai fod wedi gobeithio bod. Ond na fyddai e *wedi* gobeithio hynny chwaith. Oherwydd dyw e ddim yn fyw. Davies ei hunan, na dim byd arall amdano. Ac mae'i ddyddiaduron, wrth ddod yn osodiadau haearnaidd – hyd yn oed y gosodiadau mwya amwys, a'r brawddegau sy'n cydnabod ansicrwydd ac amheuaeth a thensiwn – yn cyhoeddi'i farwolaeth mor sicr â phetai e ei hun wedi cwympo 'nôl yn ei gadair wrth eu sgrifennu, a'r pen wedi llithro'n ddifywyd ac yn ddifater ar hyd y dudalen. Dwy' ddim yn gwybod pam ein bod ni'n rhoi cymaint o bwysigrwydd i ddyddiaduron y meirw. Mae e'n beth brawychus i fi. Oni bai ein bod ni'n gwybod o'r dechrau ein bod ni'n darllen ffuglen. Yr hyn ma' dyddiadur yn pwyntio ato yn fwya pendant yw *trafodaeth*, *cyfathrebu* gyda hunan arall, a heb yr hunan arall hwnnw . . .

Dyw hyn ddim i ddweud na wnes i reibio pob tudalen, pob scrap o bapur, pob tocyn o gyngerdd neu gêm roedd e wedi'i ddefnyddio fel bookmark, a phob nodyn ymhob margin ymhob llyfr – yn fyr, popeth roeddwn i'n gallu'i ffeindio oedd wedi perthyn iddo fe. Es i at y dasg gyda brwdfrydedd yr oeddwn i'n cael y teimlad nad oeddwn i'n gallu'i reoli, fel ffan yn trio darllen popeth y gall am fywyd a gwaith ac amgylchiadau ei hoff ganwr neu seren ffilm. Ond trwy gydol yr oriau hynny – a'r diwrnodau, a'r wythnosau, pan fyddwn i'n dychwelyd at ei 'waith' ac yn dychwelyd yn syth i'r un diamseredd – byddwn i hefyd yn teimlo fy hun yn anghyfiawn rhywsut. Yn cael fy nhynnu i feirniadu Davies (ond nid yn yr ystyr negyddol – gwerthuso, yn hytrach, ffurfio'i fywyd eto . . .) ar sail yr hyn oedd yna ar y pryd, yr hyn oedd *ar ôl* – oedd yn ddim byd o'i gymharu â'r hyn a fu ond a oedd yn tangible o hyd, ac yn gallu cael ei gwmpasu, a'i ddal yn llythrennol mewn dwylo. Roeddwn i'n teimlo fy mod i'n delio nid ag *aides memoires* i'w fywyd ond â phethau oedd yn antithesis llwyr o'i fywyd – er taw fe oedd wedi mynegi'r pethau yma, ac mewn cyflwr o onestrwydd a difrifoldeb, hyd yn oed os oedd e'n flippant, weithiau, ac yn chwarae â'i genre, hyd yn oed yn chwarae â'i fywyd ei hun. Oherwydd roeddwn i'n fy nghael fy hun yn ffurfio absolutes, y tu hwnt i feirniadaeth, wedi'u trymhau â phwysau annynol. Roeddwn i'n gorfod stopio'n aml iawn, felly fe gymerodd hi lawer o amser i fi fynd trwy bopeth. Ac roeddwn i'n gorfod fy rhybuddio fy hun yn aml: 'Gwae ni ein beirniadu ar sail ein gosodiadau absoliwt'.

Beth oeddwn i wedi disgwyl ei weld, felly? Esboniadau clir, croyw, a hir – fyddai'n golygu na fyddai'n rhaid meddwl am bethau mwy? Paragraffau ystyrlon a rhesymegol, fel inventory o bopeth oedd wedi mynd ymlaen yn ei fywyd ac yn ei feddwl i'w dynnu i'r fan hon ac i'w ddiwrnod olaf? Ond doedd dim posib gwybod pa un ai oedd e wedi *dewis* unrhyw beth ai peidio. Felly roedd hynny hefyd yn tewhau'r gymysgedd ryfedd oedd yn ffurfio. A pha effaith oedd hynny'n ei gael ar fy narllen i? Pa allowances oeddwn i'n eu gwneud? A pha allowances fyddwn i'n fodlon eu gwneud? Ac os oeddwn i'n darllen ei bethau personol, yn edrych ar eu hyd ac yn troi pob carreg ac ati ac ati yn y gobaith o ffeindio ateb i gwestiwn nad oedd yn ddilys yn y lle cynta, yna beth oedd maint crynswth y camgymeriad roeddwn i'n ei wneud? A beth fyddai'r canlyniadau? – jyst o ran y dyfodol o drio cofio ffrind gyda hoffter ac anwylder? Roeddwn i'n fy nehongli fy hun i mewn i gorneli.

Doedd yna ddim esboniadau clir a chroyw a manwl, wrth gwrs. Dim mwy nag yr oedd yna dudalennau a thudalennau o bapur gyda'r geiriau 'All work and no play makes Jack a dull boy' wedi'u hysgrifennu ar eu hyd. Roeddwn i wedi dychmygu hefyd, mewn pwl o paranoia llenyddol, y byddwn i'n dod wyneb yn wyneb â llyfr oedd yn dechrau gyda'r union un brawddegau ag yr ydw i wedi'u defnyddio ar ddechrau'r nodiadau hyn, ac y byddai'r brawddegau cyntaf yn parhau nes eu bod nhw'n baragraffau ac yna'n dudalennau cyfain, ac y byddwn i'n gweld fy holl ysgrifeniadau i, a fy holl deimladau a syniadau wedi cael eu rhag-weld, a'u rhag-fynegi a'u rhag-ysgrifennu gan Davies . . . Ond doeddwn i ddim hyd yn oed wedi dechrau ysgrifennu'r nodiadau hyn ar y pryd, felly roedd hynny'n nonsensical.

Yr hyn oedd yna, yn y bocsys llwyd, hollol gyffredin yr olwg, oedd pentyrrau anhygoel o stwff roedd Davies wedi'i gasglu a'i gofnodi ar hyd blynyddoedd maith. Rwy'n dweud anhygoel am gwpwl o resymau; yn un peth, roedd yna lawer iawn o stwff. Ond ar wahân i hynny roedd gweld yr amrywiaeth a'r gwahanol gyweiriau a'r gwahanol gyfnodau yn ei fywyd a'r ffordd roedd e wedi ysgrifennu ac wedi meddwl amdano'i hun yn ei ysgrifennu, yn eitha overwhelming. Ac roedd gallu'i weld e yna o'ch blaen, wedi'i daenu ar hyd y llawr . . . Roedd e wedi cadw tomenni o ffotograffau hefyd, ac fe ddof i at rheina yn y man. Ond am nawr rwy eisiau canolbwyntio ar y dyddiaduron, a'r pethau eraill roedd e wedi'u sgrifennu. Jyst fel enghraifft roedd stwff yna ar hen bapur rhad, fel roeddech chi'n ei roi mewn ffeil ysgol, oedd yn mynd reit yr holl ffordd 'nôl i pan oedden ni tua un deg pedwar. Cerddi byddech chi'n eu galw nhw ond doedden nhw ddim mewn gwirionedd yn llawer mwy na chasgliad o eiriau wedi'u tynnu at ei gilydd bron ar hap a damwain llwyr: ymdrechion bachgen ifanc, mae'n debyg, oedd yn ddigon siarp i fod eisiau osgoi ysgrifennu fel bachgen ifanc, ac am bethau bachgen ifanc, ond a oedd, yn absenoldeb unrhyw beth arall, jyst wedi mynd ati i fod mor fwriadol obscure ag y gallai – ac nid obscure chwaith, oherwydd dwy' ddim yn credu bod yna ddyfnderoedd anhreiddiadwy yn cuddio yn y cyfeiriadau annisgwyl na'r ymadroddion llafurus. Felly, yn ei ymdrechion i wrthddweud y bachgendod oedd yn ei gaethiwo er gwaetha'i hun, doedd e byth yn fwy bachgennaidd. Rhyfedd ei fod e hyd yn oed wedi cadw'r darnau papur hynny. Byddai e wedi gorfod penderfynu gwneud; byddai wedi gorfod eu rhoi nhw mewn bocs yn y lle cyntaf, er enghraifft, pan fyddai hi wedi bod yr un mor hawdd i'w taflu nhw rhag ofn i rywun eu gweld nhw, a byddai e wedi gorfod gwneud ymdrech fwriadol i wneud yn siŵr nad oedden nhw'n mynd ar goll wrth bacio a dad-bacio ar ddiwedd pob tymor coleg.

Ond dyw hi ddim yn rhyfedd o gwbl mewn ffordd arall, oherwydd ma' plentyndod yn mynd heibio ac yn ein gadael ni heb ddim byd ond y teimlad y byddwn ni wastad yn gallu dod i gysylltiad eto â'r 'plentyn oddi mewn i ni' unrhyw bryd y byddwn ni eisiau. Dydyn ni ddim yn gallu, wrth gwrs, ac roedd Davies efallai wedi cadw'r cerddi yna nid am eu bod nhw'n gerddi da – neu yn gerddi gwael chwaith, d'yn nhw ddim yn unrhyw beth, really, o ran 'ysgrifennu' – ond am eu bod nhw'n dystion. Tystion mud tan nawr efallai, ond roedd y darnau papur yna o gwmpas i'w dderbyn e mewn ffordd nad oedd unrhyw un neu unrhyw beth arall. Ac fel tystion i fywyd ei feddwl maen nhw mor bwysig – ac mor ddiystyr – ag unrhyw beth.

Dyddiaduron oedd y rhan fwyaf o'r stwff – neu'r rhan fwyaf o'r stwff oedd wedi'i gadw mewn llyfrau penodol. Ac roedd hi'n ddiddorol jyst i nodi'r gwahanol lyfrau roedd e wedi'u prynu ar wahanol adegau i gadw'i feddyliau ynddyn nhw. Roedd y rhai cynharaf yn amlwg yn anrhegion Nadolig gan ei fam – cloriau trwchus, du fel arfer, a'r flwyddyn mewn llythrennau aur. Y math o ddyddiadur roedd tadau yn eu defnyddio yn eu gwaith pwysig: diwrnod i bob tudalen a cholofnau penodol ar gyfer 'meetings' a 'day-planner' a phethau eraill fel yna. Mae'r cofnodion y tu fewn yn dangos dylanwad ei fam yn eitha clir hefyd: hynny yw, dyw e byth yn llwyddo i fynd y tu hwnt i'r teimlad ei fod e'n ysgrifennu os nad er mwyn plesio'i fam gan wybod ei bod hi'n mynd i'w weld e'n 'mwynhau' ei anrheg, yna fel teimlad o ddyletswydd roedd e'n teimlo tuag ati – a dyletswydd i ildio i'w phrofiad a'i doethineb hi, a rhoi heibio'i amheuon ei hun bod dyddiaduron yn bethau i ferched . . . (Doeddwn i ddim yn gwybod bod gyda fe ddyddiadur ar y pryd.) Ac eto mae'r rhain yn arwyddocaol yn eu ffyrdd eu hunain; atgofion am ei blentyndod, oedd mor bell â thair neu bedair o flynyddoedd yn ôl erbyn hynny. Mae yna falchder mewn gweld a chydnabod cerrig milltir byd oedolion: ffilmiau roedd e'n dweud ei fod e'n hoffi – ac mae'n ddigon posib ei fod e yn eu hoffi nhw, ond roedd dweud hynny yn bwrpasol hefyd yn arddangos ei ddyhead i gael ei dderbyn mewn i'r byd iawn, ac i fyd iawn y tu hwnt i Dowlais. (Mae'r tôn scathing oedd ganddo, ac oedd fel petai'n cael ei ddatblygu rhwng diwedd ysgol a mynd i'r coleg, ac a gafodd ei 'berffeithio' yn y blynyddoedd wedyn, yn amlwg iawn reit o'r dechrau, bron. Annelwig o grac yw e i ddechrau, ond yn fuan mae'r syniad taw gwrthwynebu'r byd a'r bobl o'i gwmpas y mae e, eu hagweddau nhw – rhieni, athrawon, plant eraill roedd e'n eu gweld yn anadferadwy o dwp – yn dechrau ffurfio. Sydd yn beth diddorol, oherwydd yn aml iawn, dyna yw'r peth gwaetha sy'n digwydd i fechgyn ifainc. Maen nhw'n gwybod eu bod nhw'n grac am rywbeth ond byth yn fodlon gwneud yr ymdrech i weithio allan yn iawn *beth* sy'n eu cythruddo nhw. Sy'n eich gadael chi gyda'r rantings mwya anaeddfed. Roedd hynny'n ddigon gwir am Davies yn y cyfnod hwnnw, mae'n debyg, ond roedd hi'n hollol instructive i fi i weld sut roedd hynny wedi cael ei leddfu, a'i reoli wedyn, wrth i'w intellect gicio i mewn, ac wrth iddo ddatblygu i fod yn ddyn o deimlad ac o gydymdeimlad. Mae rhai o'r cofnodion, er enghraifft, yn arddangos y sensitifrwydd yr oeddwn i'n gyfarwydd iawn â'i weld yn ei ymddygiad – ond ei fod ar bapur hyd yn oed yn fwy noble, ac ar sawl ystyr yn cynrychioli uchafbwynt ei ysgrifeniadau, yn y syniad o 'mitigated scepticisim' sy'n treiddio trwyddyn nhw, y diniweidrwydd bydol . . .)

Ar ôl y llyfrau cynnar hyn, r'ych chi'n gallu gweld ei synnwyr esthetig e'n dechrau blaguro, pan oedd e'n prynu'i ddyddiaduron ei hun. Roedd rhai o'r cloriau'n batrymog, rhai â phatrymau blodeuog ysgafn hyd yn oed, neu stripes o liwiau cryf. Ond roedd y rhan fwyaf ohonyn nhw'n lledr du. 'Variations on a theme.' Roedd rhai ohonyn nhw'n llyfrau fel roedd ei fam wedi prynu ond bod y cloriau nawr wedi'u haddurno â lluniau, sketches, toriadau o bapurau newydd. Roedd yna un pennawd, wedi'i dorri o'r papur lleol mae'n rhaid, oedd yn dweud 'Davies shows them the way!' ac roedd e wedi glynu hwnna ar y clawr gyda darn o bapur gwyn odano yn dweud '"On birthing calves" and other selected entries – the diaries of Jimmy Greaves, 1991-2'. Hawdd gweld sut ma' rhai pobl yn gallu rhoi eu bywydau i astudio bywydau pobl eraill: fe allwn i fod wedi darllen rhain am byth, a dod yn ôl atyn nhw ac archwilio pob point of departure ac ymlaen ac ymlaen, tan fy mod i'n hollol gynwysiedig oddi mewn i'r dyddiaduron eu hunain.

Ond yn y lle cynta roedd hi'n ddigon rhyfedd jyst i feddwl am Davies yn cadw dyddiadur. Hynny yw, fe allai e eich taro chi fel rhywun oedd yn rhy cool i hynny, ac y byddai popeth pwysig yn cael ei amsugno i fewn i'w fywyd beth bynnag. Roedd ysgrifennu'n rheolaidd mewn dyddiadur yn rhywbeth roeddech chi wastad yn ei gysylltu â spinsters a'r desgiau bureau antique yna. Ond rwy i wedi cadw dyddiadur yn y gorffennol hefyd – yn achlysurol, ac am gyfnodau cymharol fyr, cyn i fi ddiflasu neu anghofio amdano yn ystod cyfnod o wneud pethau mwy diddorol – felly ddylwn i ddim gwneud datganiadau cyffredinol. Mae gan bawb ei fywyd dirgel.

Roedd yna ysgrifennu mwy bwriadol greadigol ei naws hefyd. Roedd yna wahanol fersiynau o stori Cristo, er enghraifft, yn codi nawr ac yn y man, a gyda gogwydd gwahanol bob tro fel yr oedd Davies yn cael ail olwg ohoni, neu yn aildafoli'r pwyntiau o densiwn a bygythiad yn y sefyllfa. Ond y gwir amdani yw bod bron popeth a ysgrifennodd yn cyrraedd rhyw bwynt sydd hanner ffordd rhwng cyffesu a chreu. Fel y dywedwyd am ddyddiaduron André Gide: nad oedd ond angen codi'r llinellau o'r fan honno a'u gosod nhw mewn nofel; a'u bod nhw, fel ysgrifennu dyddiadurol, yn llai 'didwyll' oherwydd hynny ond nad oedd didwylledd yn y fan honno mor bwysig â rhywbeth arall, amgenach, sef efallai y pleser o ddarllen y llinellau hynny.

Ond i roi golwg gyffredinol o'r cynnwys, roedd yna rai

motiffau cyson ar hyd yr amser, fel stori Cristo, oedd yn codi bob hyn a hyn, fel petai i gymeriadu'r gwaith fel corff. (Davies a Goleuni.) Roedd e wedi amlinellu syniadau am beintiadau roedd e eisiau'u gwneud fyddai'n seiliedig ar y stori. Hoffter amlwg o ddyddiadau a chydddigwyddiadau, wedyn: pa gampweithiau cerddorol oedd wedi cael eu recordio ar ddyddiad ei ben-blwydd ddeg neu bymtheg mlynedd cyn iddo fe gael ei eni, neu ar ddyddiau pen-blwydd pobl eraill, fel ei dad er enghraifft, oedd wedi cael ei eni ar yr un diwrnod (ond nid yn yr un flwyddyn) ag y recordiwyd 'Ruby My Dear' ar gyfer albwm Thelonious Monk, *Genius of Modern Music*. A taw dyna pam bod y gân honno'n 'siarad ag e' mewn ffordd unigryw. A'r ffaith taw Ruby oedd enw mam ei dad . . . Ac nid jyst cyd-ddigwyddiadau ffeithiol ond rhai ffuglennol hefyd. Cymeriadau yn gadael ei gilydd, yn mynd off i farw ar ddyddiadau pwysig ym mywyd Davies, cysylltiadau rhwng ei fyd e a'r uwch-fyd hwn roedd e'n darllen amdano. Y syniad bod y Paul Auster di-Gymraeg wedi cael ei ysbrydoliaeth ar gyfer y stori gynta yn *The New York Trilogy* o ysgrif T. H. Parry-Williams, 'Dewis', ac yn y blaen ac yn y blaen.

(Mae gen i gyd-ddigwyddiad i Davies yn gyfnewid: mae e'n rhannu diwrnod marwolaeth â David Hume. Ond mae e'n gwybod hynny'n barod, rwy'n siŵr.)

Darnau o gerddi nonsens, wedyn – penillion roedd e wedi'u sgrifennu ei hun, a rhai roedd e wedi'u darllen a'u hoffi – dywediadau, llinellau cofiadwy, atgofion plentyndod a'r ffordd roedd y darluniau mewn rhai llyfrau plant wedi'i ofni i'r craidd, ac fel yr oedd argraff o'r arswyd yna yn aros o hyd (fel bwrn).

Ac fe ddylwn i fod yn dyfynnu o'r dyddiaduron hyn, really, on' dylwn i? Fe ddylwn i fod yn rhoi blas i chi o'i feddwl unigryw, ac o liw ei ddweud, nid jyst yn sôn am y pethau mae e ei hun yn sôn amdanyn nhw. Er mwyn i chi gael barnu drosoch chi'ch hun. Ond dwy' ddim yn mynd i wneud, wrth gwrs. Nid allan o ryw deimlad o barch neu fethu penderfynu pa ddarn o blith darnau i'w dyfynnu, ond am nad ydw i eisiau. Dyw pethau fel yna ddim yn gweithio – mae'n rhaid i chi'u darllen nhw drosoch chi'ch hun yn hytrach na darllen beth rwy i eisiau i chi ddarllen. Nid bod y dyddiaduron yn mynd i weld golau dydd chwaith, oherwydd dwy' ddim yn credu, er mor arbennig ydyn nhw, y byddai yna lawer o werth nac awydd i'w cyhoeddi nhw. Felly r'ych chi'n cymryd fy ngair i am eu gwychder, ac am eu haruthredd.

Mae yna un peth sy'n brin iawn yn ei ddyddiaduron ac yn ei lythyrau amrywiol. (Fe gadwodd Anna amrywiol lythyrau (doedd yna ddim cymaint â hynny, deg neu ddwsin ar y mwyaf) yr oedd e wedi eu danfon ati hi ar wahanol adegau yn ystod eu perthynas ac fe ddangosodd hi nhw i fi unwaith yn unig, pan oeddwn i reit yng nghanol y gwaith, fel fy mod i'n cael totality yn hytrach na jyst rhan o'r cyfan, ond doedd hi ddim yn fodlon eu rhoi nhw i mewn gyda gweddill ei bethau.) A'r peth hwnnw yw trafodaeth uniongyrchol o'i fywyd ei hun. Mae e'n ymwneud yn ddefodol ac yn ddi-baid â'r musings athronyddol sy'n codi o ddigwyddiadau; mae e'n fodlon rhoi tudalennau cyfain i drafod goblygiadau hyn a'r llall i fywyd yn gyffredinol, ond dyw e byth, neu yn anaml iawn iawn beth bynnag, yn emosiynol yn ei ysgrifennu. Dyw e byth fel tasai e'n rhoi ei hunan amrwd ar bapur. Sawl gwaith, wrth ddarllen ac ailddarllen, ac wrth ail-greu cyd-destun y cofnodion ochr yn ochr â'r hyn roeddwn i'n gwybod oedd yn digwydd iddo fe ar y pryd, byddwn i'n fy nghael fy hun yn ysu am iddo fe adael i'r pretence fynd, a gadael i'w hunan lifo. Ond erbyn hynny, wrth gwrs, roedd y pretence hwnnw wedi ffurfio yn rhyw fath o modus vivendi ac felly roedd hi'n hollol ddi-bwynt disgwyl neu obeithio iddo newid ei ddulliau.

Mewn un man yn unig, er enghraifft, mae e'n cyfeirio'i hun at yr hyn oedd wedi digwydd gyda Anna a fe a'r babi roedden nhw'n mynd i'w gael. Mae e'n sôn am rywbeth mae e wedi'i ddarllen yn rhywle, am draddodiadau Indiaid y Navajo. Yn ôl yr hyn mae e'n ei ddweud, maen nhw'n dathlu chwerthiniad cyntaf babi newydd gyda 'pharti chwerthin', o'r enw Chi Dlo Dil. Mae e fel arfer yn digwydd o gwmpas chwech wythnos oed, maen nhw'n dweud, ac mae e'n arwyddo gosodiad cyntaf y babi, a'r ymwybod babanaidd, ei fod e'n barod i ymwneud â'r byd. Cyn hynny, mae'r babi'n dal i fod yn y 'byd meddal', ac mae'r Indiaid yn gofalu pa ddylanwadau sydd o'i gwmpas yn y cyfnod hwnnw, rhag ofn iddo fe gymryd arno nodweddion y dylanwadau hynny. Ond ar ôl hynny, yn ystod y parti chwerthin, gall y babi gael ei wisgo mewn gemwaith. Ac yn y parti mae'r person sy'n gwneud i'r babi chwerthin gyntaf yn chwarae rhan bwysig iawn ym mywyd y plentyn o hynny allan.

Mae e'n ddarn hyfryd, wedi'i ysgrifennu'n hyfryd gan Davies. Mae e'n treulio mwy o amser, er enghraifft, nag yr ydw i fan hyn yn esbonio ac yn ystyried y 'byd meddal' i fabi, a'r math o bethau allai gael eu ffurfio yn ystod y cyfnod hwnnw, pan fo'r ymwybod yn fwy absorbent nag ar unrhyw adeg arall mewn bywyd. Ac mae e'n touching iawn, yn arddangos tynerwch a chydymdeimlad a dealltwriaeth. Ond eto, dyw e ddim yn gallu cymryd yr un cam hwnnw i gyferbynnu'r stori hon â'i fywyd e yn uniongyrchol. Mae e'n amlwg wedi ysgrifennu'r darn ar gefn y ffaith bod Anna wedi colli'i babi hi. Ac r'ych chi'n gallu teimlo'i ymateb e, ei gyffwrdd bron: yr holl gymhlethdod o fod yn dad, a'i holl gymhlethodau unigol e yn codi o hynny; maint aruthrol y cyfrifoldeb a'r ansicrwydd o'i allu ei hun i weithredu'n llwyddiannus fel tad, nid dim ond am nad oes gyda fe fodel neu gynsail i dynnu arno, ond hefyd am ei fod e, yn ei ugeiniau canol, yn amlwg yn dal i fod mor ansicr o'i le ei hun yn y byd, ei fod e'n dal mewn flux, ac mor annheg yw hi i feddwl am ddylanwadu ar fywyd hollol ddiniwed ac i *ddefnyddio*'r bywyd hwnnw fel elfen arall yn ei ddatblygiad annelwig ei hun. Hynny yw, y crux o hunanoldeb; yr ildio i genhedlaeth newydd, a'r syniad y dylai fod yn falch i wneud off-load o'r baich a jyst bod yn barod i daflu'i freichiau yn agored i groesawu 'cyfnod bywyd', symudiad amser a hunan mwy bydol, mwy deallus – yn yr ystyr o fod â dealltwriaeth fwy pragmatig o bethau.

Mae hi'n stori sy'n amlwg yn gyfoethog iawn ei darlleniadau. A'i hesboniadau hyd yn oed. Ac yn stori sydd, am unwaith yn y nodiadau hyn, yn gymharol ddiamwys. (Dim ots am y tro am gyflwr ei feddwl, ac am sut yr oedd y cyflwr hwnnw'n ei fynegi'i hun yn ei fywyd a'i benderfyniadau.) Yn y ffordd y mae 'byd meddal' y babi yn beirniadu'n byd caled ni – y gwrthwynebiad hawsaf un i'w wneud. Ein synhwyrau wedi'u pennu a'u hamgáu, y byd yn gaeedig. Dewisiadau yn teimlo'n llai ac yn llai fel dewisiadau gwirioneddol, ac yn fwy fel twyll o orfodaeth.

Ond y teimlad cyffredinol ro'n i'n ei gael o ddarllen y dyddiaduron oedd nad oedd e'n ddyn oedd wedi cael ei yrru i ymylon anobaith. Ac nad oedd yna un digwyddiad unigol – hyd yn oed y digwyddiad mwya, y babi oedd wedi bygwth arno ffocws cliriach nag o'r blaen – oedd yn tanseilio pethau i gymaint graddau fel na allen nhw gael eu hadfer. Mwy fel cyfuniad o unrhyw beth a phopeth. Drip-effect. 'Life – doesn't bear thinking about.' Ac felly y teimlad sy'n codi o hynny yw bod marwolaeth i Davies yn ddim byd mwy na rhywbeth y gallai ei wneud tasai e angen. Neu eisiau. A dwy' ddim yn gwbod sut ma' hynny'n effeithio arnon ni nawr nac ar unrhyw beth, mewn gwirionedd. Dwy' jyst ddim yn gwbod.

Fe ddywedais i hynny wrth Anna. Doeddwn i ddim yn dweud unrhyw beth wrthi nad oedd hi chwaith yn ei wybod yn barod.

Oni bai bod y dyddiaduron – yn absenoldeb y 'smoking gun' – yn dweud fel corff yr un gwirionedd plaen: y gallech chi dreulio oes yn ymwneud â'r dadleuon mwya cymhleth, mwya astrus, a methu'n lân, hyd yn oed bryd hynny, â ffurfio unrhyw ganlyniadau ystyrlon, neu unrhyw esboniadau fyddai'n dal dŵr o'u gosod yn erbyn byd meddal y pethau bychain hynny sydd yn crio ac yn cachu ac yn gwenu, ac sy'n dibynnu arnon ni i'w *newid* nhw.

Nawr rwy'n dechrau teimlo'r angen i gymryd cam yn ôl. Rwy'n dechrau cael fy mherswadio gan 'ddoethineb' Davies – bod meddwl gormod am bethau yn y diwedd jyst yn, wel, yn ormod . . . Rwy eisiau i bethau dawelu. Rwy eisiau clymu'r gwahanol linynnau at ei gilydd. Rwy eisiau bywyd tawel gyda Anna, er enghraifft.

Efallai nad yw e'n ymddangos felly bob amser – falle fy mod i wedi dioddef o'r union un clefyd ag yr oedd Davies yn ei ddioddef, sef yr anallu patholegol i ildio i ddigwyddiadau ac i ddrama ac i densiwn heb yr angen, yr un mor batholegol, i'w hystyried nhw a'u troi nhw o amgylch a'u ffiltro nhw trwy fy nealltwriaeth anghyflawn, a cholli wrth wneud hynny y 'bywyd' ynddyn nhw – ond mae'r cyfnod diweddar yma wedi bod yn hollol knackering, ac yn ysgytwol hefyd. Oherwydd mae jyst y broses o feddwl am y pethau hyn, in lieu o'u teimlo nhw yn amrwd efallai, wedi fy mlino i'n llwyr. (Ond efallai wedyn taw'r meddwl di-baid hwn sydd yn effeithio arna i'n gorfforol – a hynny yn y ffordd y byddech chi wedi disgwyl i'r galar a'r straen mwy amlwg ei wneud.) Ond beth bynnag, rwy'n teimlo'r awydd yn cryfhau bob dydd i adael i bethau fod.

Trosglwyddo, gollwng dros gof, encilio.

Rwy wedi darllen llyfrau, wedi ymdrechu. Wedi trio mynd i mewn i feddyliau a chadw pellter ar yr un pryd. Rwy wedi archwilio ac wedi dychmygu. Rwy wedi darllen theorïau am 'rheswm digonol' a syniadau am gyfathrebu. A phopeth arall rwy wedi'i ddarllen – nofelau, barddoniaeth ac yn y blaen ac yn y blaen – rwy wedi'i ddarllen â meddwl parod, clustiau yn agored i liw a nuance, antennae wedi'u troi tua'r byd. Cymaint felly nes fy mod i'n amau y bydd yna atgof o Davies yn aros jyst yn y weithred o ddarllen, ac y bydda i'n profi'r atgof bob tro y bydda i'n codi'r papur newydd hwnnw ar fore dydd Sul, neu'n darllen schedules y teledu i weld sut y galla i wastraffu'r noson honno yn y ffordd fwya difeddwl o diverting.

Ond – ar ôl popeth, pob ymchwil a phob ystyriaeth ofalus – mae e'n teimlo o hyd fel taswn i'n arosod patrwm ar farwolaeth Davies – ac fy mod i'n disgwyl o hyd i'r atebion ddod o'r tu allan. Fel petaen nhw'n bodoli yn y byd yn rhywle, fel arfau niwcliar rhyw lywodraeth eithafol, a'i bod hi ddim ond yn fater o ddod o hyd iddyn nhw.

Rwy'n fy nghael fy hun yn ysu, fel Davies mewn llawer o'r cofnodion yn ei ddyddiaduron, am y 'release'. Ond rwy'n poeni hefyd. Rwy'n gwybod, er enghraifft, bod angen i'r 'release' hwnnw, yr ymddeoliad, y gorffwys, fod yn gyflawn ac ar ei delerau'i hun. A bod 'release' sydd yn cyhoeddi'i hun fel hynny ddim yn unrhyw fath o ymollwng o gwbl. Ac unwaith eto mae Davies a fi'n gorgyffwrdd.

Rwy'n cael fy mhlagio o hyd gan y dyddiaduron. A gan y ffaith y dylai'r digwyddiadau rwy wedi sôn amdanyn nhw fan hyn ddangos yn glir y 'rheswm digonol' sydd y tu ôl iddyn nhw. Ac rwy'n dal i ystyried y cyfathrebu sydd ynddyn nhw. (Mae Heidegger yn gwneud llawer iawn o'r pwynt hwn: taw y weithred o gyfathrebu sy'n galluogi i brofiad fod yn arwyddocaol ac yn ystyrlon. Ond mae e'n benodol iawn ynglŷn â'r hyn sy'n gallu cael ei ystyried yn gyfathrebu. Mae e'n dweud taw dim ond y sawl sydd yn gwybod ac yn *deall eisoes* sydd yn gallu gwrando.) Ac rwy'n poeni felly. Wrth feddwl am farwolaeth Davies – a allai fod wedi bod yn hunanladdiad, neu a allai fod wedi bod yn ddamwain syml – rwy'n poeni nad ydw i'n deall eisoes. Ac a yw hi jyst yn fater syml fy mod i ddim yn ddigon equipped, o ran yr apparatus meddyliol byddai ei angen, i allu deall? Neu a ydw i'n methu deall mewn unrhyw ffordd derfynol am nad oes yna reswm yno i'w ddeall yn y lle cynta? A pha un o'r dewisiadau hyn sydd yn gweddu orau i fywyd? Pa un o'r opsiynau hyn yw'r un fydd yn gweddu orau i deimladau bregus Anna? Mae Davies wedi marw. Mae marwolaeth yn ei gynnig e, yn ei ysgrifeniadau ac yng ngweddill ei stwff 'celfyddydol', ac er gwaetha'r ansicrwydd sy'n rhedeg trwy'i waith, fel bod cyflawn ynddo'i hun; fel bod cyflawn sydd yn ei ddatgelu'i hun, ac a allai ei ddatgelu'i hun yn gyflawn. Rwy'n cael fy nhynnu, felly, rhwng parchu hynny, parchu'r meirw, a meddwl na all ei ddyddiaduron daflu diferyn yn fwy o oleuni ar bethau nag yr ydw i yn ei wybod yn barod. Ac os nad ydw i'n gwybod yn barod nad oes posib i fi allu dysgu jyst trwy ddarllen amdano.

Ond mae'r haul yn dal i godi, nawr ac yn y man beth bynnag, ac ar y diwrnodau hynny mae canghennau'r coed o flaen y tŷ yn teimlo fel breichiau pobl, perthnasau a ffrindiau sydd wedi marw efallai, neu jyst bobl rwy wedi'u nabod ac nad ydw i'n eu gweld nhw rhagor. Ac mae'r breichiau'n ymestyn amdanon ni, yn gofyn i ni beidio â'u hanghofio nhw. Mam-gu, tad-cu, rhieni cu Anna, a Davies. Ac mae hynny'n beth rhyfeddol. Dyw e ddim yn beth brawychus nac yn spooky mewn unrhyw ffordd. Mae e jyst yn ffordd neis o gofio gyda thynerwch, ac i fyw yn ddigon agos at yr ymwybyddiaeth honno i allu cyrraedd ato weithiau. Nid mewn ffordd o siarad am y peth lle r'ych chi'n meddwl am yr holl ddylanwadau a'r holl elfennau o wahanol gymeriadau pobl sydd wedi 'eich gwneud chi yr hyn ydych chi heddiw', oherwydd dyw yr hyn ydych chi heddiw yn aml ddim yn llawer gwahanol i'r hyn oeddech chi ddoe, neu'r hyn fyddwch chi fory. Ond mae hi'n neis i gael atgoffâd – sydd yn cyfrannu i'r byd corfforol yn y lle cynta – bod ysbrydion yn cerdded y ddaear.

Rwy'n dechrau bwrw nodau telynegol yn sydyn. Rwy'n credu y byddai hi'n well i fi stopio cyn i fi embaraso fy hun. (Ac rwy'n chwarae gyda fy neunydd hefyd, wrth gwrs. Yn mesur pethau ac yn eu symud nhw o gwmpas er mwyn cael yr out point gorau. Swnio'n gyfarwydd, eh?) Ond dyw diweddebau byth cweit yn gwbl delynegol chwaith. R'ych chi wastad yn ymwybodol o'r llinell denau rhwng teimlad a kitsch. Pan ydw i'n meddwl gormod am y dyfodol cymharol bell, er enghraifft, dyw hi ddim yn cymryd llawer i'r hyn sy'n dechrau allan fel delfrydu syml – a delfrydu sy'n aros o fewn y ffiniau o fod yn 'dderbyniol' – gael ei foddi mewn syrup trwchus: y syniad bod Anna a fi'n rhannu edrychiadau o ddealltwriaeth a goddefgarwch ac ymdeimlad â'n gilydd, er enghraifft; y syniad ein bod ni'n gallu edrych ar ein bywydau a meddwl taw dyma rodd Davies i ni; hyd yn oed gael plant, mab bach yn amlwg, a'i alw e'n Dafydd, ac y gallen ni rywsut wneud yn iawn am siomedigaethau Davies trwy ofalu nad yw'r plentyn bach yn dioddef yr un pethau . . . Ond wrth gwrs cyn gynted ag yr ydw i'n meddwl fel hyn rwy'n cael fy nhynnu allan o'r breuddwydio y byddwn i'n ddigon hapus i dreulio wythnosau cyfan yn ei wneud. Allwn i ddim dweud i sicrwydd fy mod i'n gwybod beth oedd siomedigaethau Davies, er ei nabod e, a'i ystyried e, am amser mor hir. Mae'r baradwys ddi-feddwl, felly, yn ymddangos yn rhywle o fy mlaen o hyd, dim ond ein bod ni'n ein cael ein hunain yn byw trwyddo drwy'r amser, a phethau bychain, dadleuon bach a mawr, a jyst mynd ymlaen â phethau o ddydd i ddydd – yr hen ystrydeb – yn dod i atalnodi'n bywydau. Mae Anna'n dri deg yn barod. Bydda i'n dri deg cyn bo hir.

[4.5]

Rwy eisiau sôn ychydig bach am y lluniau cyn gorffen. Oherwydd er cymaint yr oeddwn i wedi 'mwynhau' darllen nodiadau a dyddiaduron Davies, a rhedeg fy llygaid yn werthfawrogol ar hyd y straeon a'r cerddi a'r gwahanol bits and bobs eraill oedd yn ei focsys, roedd y lluniau wastad yn fy nharo i fel cofnod mwy cywir ohono mewn sawl ffordd. Roedden nhw'n fwy nodweddiadol, yn un peth. Ond eto, fel gyda'r ysgrifennu, dydw i ddim yn hollol siŵr o'u gwerth nhw fel darnau 'celfyddydol'. Hynny yw, mae gen i syniad eitha da am ysgrifennu a phethau fel yna achos mae gen i rywfaint o hyfforddiant yn y maes. Rwy hyd yn oed yn trosglwyddo fy nysg i i bobl – plant – eraill. Ond gyda lluniau, does gen i ddim byd mwy na llygad a meddwl. 'I know what I like.' (Ond rwy'n hoffi meddwl hefyd fy mod i'n ddigon meddwl-agored fel bod ail hanner y dywediad hwnnw – 'And I like what I know' – ddim wastad yn wir am fy ymatebion . . .) Ond hyd yn oed taswn i'n gwybod am werth lluniau, a'r hyn sy'n eu gwneud nhw'n lluniau da, ar wahân i'r ffaith fy mod i'n hoffi edrych arnyn nhw, dwy' ddim yn gwbod pa wahaniaeth y byddai hynny'n ei wneud. Rwy'n rhy agos atyn nhw, wrth gwrs. Rwy'n adnabod pob 'traean pwysig' (rwy'n gwybod cymaint â hynny am gyfansoddiad ffotograffig) o bob ffrâm – ac roedd hynny'n wir hyd yn oed gyda'r lluniau nad oeddwn i wedi'u gweld o'r blaen.

Am y rhan fwyaf roedden nhw'n lluniau 'cyffredin'. O olygfeydd cyffredin iawn. Dim 'artifice' yn y ffordd roedden nhw wedi cael eu tynnu, dim 'set-ups' bwriadol, dim llawer iawn o oleuo bwriadol ar wahân i'r golau oedd yn ymddangos yn naturiol mewn unrhyw ffrâm arbennig. Dwy' ddim hyd yn oed yn gwybod sut i'w disgrifio nhw yn iawn. Oherwydd os ydw i'n dweud taw lluniau o waliau oedden nhw, neu o ffenestri, neu o doeon tai teras neu bethau fel yna, biniau sbwriel neu bosteri a sloganau, neu ffenestri siopau (r'ych chi'n gallu gweld yr ysbrydoliaeth ar gyfer y ffotograffau roeddwn i eisiau'u tynnu . . .), yna maen nhw'n swnio'n ofnadwy. Nid jyst yn ofnadwy ond yn wastraff amser llwyr. Yn ddiflas ac yn ddi-fflach ac yn werth dim. Ac efallai wedyn taw jyst y ffaith o fod yn eu gweld nhw fel corff o waith, gyda'i gilydd – cannoedd ohonyn nhw – sydd yn fy ngorfodi i i'w gweld nhw fel cyfanwaith, ac fel cyfanwaith bwriadol. Ac i weld y cyffredinedd, y diflastod a'r drabness wedyn fel rhinwedd . . . fel dyfais. Ond mae hyd yn oed hynny yn gamarweiniol, oherwydd nid dyfeisiau ydyn nhw o gwbl, neu nid yn y lle cynta beth bynnag. Barddoneg y cyffredin yw e, efallai, a rhyw fath o ymgais gan Davies i ddiffinio'r fath beth. Mae e fel petai e wedi llwyddo i'w osod ei hun mewn safle sydd yn dad-wneud unrhyw ymgais i edrych yn feirniadol ar y lluniau yma. D'ych chi byth yn gallu bod yn siŵr nad yw e'n ildio'r cyffredinedd yma i chi yn fwriadol. Dyw e ddim yn dweud pa un ai yw e'n ymwybodol o'r cyffredinedd ai peidio.

Rwy'n cael fy atgoffa o'r stori enwog am William Henry Fox Talbot, oedd yn un o'r arbrofwyr pennaf gyda chyfarpar ffotograffig. Ac am y berthynas hon rhwng y cyfrin a'r cyffredin sydd wedi nodweddu ffotograffiaeth ers y dechrau un. Roedd Fox Talbot wedi gweithio mor galed ar ddyfeisio'i gamera ac ar berffeithio'r technegau atgynhyrchu delwedd fel ei fod e erbyn gorffen y gwaith hwnnw wedi gallu gwneud dim byd ond pwyntio'r camera allan o'r ffenest a thynnu llun o'i ardd gefn. The apotheosis of banality. A dyna beth mae Davies yn ei wneud. Mae e'n cyhoeddi o'r toeon (y toeon tai teras cyffredin), 'Dyma ni yn ein cyffredinedd. Dyma ni, heb fod yn spectacular, yn byw . . .'

Rwy'n hoffi meddwl am ei luniau fel cannoedd o gofnodion unigol o 'resignation'. Hynny yw, y syniad ei fod e ymhob ffrâm, cyn tynnu pob llun, wedi gobeithio dal yr un foment yr oedd e'n gobeithio fyddai'n *diffinio*, yn adrodd y cyfrolau . . . Ond ei fod e wedi ffeindio, bob tro, o gael y lluniau yn ôl wedi'u datblygu, neu pan oedd e wedi dechrau'u datblygu nhw ei hun, nad oedden nhw byth yn cyfateb i lygad ei feddwl. A bod y siom hwnnw yn siom oedd yr un mor ingol gyda phob un o'r cannoedd o luniau. Ond d'yn ni'n ddim byd os nad yn resourceful, ac wrth gwrs roedd eiliad wedi dod pan ddatblygodd y siom i fod yn ffordd-o-weithio ynddi'i hun . . . A dyna sy'n apelio ata i fwya – y berthynas chwareus sy'n datblygu o'r fan hon. Ac mewn ffordd, felly, dyma lle y mae Davies ar ei fwya byw. A dyna pam rwy'n credu bod y lluniau'n sicrhau bod Davies yn bodoli fel y dylai. Yn chwareus. 'Man reveals himself as the entity which talks.' Mae Davies yn dal i siarad â fi, felly. Mae e'n siarad â fi fel yr oedd pan oedd e'n *mwynhau siarad.* Mae e'n gwneud ei jôcs eironig, ond eu bod nhw'n jôcs eironig sydd yn cadw oddi mewn iddyn nhw y *posibilrwydd* . . .

Roedd ganddo fe gamera yn y car y diwrnod hwnnw pan fu farw. Fe oroesodd y camera y crash heb ddiodde cymaint ag un crafiad. Roedd yr heddlu wedi anghofio'i roi e 'nôl i ni rhwng popeth, felly fe es i ofyn amdano, ar ran Anna, rai wythnosau ar ôl yr angladd. Roedd yna ffilm ar ei hanner yn dal y tu fewn. Es i i un o'r llefydd datblygu-mewn-awr yna ar y ffordd adre. Doedd yna ddim mwy o 'atebion' yn y lluniau ddaeth yn ôl o'r labordy nag yr oedd yna mewn unrhyw beth arall yr oeddwn i wedi ei ddarllen neu'i weld dros yr wythnosau hynny o ymchwilio. Ond doedd hynny – erbyn hynny – ddim yn siom. Oherwydd yr hyn *oedd* yn y lluniau oedd Davies a'i lygad – a'i feddwl a'i glyw a'i deimlad, ynghyd â gweddill ei synnwyr dihafal ei hun.

Felly fel un consesiwn i ddyhead artist marw, fe es i ati i gael atgynyrchiadau proffesiynol wedi'u gwneud o'r lluniau ola hynny. (Rwy'n casáu'r ffrâm chwe modfedd wrth bedair modfedd – ond mae e'n gweddu'n berffaith hefyd i'r subject matter r'yn ni'n sôn amdano fan hyn.) Ac rwy'n credu efallai y gallai'r peth ddatblygu i fod yn brosiect o ryw fath, ar ôl i fi flino ar gadw'r dyddiadur yma. Ar ôl cael y prints yn ôl fe ges i ambell un wedi'i fframio, mewn pren syml, ac rwy wedi'u rhoi nhw jyst ar y landing wrth dop y grisiau. Rwy'n bwriadu gwneud yr un peth gyda cwpwl o'r rhai eraill, fel y byddwn ni'n gallu newid yr 'arddangosfa' bob nawr ac yn y man. Bydd e fel galeri bach jyst i ni. Bydd e'n beth neis i'w wneud.

[4.6]

O'r diwedd fe glirion ni'r ystafell wely fawr yn ffrynt y
tŷ. Fe dynnon ni bopeth allan, yn llythrennol. Ac yn lle'r
gwely a'r cypyrddau dillad, fe roeon ni fwrdd mawr pren
yn y canol, a cwpwl o gadeiriau, a plastro'r waliau gyda
darnau o bapur – nodiadau, cuttings papur newydd,
sketches Anna – nes eu bod nhw'n edrych fel llyfrau
sgrap mawr a'u bywyd eu hunain ganddyn nhw. Roedd
hi'n ystafell olau, braf, ac roedd Anna wedi dechrau'i
defnyddio fel lle i weithio, i beintio eto.

Roedden ni wedi llwyddo i dynnu o'r ystafell bob
arlliw o ddylanwad penodol Davies. Ond pan symudon
ni'r gwely mawr, cyn ei dynnu'n ddarnau a rhoi'r planks
dan y grisiau i'w cadw nhw, tan i Anna benderfynu beth
roedd hi eisiau'i wneud gyda fe, fe ffeindion ni bentwr o
ddarnau bach o ewinedd ar y carped rhwng cefn y gwely
a'r skirting board. Ewinedd o fysedd, fel naddion pensil,
neu naddion o gaws caled, ac ewinedd o fysedd traed
hefyd. Roedd rheina'n *drwchus* ac yn edrych fel y bydden
nhw wedi angen rhyw fath o industrial clippers i'w
gwahanu nhw oddi wrth y traed a'u cynhyrchodd . . . Ac
roedd hi'n anhygoel faint ohonyn nhw oedd yno:
cannoedd ar gannoedd, mewn nifer o bentyrrau unigol
ond efallai bod yna fwy na hynny.

Roedd Davies yn obsessive am bigo'i ewinedd. Os
oedden ni'n edrych ar y teledu neu wedi mynd i'r sinema
i weld ffilm, dyna oedd ei ffordd e o ganolbwyntio: roedd
e'n pilio'r ewin yn ôl, ac yn ddidrugaredd weithiau, hyd
nes y byddai'n tynnu rhannau mawr o groen ei fysedd i
ffwrdd gyda fe. Roedd ei cuticles wastad yn llawn cytiau
bach a gwaed wedi sychu a scabs. Roedd Anna wastad yn

trio'i gael e i stopio ond heb lawer o lwc. Ac os oedd e'n pigo ewinedd ei fysedd i ganolbwyntio, yna i ymlacio byddai'n troi'i sylw at fysedd ei draed. Roedd e jyst yn eistedd mewn cadair, fel rhyw fath o yogi a'i goesau wedi'u plygu odano, ond bod ei ddwylo, yn lle bod wedi'u hestyn allan o'i flaen mewn meditation, yn gweithio i rwygo darnau mawr o ewin drewllyd oddi ar ei draed. Roeddwn i'n arfer ei wylio fe'n ofalus – jyst ei ddilyn gyda fy llygaid, heb ddweud dim byd wrtho. Byddai'n tynnu darn o'r ewin yn rhydd, yna yn ei rolio rhwng ei fys a'i fawd, cyn estyn ei law dros ochr y soffa a'i ollwng ar y llawr. Roedd e hyd yn oed yn gwneud hynny os oeddech chi'n siarad â fe: byddai'n rholio'r ewin rhwng bys a bawd yr un peth, ond roedd e'n hoffi meddwl ei fod e'n gyfrwys wedyn: byddai'n siarad â chi ac yn esgus ei fod e wedi blino, yn estyn ei freichiau allan dros freichiau'r soffa, ac yn fflicio'r ewin bryd hynny. Roeddwn i'n sylwi bob tro, wrth gwrs, ac yn cael hanner gwên fach i fy hun, wrth iddo fe fynd 'nôl i bigo'i ewinedd a meddwl ei fod e wedi cael getaway . . .

Roedd Anna'n sylwi hefyd, wrth gwrs. Ac roedd hi'n gorfod rhannu gwely gyda fe. Ac mae hi'n rhyfedd on'd yw hi, y pethau bach r'yn ni'n eu derbyn a'u dioddef, gyda phobl r'yn ni'n eu caru. Torri gwynt, anadl sy'n drewi, arferion tŷ bach gwael. Y gwir amdani, mae'n debyg, yw na allwn ni fforddio bod yn rhy, erm, picky. Neu efallai ein bod ni'n sylfaenol selfless ac yn lot mwy goddefgar nag yr ydyn ni'n sylweddoli. Pan ydw i'n meddwl nawr am yr amser a dreuliodd Davies a Anna a fi gyda'n gilydd, mae hi'n rhyfeddol ei fod e wedi para mor dda ac am gyfnod mor hir. R'yn ni i gyd yn 'creatures of habit'. Ac efallai taw gwylwyr pobl ydyn ni yn y lle cyntaf un: r'yn ni'n hoffi mabwysiadu ac amsugno ffyrdd bychain pobl eraill, achos ein bod ni'n synhwyro taw trwy'r arferion yma y mae'r ffordd i mewn.

Roedd Anna a fi wedi mwynhau cwpwl o eiliadau o dawelwch wrth ystyried y darnau yma o gorff Davies ar y llawr o'n blaenau. Ond doedden nhw ddim yn cyfri fel darnau o gorff mewn gwirionedd. Mae ewinedd yn bethau rhyfedd – bron nad ydyn nhw'n stopio perthyn i 'chi' cyn gynted ag y maen nhw'n ymddangos. Does yna ddim teimlad ynddyn nhw, dim nerfau ac r'ych chi jyst yn eu cario nhw o gwmpas tan eu bod nhw'n mynd yn rhy hir. Ond r'ych chi'n cael yr argraff hefyd y gallai'r byd losgi mewn armagedon niwcliar a'r hyn fyddai'n aros, fel tystiolaeth o fodolaeth yr hil ddynol, fyddai nid pethau fel teimlad o gariad yn hongian yn annelwig yn yr awyr, neu argraff o frawdoliaeth neu berthynas rhwng pob peth byw, ond yn hytrach bentyrrau bychain o ewinedd heb eu difrodi yn gorwedd rownd y lle ar hyd y ddaear ulw . . . Fe gawson ni laugh am hynny, a byddai Davies wedi chwerthin hefyd. Dylai Iesu, er mwyn perswadio doubting Thomas, fod wedi dangos nid archollion yr hoelion yn ei gorff ond ei fysedd, a'r ewinedd roedd e wedi'u cnoi yn ystod y tridiau roedd e wedi bod i ffwrdd.

Argraffiadau o bellter: dau, tri, chwe mis, mwy, yn ddiweddarach.

Rwy'n gobeithio nad ydw i wedi siomi. Davies, Anna, hyd yn oed fy hun. Pan ydw i'n meddwl am y ffordd yr ydw i wedi dod nid dim ond yn rhyw fath o 'executor' ar ran Davies, ond yn rhywun sydd yn fwy na hynny yn edrych ar ôl y cof amdano, alla i ddim peidio â bod ychydig bach yn bryderus fy mod i wedi gadael pobl i lawr. Yn fy ffordd o gofnodi ac ysgrifennu; yn fy nehongli; yn y ffordd rwy wedi methu â chadw fy mherson i allan o'r cofnod. Ond rwy yn rhan o'r stori – ac rwy'n amau'n gryf bod Davies wedi gweld cydlifiad y ddau ohonon ni reit o'r dechre: fi'n adrodd ei stori e. Ac ar un olwg, oherwydd hynny, mae'r holl beth yn gweithio allan yn dda iawn. Fyddai gyda fe ddim o'r amynedd i allu sgrifennu fel hyn, er enghraifft, ac am gymaint o amser hefyd.

A'r teimlad sy'n aros gen i yn gyffredinol yw teimlad o ryfeddod plentynnaidd – fy mod i nawr yn teimlo mor rhydd. Mor lwcus i fod wedi dod trwy bopeth nid jyst yn ddianaf ond actually yn gwynto o rosynnau, fel petai. Ac mae hynny'n rhyw fath o ysictod tawel, yn ei ffordd: ychydig bach o euogrwydd – Anna a fi – ac ambell i amheuaeth o hyd. Ond dyw'r ysictod ddim yn deimlad digon pwerus i fod yn ddistrywgar. Rwy'n fy nghael fy hun, wrth feddwl am amgylchiadau marwolaeth Davies, yn gwybod ar yr un pryd â pheidio â gwybod. A dyw hyd yn oed hynny ddim yn fy mhoeni i cymaint ag y byddai wedi o'r blaen. A beth bynnag, mae Davies yn ddi-bwysau nawr, yn arnofio yn rhywle uwch ein pennau.

Cwpwl o ddiwrnodau ar ôl y gwasanaeth yn yr amlosgfa roedd yna wasanaeth byr ar bwys y bedd. Roedd hwn dipyn yn well, ac yn fwy fel y dylai gwasanaeth fod. Oherwydd yn yr amlosgfa roedd Anna a fi, yn annibynnol ar ein gilydd, wedi cael y teimlad unsettling bod Davies wedi marw ar yr amser iawn mewn rhyw ffordd ryfedd. Dyna lle oedden ni'n gwrando ar weddïau ac ar gysur ac ar addewidion crefydd ond yn methu cweit ag ymroi i beidio â gadael i'n meddyliau grwydro ar hyd cwestiynau eraill, oedd yn cael eu cynnig gan eiriau'r gweinidog. Ac roedd hi'n amlwg taw achlysur i bobl eraill oedd y gwasanaeth hwn. I fam Davies, er enghraifft, ac i ryw syniad o 'gywirdeb'. Roedd yr amlosgfa'n foel ac yn bell o fod yn orlawn, ac roedd yr organ yn swnio fel Bontempi rhad o ddiwedd y saithdegau. Ond dyna roedd mam Davies yn ei ddisgwyl mewn angladd, a doedd dim byd yn bod ar hynny ynddo'i hun.

Ac roedd hi'n drist meddwl am y ffordd y byddai crefydd yn mynd allan o fywyd heb ddim byd fel petai i gymryd ei le. Nid crefydd benodol, wrth gwrs, ond crefydd fel syniad am ymwneud dyn â'i fyd sylweddol. A dyna pam bod y gwasanaeth wrth y bedd, wedyn, yn achlysur mor dawel ac mor hyfryd. Anna, fi a mam Davies oedd yno. Roedd Mrs Davies wedi'n gwahodd ni'n benodol. Doedd dim rhaid iddi, oherwydd teulu yn unig sy fel arfer yn y pethau yma, ac fe allai hi fod wedi teimlo na ddylen ni fod yno, rhwng y ffaith bod Davies a Anna ddim yn briod a phopeth. Ond fe ofynnodd hi i ni, y tu allan i'r crem, ac roedden ni'n falch i fynd. Roedd hi eisiau'r cwmni, wrth gwrs. Y cymundeb syml o fod o gwmpas pobl.

Dyna lle oedden ni, felly, ar ochr y mynydd yn Dowlais, lle roedden ni wedi dechrau allan yr holl flynyddoedd hynny yn ôl. Roedd hi'n ddiwrnod eitha llwyd, ddim fel haul cynnes yr angladd, ond roedd hynny'n gweddu'n well. Doedd yna ddim ffwdan. Wrth y bedd – bedd ei dad – fe roddodd y gweinidog ddarlleniad a gweddi fer ac fe roddodd y trefnwr angladdau y gist ludw mewn twll bach tu ôl i'r garreg fedd oedd wedi cael ei gloddio cyn i ni gyrraedd. Dim byd seremonïol, jyst gweithredoedd syml. Ac roedd clywed geiriau'r gweinidog – dim traethu o'r pulpud, jyst yn cael eu siarad yn syml – fel petai'n ateb yr amheuon yr oeddwn i wedi meddwl amdanyn nhw yn yr amlosgfa. Roeddwn i dan deimlad, rwy'n gorfod dweud, wrth i alar a sylweddoliad gyfuno tu fewn i fi. Roeddwn i'n gallu teimlo'r pŵer yn codi i fy llwnc ac i fy wyneb. Dyma oedd gweddi: siarad yn uchel yn yr awyr agored, neb arall o gwmpas, a dim cymaint o sŵn y byd i'w glywed fel na allech chi ei gau allan o'ch meddwl. A siarad nid yn gymaint er mwyn i Dduw eich clywed chi ond er mwyn i chi gael eich clywed eich hun, pan oeddech chi'n sefyll yno, yn edrych i lawr dros y dyffrynnoedd ac yn teimlo awel ysgafn ar gefn eich gwddf, yn goglais y croen o dan eich siwt angladd.

Diolch

– i Mihangel Morgan, John Rowlands ac Angharad Price am eu sylwadau gwerthfawr yn ystod y broses o olygu'r nofel. Diolch hefyd i Mihangel a John am gael defnyddio rhai o'u geiriau ar y clawr cefn.
– o waelod calon, i fy ffrindiau Twm ac Owain ac Alun – ymhlith eraill lawer – am eu sylwadau a'u hawgrymiadau nhw, ond yn bennaf o dipyn, am fod yn ffrindiau.
– i Bethan am ei brwdfrydedd a'i hanogaeth, ac am gadw'r ffydd.
– i fy nheulu bendigedig.

Hoffwn gyflwyno'r llyfr iddyn nhw i gyd.

Rwy'n ddiolchgar iawn hefyd i Gyngor Celfyddydau Cymru am grant prynu amser a'm galluogodd i ddechrau ar y nofel yn y lle cynta.

om